KB196596

Presented by Ao jyumonji / Illustration by Eiri shirai

재와 환상의 그림갈

작가=**주몬지 아오** │ 일러스트=**시라이 에이리** │ level. 14―파라노마니아[parano_mania]

──사랑해줘.

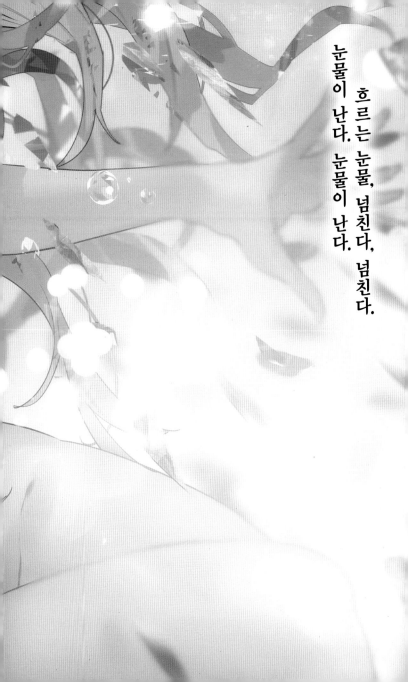

흐르는 눈물, 넘친다, 넘친다.

눈물이 난다. 눈물이 난다.

메리의 얼굴을 한 여자가 이쪽을 보며 미소 지었다.

"있잖아, 세토라…"

파라노마니아 [parano_mania]

재와 환상의 그림갈 level. 14

주몬지 아오

1. 아득히 먼 곳 [faraway]

사방 천지가 숨이 막힐 정도로 빨갛다.

빨갛다고 해도 그냥 새빨간 색이 아니라 노란빛이 도는 빨강이니까 주홍색인가?

이 숲의 나무들은 이파리부터 줄기며 가지까지, 농담이 다르기는 해도 같은 색을 하고 있다. 더욱 말하자면, 낙엽이 떨어져 쌓여 있는 바닥도 빨간색이다. 아니, 빨간색이 아니라 주홍인가? 왠지 눈이 아프다.

앞에서 가는 앨리스 C가 돌아보더니 보기에도 흉흉한 삽을 바닥에 꽂았다.

"여기가 '선홍의 숲'이야."

때가 탔다고나 할까, 얼룩 탓에 꽤 거무스름해졌지만 앨리스가 입은 비옷도 전에는 빨갛지 않았을까 생각한다.

"선홍의…."

하루히로는 중얼거렸다. 들어본 적이 있다. 분명히 앨리스가 선홍 어쩌고… 라는 장소로 간다는 듯한 말을 내가 기억하는 범위에서는 딱 한 번 지나가는 말처럼 했었다.

"혹시나, 선홍이란 건, 색깔?"

"뭔 줄 알았던 거야?"

"아니, 딱히 아무 생각도…."

그야 제대로 듣지 않았었고, "선… 응? 방금, 뭐라고?"라고 되물었지만 무시당했으니 어떻게 판단할 수도 없잖아… 라고 반론한다면 역시 무시당할 것이 틀림없다.

"원래는 '성성비(猩猩緋)'라고 쓰고 '쇼우죠우히'라고 읽는데, 선홍색이라는 뜻이야."

앨리스는 삽 끝으로 땅바닥을 콕콕 찌르면서 빠른 말투로 설명했다.

"성(猩)자와 비단 비(緋)자는 색으로는 둘 다 붉은색을 가리키거든."

"아아."

앨리스의 얼굴은 비옷 후드와 마스크로 거의 가려져 있다. 하지만 의외로 눈은 입만큼 많은 것을 말하고 있다. 저 치켜 올라간 눈매는 어이없어 하는 정도가 아니라 분명 하루히로를 경멸하기까지 하는 것이다.

"선홍의 숲, 이구나. 응. 선홍의 숲이라…."

고개를 숙이고 그렇구나… 라고 끄덕이기도 하고 헛기침을 하거나 머리를 긁적거렸던 것은 사실이지만 멍하니 있지는 않았다. 그랬다고 생각한다. 아마도.

"어라?"

하루히로는 주변을 둘러보았다. 이상하다.

없는데?

앨리스의 모습이 보이지 않는다. 어째서?

"어? 저기, 저, 앨리스?"

대답이 없어서 귀를 기울여보았다. 초목이 뭔가에 쓸리는 소리나 낙엽을 밟는 것 같은 소리가 희미하게 들린다. 들리는 느낌이 들었던 것뿐인지도 모른다.

설마 날 두고 가버린 건가? 당황해서 뛰기 시작했는데, 그러자마자 "왓!" 뭔가 빨간 것과 부딪칠 뻔했다. 잘 보니 그것은 키 작은 나무의 이파리였다. 전부 다 빨강… 이 아니라 선홍색이라서 엄청나게 식별하기 힘들지만, 이 숲에는 덤불 같은 것도 엄청 많다. 키 작은 나무나 어린 나무 잎은 금속처럼 딱딱하고 얇고 그러면서도 칼날처럼 예리하고, 가지에는 죄다 가시가 나 있어서 거의 천연 덫이다. 베이고 찔리고 위험하기 짝이 없다.

채찍처럼 휘는 가지며 면도칼 같은 이파리를 외두 자락으로 뿌리치고 밀어내며 걸음을 재촉했다. 얼마나 걸었을까? 그런 비슷한 생각을 했지만, 시계가 있는 것도 아니고 여기에서는 시간 감각을 믿을 수 없기 때문에 큰 의미는 없다. 아무튼 간신히 뒷모습이 보였다.

"앨리스!"

"…시끄럽네."

불쾌한 것처럼 말하면서도 걸음을 멈춰줬기 때문에 간신히 따라잡을 수 있었다. 그러지 않았다면 아직 찾지도 못했을지도 모른다.

"성큼성큼 가버릴 것까지 없잖아. 너도 내가 없으면 곤란한 거 아닌가?"

"그러니까 다정하게 대해달라고?"

"그렇게까지는 말 안 하지만."

앨리스는 흥, 코웃음을 치고는 걷기 시작했다. 간다… 정도는 말해줘도 좋을 텐데. 행동이 하루히로의 예상보다도 약 한 박자 빠르다. 맞지 않는 건가? 하고도 생각한다. 적어도 잘 맞는다는 느낌은 전혀 들지 않는다.

잠시 동안은 잠자코 앨리스의 뒤를 따라 걷는 데만 전념했다. 그저 따라가는 것뿐인데도 나름대로 힘들다. 앨리스는 가냘프고 키도 작고 빠른 걸음으로 걷는 것도 아닌데도 묘하게 쑥쑥 나아간다. 저 발걸음은 도대체 뭔가? 그저 경쾌하다는 것과도 다르다. 물 위를 걸어가는 것 같은, 혹은 떠 있는 것 같은, 체중이 없는 것 아닐까 하고 의심하게 될 만한 그런 발놀림이다. 물론 앨리스에게는 분명히 체중이 있다. 유령이 아니니까 없을 리가 없다.

"이 선홍의 숲을 지나면 왕성이 있다는 거지? …넘으면이 아니구나. 그러니까, 숲 한복판쯤이라고 했던가?"

앨리스는 대답하지 않는다. 상관없지만, 별로. 슬슬 익숙해졌고. 애초부터 정상적인 대화 같은 것은 기대하지 않는다. 무슨 말을 해도 앨리스가 반응할 확률은 고작해야 절반 정도. 등등의 생각을 하고 있다 보니 앨리스가 툭 던지듯이 중얼거렸다.

"…지날 수 있다면 말이지."

갑자기 그림자가 비쳐 등골이 오싹했다.

올려다보니 뭔가 거대한 것이 내려다보고 있었다.

것.

—것이랄까, 사람… 인가?

사람치고는 지나치게 크니까 거인? 그런가?

그놈은 선홍색 나무보다 키가 크고, 그 위에서 포동포동한 얼굴을 불쑥 내밀고 있다. 유난히 혈색이 좋고, 두툼한 입술은 깨끗한 분홍색이다. 눈썹은 없다. 속눈썹도 없다. 머리카락도 없다. 모발 같은 것은 일절 확인할 수 없었다.

사이즈를 제외하고 보면 그놈은 통통한 유아 같은 얼굴을 하고 있다. 하루히로의 위치에서는 어깨 정도까지밖에 보이지 않지만 분명 알몸이겠지.

"이히이이….

아하아…."

천지가 가볍게 흔들렸다.

"우호오오…,

에후우…."

엄청난 볼륨이다. 놈의 목소리… 인가?

한마디로 말해서, 무서운데요.

"…뭐야? 저거."

"당연히 몽마지."

앨리스는 이미 삽을 겨누고 있다. 단순한 삽이 아니다. 앨리스의 삽은 특별한 제품은 아니어도 여러 가지 사정이 있어서 특별한 힘을 숨기고 있다. 보기에는 유난히 거무튀튀하고 전체적으로 울퉁불퉁해서 위험한 느낌밖에 들지 않는다. 사실 저 삽은 상당히 위험한 것인데, 그래도 이번에는 상대가 저 거대한 유아다.

"크지 않아…?"

"선홍의 숲이니까. 저런 것들이 득실득실해."

"농담… 이지?"

"왜 내가 농담 따위를 해야 하지? 바보 아니야?"

"우히이이…,

오호오…,

아햐아아…,

에아하아아아아아…."

또다시 유아가 짖었다. 유아가 아닌가. 몽마였습니다. 죄송합니다.

아니, 마음속으로 사과하고 있을 때가 아니다. 다음 순간, 휘리릭 바람이 일었다. 선홍의 낙엽이 휘몰아친다. 하루히로는 "—웃!" 몸을 숙이며 버텼다. 그러지 않으면 날려가버릴 것 같을 정도로 강렬한 바람이었다.

"온다."

앨리스가 소리를 지르지도 않고 말했다. 반사적으로, 뭐가? 라고 물어보고 싶었지만, 저토록 큰 몽마가 앞에 있는데 뭐긴 뭐겠어. 당연히 오는 것은 저 거대 유아 몽마겠지. 문제는 어떻게 오느냐 하는 건데.

"…점프했다!"

뛰었다. 유아가. 거대 유아 몽마가, 점프했다. 난감하네, 진짜. 꽤 높이 뛰잖아. 거대 유아 몽마의 발바닥이 보인다. 수직 점프보다는 도움닫기 멀리뛰기에 가까운 점프 방식으로 선홍색 나무보다도 높이 도약한 것이다. 그리고, 낙하한다. 중력 만세. 전혀 만세가 아니다. 이대로 있다가는 하루히로와 앨리스는 십중팔구 밟힌다. 저런 것에 밟히면 벌레처럼 납작하게 찌부러질 것은 안 봐도 뻔하다.

"하루히로!" 호통 소리에 자기도 모르게 "넷!"이라고 대답을 하면서 앨리스 옆으로 붙었다. 몸에 닿지 않을 정도로 아슬아슬한 거리감을 노렸으나, "좀 더!"라고 외친다. 주저하고 있다가는 저 삽으로 얻어맞을지도 모른다. 하루히로는 용기를 쥐어짜서 앨리스를 와락 부둥켜안았다. 그러자마자 앨리스의 삽이 파열했다.

아니, 파열한 것이 아니다. 표면의 검은 부분, 가죽 같은 것이 찢어져 수십 개, 그 이상으로 갈라지더니 꿈틀꿈틀, 스르륵, 주로 위와 아래쪽을 향해서 쭉 늘어난다. 마치 살아 있는 것 같다. 이런 기

능을 갖춘 삽은 좀처럼 없을 것이다. 참고로 가죽이 벗겨지며 나타
난 삽의 본체? 인가? 어쨌든 안쪽의 모양새는 빨간 육봉이라는 양
상을 띤다. 육봉은 어폐가 있나? 고기 막대기 정도의 표현으로 만
족해야 할지도 모르겠다. 비슷한 건가? 아무튼 한 꺼풀 벗겨진 삽
이 저 모습이라는 것은 상상을 초월한다. 애초에 가죽이 벗겨지는
삽이라는 것 자체가 정상은 아니다.

끈 상태의 검은 가죽은 순시간에 바구니 같은 모양이 되어 엘리
스와 하루히로를 휘감았다. 검은 가죽 띠들 사이에는 간격이 있다.
그 간격을 다른 검은 가죽 띠가 계속 덮어간다.

당연히 그러는 동안에도 거대 유아 몽마의 낙하는 멈추지 않는
다. 거대 유아 몽마의 발이. 큰일 났다. 발바닥이. 다가온다. 큰일
났다고. 점점 다가온다. 이건 위험해. 위험하다고.

하루히로는 비명을 지를 것 같았다. 참으려고 했는데도 "잇"이라
는 느낌의 목소리가 흘러나오고 말았다. 틈새가 완전히 메워져 검
은 가죽 띠가 바구니라기보다 고치 상태가 됨과 동시거나 그 직전,
혹은 그 직후에 마침내 밟혔다.

저렇게 크니까 거대 유아 몽마의 체중은 수백 킬로 정도가 아니
라 몇 톤은 분명 되겠지. 수십 톤, 수백 톤이라고 해도 이상할 것 없
다. 놀랍게도 검은 가죽 띠의 고치는 그 무게를 힘겹게 받아내고 안
에 있는 앨리스와 하루히로를 어떻게든 지켜낸 모양이다. 단, 고치
는 바닥에 박혔고 박힐 때의 충격은 보통이 아닌 엄청난 것이었다.
왜 자신도, 앨리스도 무사한 건지 하루히로는 이해할 수 없었다. 실
은 당신들은 납작해졌답니다. 누가 그렇게 말해주는 게 차라리 납
득이 가겠다. 그러나 몸은 아무렇지도 않으니까 밟히지 않은 것이

다. 그렇다면, 도대체 뭐가 어떻게 된 것인가? 지금 상태는 도대체 어떻게 된 상황인가?

여전히 하루히로는 앨리스에게 매달려 있다. 이것은 틀림없다. 닫힌 고치 내부에 밖에서 스며들어오는 빛은 없지만, 삽의 내용물인 그 육봉, 아니, 고기 막대기 같은 그것이 맥박 치는 것처럼 희미하게 명멸하고 있다. 덕분에 아주 캄캄한 것은 아니었다. 앨리스의 얼굴이 바로 가까이에 있다. 그야 하루히로는 앨리스를 뒤에서 껴안고 있는 것 같은 자세랄까, 같은이 아니라 말 그대로 껴안고 있는 거니까 가까운 게 당연하다. 게다가 앨리스가 고개를 뒤로 돌린 덕분에 서로 마스크를 하지 않았다면 입맞춤 비슷한 행위를 해버릴 수도 있을 정도로 위험한 거리까지 접근하게 되었다. 본래는 예의상 떨어져야 하겠지만, 그럴 수도 없다. 그야 고치 안은 좁으니까. 거대 유아 몽마한테 밟혀서 아마도 땅바닥에 박히고 찌그러진 탓에 하루히로도, 앨리스도 꼼짝도 할 수 없을 정도로 비좁은 상태다. 참으로 견디기 힘든 상황이다.

앨리스는 눈을 깜빡였다.

"…뭐?"

"아니. …뭐랄까, 어떻게 된 건가 하고…."

말을 끝내기 전에 또다시 충격이 왔다. 뭐야? 이거. 뭡니까? 도대체 뭐냐고요? 이거.

사실은 어떻게 된 건지 모른다. 알 수도 없지만, 추측해보건대 분명 그거다. 밟히는 중이다. 거대 유아 몽마한테 연속으로. 쿵쿵쿵쿵 마구 짓밟히고 있다. "힘드네, 이거!" 앨리스가 그렇게 말할 정도니까 어지간한 거다. 그보다 용케도 말을 하네. 그러다 혀 깨물겠어.

조심해. 물론 그렇게 주의는 줄 수 없다. 지금 입을 벌렸다가는 확실히 내가 혀를 깨물 거다. 혀가 잘릴지도 몰라. 그전에 고치째로 짓뭉개질 가능성도 낮지는 않은 것 같으니 혀 같은 걸 신경 쓸 필요 없나? 차라리 깨물어버릴까? 안 되나?

"엇…?"

이번엔 뭐지? 지금까지와는 다르다. 분명히 상황이 돌변했다. 위인가? 위? 위다. 고치가 위쪽으로 이동하고 있다. 혹시나 들어 올리는 건가? 거대 유아 몽마가 고치를 집어 들었나? 그렇다면, 집어 들고, 그다음에는 어떻게 할 셈일까?

"하루히로."

"…응."

"아마, 돌 거야."

돈다는 건 무슨 뜻이야? 물어보는 것보다도 빨리 회전은 시작되었다. 뭐가 회전하는 건가? 이 세계? 타계 파라노가? 그게 아니라, 고치다. 고치가 빙글빙글 돌고 있다. 하루히로는 눈을 감았다. 이러고 있으니 그나마 좀 나은 것 같다. 눈을 뜨고 있으면 멀미가 날 것 같다. 무섭고. 입도 꼭 다물고 이를 악물고, 역시 앨리스에게 달라붙어서 오로지 견디는 수밖에 없는 건가? 그렇겠지. 하루히로는 아무것도 할 수가 없다.

파라노 이모저모—랄까, 기초 상식 같은 것인데, 여기에서는 누구나 마법을 쓸 수 있다.

마법에는 필리아, 나르시, 도펠 세 종류가 있는데 예를 들어 앨리스의 경우에는 필리아다.

필리아의 힘의 원천은 애착이 있거나 의지하게 된 것이나 필수적이거나 한 것으로, 이것을 주물 혹은 페티시라고 부른다.

말할 필요도 없이 앨리스의 페티시는 저 삽이다. 삽이 앨리스의 마법의 근원이고 마법 자체이기도 하다.

간단히 요약하자면, 필리아는 페티시가, 나르시는 자기 자신이, 도펠은 또 한 사람의 자기가 힘을 초래하고 그 사람의 마법이 된다고 할 수 있다.

그래서 하루히로도 마법을 쓸 수 있다. 그렇지만 하루히로의 마법은 놀랍게도 필리아도, 나르시도, 도펠도 아니다. 이상하잖아? 마법은 세 종류밖에 없는 것 아니었어? 기본적으로는 그렇지만 모든 일에는 대개 예외가 따른다.

파라노의 마법에서 예외는 레저넌스다.

애통하게도 이 마법은 본인에게는 아무런 쓸모도 없다. 종류를 불문하고 마법을 강화시킬 수 있고, 하루히로가 생각하기에 근육 트레이닝을 하거나 경험을 쌓아 기술을 연마하거나 하는 것보다도 그 강화법은 확실하고 또한 간편하다. 하지만 아무리 애써 마법을 강화해봤자 하루히로 본인에게는 아무런 이익도 없는 것이다.

레저넌스는 타인의 마법을 증강 혹은 증폭시킨다. 그런 마법이라고 한다.

대단해. …대단한 건가?

앨리스의 말에 따르면 상당히 드문, 귀중한 마법이라고. 그러나 당사자인 하루히로의 입장에서 보면 무작정 기뻐할 수만도 없다. 아니, 전혀 기쁘지 않다. 자기 마법을 강화해도 자기는 전혀 강해지지 않는다니, 너무한 거 아니야? 나름대로 너무하지? 진짜 웃기지 말라고. 화를 낸다고 상황이 나아진다면 화를 내고 싶지만, 어떻게도 되지 않으니까 잠자코 받아들이는 수밖에 없다.

　그렇다. 돌리면 돌아가는 수밖에 없다. 이것도 중요한 수행이나 그런 거라고 생각하고 회전하는 자신을 수용하는 것이다. 그보다, 이거.

　그냥 회전하는 게 아니지? 날아가는 거지? 빙글빙글빙글 회전하면서 어딘가로 붕… 날아가는 느낌이 확실하게 전해지는데? 혹시나 내던진 건가? 거대 유아 몽마가 집어 들어 내던져버렸다? 그건가? 그렇게 나왔다 이거지? 몇 번을 밟아도 뭉개지지 않으니까 열받아서 냅다 던져버렸나? 유아 같은 용모인 주제에 제법 어깨가 강한 모양이다. 하루히로가 상상한 것처럼 내던져진 것이라면, 엄청나게 날아가는 거다. 상당한 비거리다. 어디까지 날아가는 거야? 이거…?

옛날 옛적 어떤 곳에 불쌍한 여자아이가 있었습니다.

여자아이는 외톨이였습니다.

왜냐하면 여자아이는 날 때부터 못생겼기 때문에 모두 여자아이한테 못난이, 돼지, 징그러워, 저리 가… 라며 욕을 했던 것입니다. 여자아이는 자기가 원해서 외톨이가 된 것이 아닙니다. 욕을 먹는 것이 괴로워서 혼자 있을 수밖에 없었습니다.

여자아이가 방 한구석에서 훌쩍훌쩍 울고 있노라니 여자아이의 새엄마가 걱정하면서,

"왜 그러니?"

라고 물었습니다.

여자아이는 흐느끼면서 대답했습니다.

"애들이 다 나를 괴롭혀."

"너는 아무것도 잘못한 게 없으니까 그렇게 괴롭히는 애들 같은 건 신경 쓰지 않으면 된단다."

"하지만, 다들, 나를 괴롭히는걸."

"그렇게 울고 있어봤자 괴롭히는 사람들만 기뻐하잖아. 아무렇지 않은 얼굴 하고 있어."

"하지만, 나, 전혀 아무렇지 않지 않은걸."

"자신감을 갖는 거야. 너는 잘못이 없으니까, 잘못한 건 상대방이니까. 강해져야 해. 안 그러면 그 한심한, 바보 같은 애들한테 지게 돼."

무엇보다도… 라고 새엄마는 여자아이를 질책했습니다.

"너는 다들 괴롭힌다고 했는데, 누구랑 누구랑 누구랑 누가? 무슨 말을 했고 무슨 짓을 했니? 엄마한테 말해봐. 자, 이름은? 그 애가 뭐라고 했는지 구체적으로 말해봐."

여자아이는 주춤거리면서도 누가 무슨 말을 했고, 누구는 이런 짓을 했다. 이런 일을 당했고 저런 꼴도 당했다고 새엄마한테 설명했습니다. 그러자 새엄마는 일일이,

"너는 그렇게까지 뚱뚱하지 않으니까 돼지가 아니라고 되받아쳐 줘."

라거나,

"친구를 따돌리는 치사한 짓을 하는 건 그것 말고는 아무것도 할 수 없는 겁쟁이기 때문이야. 만약 실제로 해를 입는다면 엄마한테 말해. 신고할 테니까."

라거나,

"제대로 거울을 봐. 네 얼굴이 못생겼니? 그렇지 않지? 하지만 우물쭈물하면서 땅만 보고 있으면 누구나 초라해 보여. 등줄기를 쭉 펴고 똑바로 앞을 봐."

이런 식으로 여자아이를 격려했습니다.

새엄마의 말은 옳고 여자아이는 잘못하고 있는 거겠지요. 새엄마는 언제나 옳습니다. 그리고, 직접 배 아파 낳은 것도 아닌 여자아이를 성심껏 생각하고 걱정해주고 있습니다. 그런 것은 여자아이도 알고 있었습니다.

새엄마의 말대로 할 수 있다면 얼마나 좋을까요. 하지만 여자아이는 엄청나게 뚱뚱한 것은 아니어도 날씬하지는 않습니다. 따돌림을 당하는 것은 맞거나 발로 차이거나 하는 것처럼 아프지는 않고,

물건을 빼앗기거나 망가뜨리는 것처럼 곤란한 것도 아니지만, 서글픈 심정이 듭니다. 여자아이의 얼굴은 한 번 보는 것만으로도 구역질이 치밀 정도로 지독하지는 않을지도 모릅니다. 그러나 미인이라는 말을 듣는 새엄마와는 당연히 전혀 닮지 않았고, 여기저기 결점 투성이고, 과연 이런 얼굴을 남들한테 보여도 되는 걸까 하고 여자아이를 불안하게 만듭니다. 새엄마와는 달리 눈이 아무래도 이상하고 코 모양도 좋지 않습니다. 새엄마와 비교하면 입술이 쐐 얇은 것 같습니다. 새엄마의 매끈한 볼과 달리 여자아이의 볼은 지나치게 통통하고, 둥근 턱이 그야말로 볼썽사납습니다. 머리를 길러 결점을 숨기려고도 해봤지만, 전부 다 숨길 수 있을 리는 없으니 아무래도 고개를 숙이게 되는 것입니다.

게다가 여자아이가 이건 이렇고 저건 저렇고 이유를 말해봤자 새엄마는 이해해주지 않겠지요.

"지나치게 신경 쓰는 거야."

라거나,

"완벽한 것은 아무것도 없어. 불완전하니까 아름다운 거고 사소한 결점은 오히려 개성이란다."

라거나,

"아무튼 일단 엄마 말대로 해봐."

이렇게 대답할 게 뻔합니다. 그리고 새엄마는 분명 옳습니다.

새엄마는 응석을 받아주는 것은 아이를 위한 일이 아니라고 생각해서, 사실은 하기 힘들 텐데도 때로는 엄격한 말을 하기도 합니다. 그런 새엄마를 따르는 것이 가장 좋겠지요. 그것은 여자아이도 알고 있는 것입니다.

그래도 여자아이는 새엄마와는 다릅니다. 이런 말을 새엄마에게는 할 수 없고 절대로 하지 않을 거지만, 친모녀가 아니기 때문에 애초에 두 사람은 닮지 않았습니다. 닮았을 리가 없습니다. 사람에게는 할 수 있는 일과 없는 일이 있고, 새엄마가 할 수 있다고 해서 여자아이도 할 수 있다고는 말할 수 없습니다. 그것이야말로 사람의 개성이라는 것 아닐까요?

옛날 옛적 어떤 곳에 있던 여자아이는 외톨이였습니다.

그렇기는 해도, 여자아이도 외톨이라도 좋다고 생각한 것은 아닙니다. 외톨이는 싫기 때문에 여자아이 나름대로 노력하기로 했습니다.

철저하게 남들 눈치를 살피는 것입니다. 주변 사람들이 무엇을 느끼고 있고, 무엇을 생각하고, 어떤 사고방식을 갖고 있는지 알아차릴 필요가 있습니다. 아무튼 미움받지 않도록 아주아주 조심해야 합니다. 모든 일을 조심스럽게 해서 눈에 띄지 않아야 합니다. 당당히 가슴을 편다거나 똑바로 앞을 보고 걷는다거나 하면, 저 녀석 뭐야? 돼지 주제에 건방지게… 라고 생각할지도 모르고, 뭔가에 발이 걸려 넘어질지도 모릅니다. 그렇게 넘어지거나 하면 분명 비웃음을 살 테고, 비웃음을 당하면 울어버릴지도 모르고, 울면 십중팔구 짜증을 유발하는 아이라고 생각하겠지요. 좋은 일은 하나도 없습니다.

"뭐든 자기 책임인 거야. 결국 전부 자기 탓이니까."

이것이 새엄마의 입버릇이었습니다.

"남을 자기 마음대로 하려고 해도 되는 게 아니야. 남을 바꿀 수 없다면 자기 자신이 변하는 수밖에 없잖니. 어차피 변할 거면 보다

좋게 변하도록 노력해야지."

　매번 그렇지만 새엄마는 옳습니다. 남을 바꿀 힘도, 권리도 여자아이에게는 없습니다. 그러니까 자기 자신이 변하는 수밖에 없다, 그 말이 맞습니다.

　새엄마처럼 되고 싶다. 예쁘고, 멋쟁이고, 야무지고, 한결같고, 배려심이 있고, 머리가 좋고, 손재주가 많고, 뭐든 잘하고, 게다가 노력가이고, 잘못된 발언은 일절 하지 않고, 정당하고, 누구한네서나 사랑받는, 그런 멋진 사람이 여자아이는 되고 싶었습니다.

　가능한 거라면.

　아아, 그러나 어차피 그것은 이룰 수 없는 바람이었습니다. 눈물.

　눈물.

　눈물.

　눈물. 눈물.

　눈물. 눈물.

　반짝반짝, 눈물.

　장점 같은 건 하나도 없는 여자아이의 눈물. 반짝반짝, 반짝반짝.

　지저분하고 못난 여자아이가 흘리는 눈물인데도, 신기하네요. 무척 예뻐요.

　반짝반짝, 반짝반짝. 쉼 없이 흐르는, 여자아이의 눈물. 반짝반짝.

　눈물을 흘리면서 여자아이는 걸어갑니다. 반짝반짝, 반짝.

　반짝반짝, 눈물. 못생긴 여자아이의 몸을 흘러내려, 반짝반짝 덮어줍니다.

　그로테스크한 여자아이를 덮어 가려주는, 더러운 거짓과는 달리,

반짝, 반짝반짝.

그렇습니다.

여자아이는 거짓말을 했습니다. 잔뜩, 잔뜩, 거짓말을 했던 것입니다.

이렇게 못난 내가 아니라 다른 내가 되고 싶다.

그렇게 바라고 여자아이는 거짓말을 했던 것이었습니다. 반짝반짝거리는 내가 되고 싶어서.

밝게, 밝게 인사해봤습니다. 뭐야? 이 아이. 라는 눈으로 쳐다봅니다.

사람들이 즐겁게 웃으면 여자아이도 웃어봤습니다. 지독히 우스꽝스러운, 피에로의 웃음소리가 울렸습니다.

모두가 누군가에게 돌을 던지기 시작하면 여자아이도 돌멩이를 주워 던졌습니다. 돌멩이니까 괜찮아. 분명 맞지 않을 거고, 맞아도 아프지 않아, 아프지 않아.

반짝반짝 빛나고 거만하게 구는, 귀족 아가씨 같은 아이가 있으면 먼발치에서 동경하는 시선으로 지켜봤습니다. 조금씩 가까이 다가가 아가씨가 말을 걸어주면 기뻐서 견딜 수가 없었습니다.

남들한테 무슨 말을 들으면 여자아이는 응, 응… 하고 귀를 기울였습니다. 속으로는 쓸데없어, 라거나, 쓰레기, 라거나, 빌어먹을, 이라고 생각해도 결코 얼굴에 내보이지 않았습니다.

반짝반짝, 반짝거리고 싶어서, 길게, 길게 기른 머리를, 과감히 잘랐습니다.

"어머, 좋은데. 어울려."

칭찬해준 새엄마 눈에 한순간 연민 같은 것이 스치는 것을 여자아이는 놓치지 않았습니다. 고마워, 라고 대답한 여자아이의 가슴은 당장이라도 찢어질 것 같았습니다. 미안해요. 나, 당신 피가 섞인 딸이 아니고, 이렇게 못생겨서, 죄송합니다. 당신은 예쁘고 올바르죠. 언제나 반짝반짝, 반짝거리며 나를 몰아붙인다.

　당신이, 정말 싫어.

　여자아이는 물론 그런 말을 입 밖에 내거나 하지는 않습니다. 웃는 얼굴로, 정말? 기뻐, 라고 들뜬 모습을 보이는 것입니다. 불쌍하게도, 갸륵한 아이네… 라고 새엄마는 생각하겠지요.
　아아, 불쌍한, 나. 눈물. 눈물. 반짝반짝, 눈물.
　언제나 눈물로 지새우는, 내 심정, 아무도 몰라. 눈물, 반짝반짝.
　눈물을 흘리며, 나는, 걸어가. 반짝, 반짝반짝. 반짝반짝, 반짝.
　흐르고, 흘러, 내 눈물. 쌓인다. 반짝반짝, 여기저기 다, 반짝반짝, 반짝반짝, 깨끗하게 해준다. 눈물, 반짝반짝, 눈물.
　반짝반짝 빛나는 것밖에는, 나는, 필요 없어. 보고 싶지 않아.
　다들, 다들 반짝거리게 되면 돼.
　볼에, 뚝, 뭐가 닿아서, 어라? 비 오나? 나는, 올려다본다.
　라벤더색을 한, 뜨개질 코처럼 펼쳐진, 나뭇가지와 이파리? 마치 우산 같아.
　하지만 비는 그 나뭇가지와 이파리에서 떨어지고 있다.
　라임옐로의 빗방울, 똑, 똑, 똑똑, 똑. 비가 아니야. 그것은 분명, 더러운, 배설물이나 그런 거야. 아아, 더러워. 더럽다.
　나는 에잇 하고 두 팔을 치켜들었다. 그러자, 내려 쌓인 눈물, 반짝반짝 눈물이, 쏴아아 휘몰아친다. 반짝반짝 휘말려 올라간다. 반짝, 눈물, 반짝반짝, 눈물. 눈물의 소용돌이가, 배설물을 깨끗하게 만든다. 라벤더색의 나뭇가지와 이파리에, 반짝반짝, 반짝반짝, 달라붙어, 구부정, 구부정, 휘어버리고, 우두둑, 우두둑, 꺾어버리고, 찌직, 찌지직, 쪼그라든다.

그리고 남은 것은 눈물뿐. 반짝반짝, 눈물. 반짝, 내린다, 내린다.

라벤더색의 가지와 이파리가 사라지고, 물방울 모양의 하늘이 펼쳐진다. 저 하늘도, 깨끗하게 하고 싶어. 하지만, 저 하늘까지는, 반짝반짝 눈물도 닿지 않아. 눈물. 눈물. 눈물.

눈물을 흘리면서, 나, 걸어가.

라벤더색의 커다란 나무가, 같은 색을 한 나뭇가지를 펼치고, 몇 그루나, 몇 그루나 서 있다. 거슬려. 거슬려. 가슴이, 술렁술렁.

나는 후웃 숨을 불었다. 눈물, 눈물이여, 날아가라. 반짝반짝 눈물, 날아가. 반짝반짝, 구부정, 뚜둑뚜둑, 우두둑, 찌지직, 반짝반짝, 찌지지직.

작게, 작게 줄어들더니 사라져버린 나무 뒤에 누군가가 숨어서 웅크리고 있었습니다. 이제 몸을 숨길 곳은 아무데도 없습니다.

"젠장, 들켰다!"

이렇게 그 누군가는 외쳤습니다. 유난히 큰 목소리. 가슴이, 술렁술렁. 괴로워. 괴로워. 왜 나를 괴롭히는 거야? 왜? 어째서?

"에에에에에아아아아아이이이이이아아아아아아에에에에에아아아아아."

눈물이 난다. 눈물이 난다. 흐르는 눈물. 넘친다, 넘친다. 두 팔, 치켜들고, 반짝반짝 눈물, 날아가. 반짝, 반짝반짝, 날아가.

"…우옷! 또 이건가!"

누군가는 커다란 칼을 붕 휘두릅니다. 그랬더니 놀랍게도! 휙 하고 강한 바람이 일어나, 반짝반짝 눈물이 날아가버립니다. 짜증짜증, 짜증짜증. 눈물이 나, 눈물이 납니다. 눈물, 흐른다. 반짝반짝, 반짝.

"이제 그만 좀 하라니까, 시호루 씨! 그런 걸로는 나를 무찌를 수 없다고! 알잖아, 당연히 알겠지! 이런 일 반복해봤자 뭐가 어떻게 된다는 거야!"

누군가가 마치 여자아이에 관해서 알고 있는 것 같은 말을 합니다.

알고 있어?

"아아."

그렇습니다. 짚이는 데가 있습니다. 그러고 보니 여자아이도 마찬가지로 그 누군가를 알고 있습니다.

"쿠자크 군인가?"

"…어, 맞는데? 나를, 잊어버렸었어? 시호루 씨?"

"에헤헤."

"에헤헤가 아니라. 진짜 이상하다니까, 시호루 씨…."

"이상한가? 나. 이상한 건가?"

그러는 동안에도, 눈물. 눈물. 반짝반짝 눈물이, 줄줄, 반짝반짝 흘러나옵니다. 쉼 없이, 쉼 없이, 바닥나는 일 없이. 이상한지도?

이상해진 건지도?

그렇다면, 언제부터 이상해진 걸까?

우습네.

"…왜, 웃는 거야? 시호루 씨."

남자아이가 말했습니다. 그래요, 그 누군가는 남자아이인 것입니다. 키가 크고 근사한 체격을 가진 남자아이. 여자아이는 그 남자아이를 알고 있습니다. 쿠자크 군.

쿠자크 군은 어떤 여자아이를 좋아했습니다. 물론, 내가 아닌 다른 여자아이. 멋진 몸매를 갖고 있고, 예쁜, 부러워서 한숨이 나올 정도로, 무척이나 예쁜 여자아이입니다. 게다가 그녀는 그 사실을 자랑하려 들지도 않고, 나대지도 않는, 마음 착한, 멋진 여자아이입니다. 킥킥. 가슴이, 술렁술렁, 술렁술렁거린다. 킥킥. 키득키득.

그렇습니다. 그랬습니다. 쿠자크 군만이 아니라 하루히로 군도 그녀를 아주 좋아합니다. 그것도 이해가 갑니다. 멋진 여자아이는 가만히 있어도 사람들에게서 사랑을 받습니다. 소중하게 대해주고, 다정하게 대해줍니다. 아무것도 신기할 것 없습니다. 당연한 일입니다. 누가 잘못한 것도 아니야. 킥킥. 누구 탓도 아니야. 키득키득. 킥킥.

"시호루… 씨?"

누군가가 부릅니다.

여자아이는 물방울 모양 하늘을 올려다봅니다.

이 이야기는 언제부터 뒤틀려버린 것일까요?

여자아이는 그저 다정하게 대해주길 바랐던 것뿐입니다. 소중하게 여겨줬으면. 귀여움을 받고 싶어. 칭찬받고 싶어. 위로받고 싶어. 안아주고, 응석을 받아줬으면 좋겠어. 단지 그것뿐입니다. 이게, 그렇게 어려운 일인가요?

그렇습니다. 그것은 매우 어려운 일입니다.

왜냐하면, 나는 예쁘지 않고, 뚱뚱하고, 둔하고, 어둡고, 주눅 들어 있고, 게다가, 당신을 위해, 모두를 위해, 나를 위해서가 아니라, 모두를 위해서라면 노력할 수 있어, 아니, 그런 건 거짓말, 완전 거짓말, 새빨간 거짓말이야, 그게 아니라 사실은, 인정받고 싶어, 칭찬받고 싶어, 다정하게 대해주길 원해, 소중하게 여겨주길 원해, 내, 나 자신을 위한 거야, 보답을 원하는 거야, 보상만이 희망이야, 참을 수 없을 만큼 원해. 전부 그 때문이야.

옛날 옛적 어떤 곳에 불쌍할 정도로 추한 여자아이가 있었습니다.

지금도 여자아이는 여전히 추합니다.

줄곧, 앞으로도 계속, 언제까지고, 여자아이는 추한 채로 있을 겁니다.

이 이야기는 처음부터 뒤틀려 있었던 것입니다.

왜냐하면, 이야기의 주인공인 여자아이가 바로, 압도적으로 추하고, 비틀렸으니까.

"시호루 씨."

다시 누군가가 부릅니다.

얼굴을 내려보니, 커다란 칼을 든, 껑다리 남자아이가, 손을 뻗으면 닿을 만한 곳에 서 있었습니다.

"왜애?"

여자아이가 묻자 남자아이는 고개를 숙였습니다.

"아니… 뭐랄까. 우리, 동료잖아."

"동료."

"…맞지? 있잖아, 고락을 함께해왔다는 그런 비슷한. …비슷한이랄까, 실제로 그랬잖아. 무슨 일이 있었는지… 라고나 할까, 어떤 걸 느끼고 생각하고 있는 건지, 인가? 잘은 모르지만, 시호루 씨는 괴로워하고 있는 것일 테고. 그것을 그러니까… 가르쳐주지 않겠어? 내가 들어봤자 아무 도움도 안 될지도 모르지만. 아니! 나는 뭐 이렇게, 좀 그렇긴 하지만, 혹시 뭔가 할 수 있는 일이 있을지도 모르니까…."

"그럼, 나를 품어줘."

"헐."

그러자 남자아이는 괴상한 목소리를 내더니 눈을 동그랗게 뜨고 여자아이를 보았습니다. 남자아이의 시선은 여자아이의 얼굴을 거의 그냥 통과해서 가슴 근처를 떠돌고 나서 옆으로 벗어났습니다. 정말, 가슴, 가슴, 가슴뿐이네? 남자아이들은 여자아이의 가슴만 보는 것입니다. 여자아이가 눈치채지 못할 거라고 생각하는 걸까요? 당연히 알아차리지 않겠어요? 이래서는 마치 여자아이가 가슴의 부속물 같습니다. 이런 식으로 대우받는데 여자아이가 상처를 입지 않을 거라고 생각하는 걸까요? 너희가 그 물건의 부속물 취급을 당하면 어떻겠어? 깊고 깊은 상처를 입을 게 당연하잖아?

"…아니, 그건, 좀…."

남자아이는 웅얼웅얼 뭔가 말하고 있습니다.

여자아이는 생긋 웃었습니다.

"괜찮아. 농담이니까."

"앗, 그런가. 노, 농담인가. 그렇지. 아니, 진짜인 줄 안 건 아니지만. 갑자기 그러니까. 놀라서. 좀 그게, 말할 필요 없는지도 모르지만, 시호루 씨가 대상 외라거나 그런 건 아니라고나 할까, 역시

동료니까. 응, 그 점은, 선을 지킨다고나 할까….”

가슴이, 술렁술렁. 괴로워. 괴롭다니까. 눈물, 반짝반짝. 눈물.
눈물. 눈물.

“상관없어.”

“응?”

“난, 상관없어.”

“우왓….”

남자아이가 당황하며 펄쩍 뛰어 뒤로 물러납니다. 그 발밑에, 반
짝반짝, 여자아이의 눈물이 닥쳐왔기 때문입니다. 반짝반짝, 반짝.
눈물. 눈물. 눈물의 바다가, 반짝반짝, 점점, 펼쳐져갑니다.

“…시호루 씨!”

남자아이는 커다란 칼을 휘두르려다가, 주저했습니다.

바보 같은, 어리석은, 남자아이.

여자아이를 구할 마음도 없는 주제에, 친절을 가장한 말로 넘어
가려고 한다.

가슴이, 술렁술렁. 눈물, 반짝반짝. 사라져버려라. 사라져.

여자아이는 재빨리 두 팔을 치켜듭니다. 내려쌓인 반짝반짝 눈
물, 눈물, 눈물이 쏴아쏴아 휘몰아치고, 고오오 소용돌이치며, 남자
아이에게 덤벼듭니다.

“웃….”

남자아이는 이미 늦었습니다. 무엇을 하려고 해도 소용없습니다.
도망칠 수 없습니다. 놓치지 않습니다. 바보이고, 가련한 남자아이.
불쌍한 추한 여자아이는, 반짝반짝, 더욱 눈물을 흘리겠지요. 반짝
반짝. 반짝.

"톤베!"

"넵, 이오 님!"

그때 갑자기 귀에 익지 않은 목소리가 연속으로 울렸습니다. 믿을 수 없는 일이 일어났습니다. 지금 막 반짝반짝 눈물의 소용돌이에 집어삼켜지려던 남자아이 앞으로 추한 여자아이보다도 훨씬 뚱뚱한 남자가 끼어든 것입니다.

그 남자는 손에 뭔가를 들고 있었습니다. 그것은 손잡이가 달린 작은 거울 같았습니다. 저것은 분명 손거울입니다.

꺽다리 남자아이 앞에 뚱뚱보 남자가 쪼그리고 앉자 손거울의 거울 부분이 순식간에 꺽다리 남자아이까지 가려버릴 정도로 커졌습니다. 거울아, 거울아. 거울은 반짝반짝 눈물의 빛을 반사했습니다. 반짝반짝 반짝, 반짝반짝 반짝. 반짝반짝 반짝, 반짜아아악.

"힉…."

여자아이는 눈이 멀어버린 줄 알았습니다. 그 정도로 눈부셨던 것입니다.

"아앗, 아아아앗."

눈을 뜨고 있는데도 모든 것이 다 새하얗습니다. 새하얗게 보이는 것이 아닙니다. 아무것도 보이지 않는 것입니다. 눈이 아파, 아파, 아파, 아파, 무릎을 꿇고, 두 손으로 얼굴을 가립니다, 아파, 아파, 아파서 견딜 수가 없어, 그러는 동안에도, 눈물은 반짝반짝 흘러나옵니다. 전혀 멈추지 않습니다. 어쩌면, 언제까지고 영원히 멈추지 않는 건지도 모릅니다.

잠시 후에 사물의 형태가 보이게 되었습니다. 깜짝 놀랐습니다.

없어.

아무도 없는 것입니다.

눈을 비비고, 깜빡이고, 확인했습니다. 역시, 없습니다.

주위에는, 아무도.

불쌍한, 추한 여자아이는, 외톨이였습니다.

하지만, 잘 날아가네.

그보다, 언제부터 날고 있는 거지? 언제까지 날아가는 건가? 서서히 그런 생각도 할 수 없게 되었다.

왜냐하면 그냥 날아가는 것뿐만이 아니라 회전하고 있기 때문이다. 이건 살짝 지옥이다. 아니, 살짝이 아니다. 상당히 본격적인 지옥이다. 회전 지옥. 이것은 맛보고 싶어도 좀처럼 맛볼 수 없는 회전이라고 생각한다. 눈이 돈다거나 그런 차원이 아니다. 이제. 흐물흐물이라고요. 뇌나 피 같은 체액이나 살이나 내장이나 뼈까지 흐물흐물, 엉망진창이 되고 더욱이 그것이 셰이크, 셰이크, 셰이크를 하는, 그런 비슷한. 고치 같은 상태가 된 삽의 검은 가죽에 싸여 있는 탓에 바깥이 일절 보이지 않으니까 더욱더 감각 차단적이랄까? 거기에 무지막지한 충격이 쿵 하고 왔으니, 이건, 큰일이 난 건지 뭔지. 분명 드디어 착지한 것이겠지만, 그런 것치고는 둥… 쾅… 쿵쾅… 하고 충격이 여러 차례에 걸쳐서 있었던 것 같기도 하다.

오오….

죽었네, 이건.

…그렇게 생각했다. 그렇다는 건, 죽지는 않은 거다. 안도했다. 아니, 그렇지도 않다.

"…앨리스?"

"…응."

"…괜찮아?"

"…응."

절대 괜찮지 않겠지. 그야 목소리가 이상한걸. 아니면 내가 이상한 건가? 귀가 이상해졌나? 아니, 그뿐만이 아니다. 하루히로는 앨리스에게 달라붙어 있었다. 그러나 그 감촉이나 체온 같은 것이 느껴지지 않는다. 손도, 발도 움직일 수 있는 건지 움직일 수 없는 건지. 지독하게 모호하다. 숨을 쉬고 있다. 그것은 틀림없다. 앨리스도. 둘 다 살아 있다. 우선은 다행스럽다. 그런가? 글쎄. 그야 살아 있어봤자 즐거운 일보다 괴로운 일 쪽이 비교적 많다거나 하니까. 비교적? 상당히, 인가? 부조리하지. 누군가가 심술이라도 부리고 있는 건가? 그렇게 의심하고 싶어지기도 하는 요즘입니다. 좋아. 좀 나아졌다.

"…다친 데는."

없어?

물어보려고 했더니 앨리스가 "나가자"고 말했다.

고치를 형성하고 있던, 검정색인지 거무튀튀한 색인지, 이제 그냥 검정이라고 해도 상관없지만, 검은 가죽이 풀어지고 가느다란 끈 상태로 갈라져 앨리스가 쥐고 있는 고기 막대기 같은 삽의 심에 감긴다. 하루히로는 눈을 가늘게 떴다. 구멍, 인가? 앨리스와 하루히로는 구멍 밑바닥에 있다. 그리 깊지는 않고 큰 구멍도 아니다. 물방울 모양의 하늘이 보인다. 고치가 낙하해서 지면에 처박힌 것이겠지. 하지만 평평한 장소에 떨어진 것은 아닌 모양이다. 건물이나 그런 것에 박힌 건가? 지붕을 부수고 밑바닥까지?

"떨어져."

앨리스는 하루히로가 반응하기 전에 하루히로를 뿌리쳤다. 그러는 바람에 팔꿈치가 하루히로의 안면을 직격해서 그런대로 아팠지만 그런 일을 신경 쓸 앨리스가 아니다. 앨리스는 구멍에서 기어 나갔고 하루히로도 그 뒤를 따랐다.

이곳은 역시 건물 안이다. 천장에 구멍이 뚫려 있다. 아담한 단층집 같다.

창문이 있고 스테인드글라스가 박혀 있다. 천장의 구멍에서 빛이 스며들어오고 있으나 밝다고는 말하기 힘들다. 그래도 그럭저럭 실내의 상황은 대충 알겠다. 난로 같은 것이 있다. 긴 의자와 책상, 책장으로 보이는 가구도 놓여 있다. 벽과 바닥은 돌로 만든 것이겠지. 바닥에는 앨리스와 하루히로가 기어 나온 큰 구멍이 뚫려 있다.

"…누군가의, 집?"

"누군가랄까…."

앨리스는 말하려다가 삽을 들고 공격 자세를 취한다. 문이 열린 것은 그때였다. 앨리스는 날아가는 것처럼 달려가 문을 연 누군가를 삽으로 때려눕혔다.

"이리 와, 하루히로."

"어?"

분명 놀라 눈을 까뒤집고 있을 상황은 아니겠지. 앨리스는 벌써 건물 밖으로 나가버렸다. 당혹감을 떨쳐내고 앨리스를 쫓아갔다. 문은 열린 채다. 쓰러진, 이랄까, 앨리스가 때려눕힌 누군가가 문의 스토퍼 역할을 하고 있다.

연두색 드레스를 입은, 금발 소녀였다.

아니야, 그게 아니다.

소녀로 착각할 만한, 그것은 인형, 인가?

형태는 정말로 인간 같지만 피부의 질감이 명백하게 생물이 아니다. 만지면 딱딱할 것 같다. 노출된 팔과 다리의 관절에 이음새가 있다. 엎어져 있어서 얼굴은 보이지 않지만 상당히 정교한 인형이다.

지금은 꼼짝도 하지 않는다. 하지만 아까는 움직였었다. …그렇지?

문을 열고 건물 안으로 들어오려고 했었다.

인형인데?

기분 나쁘지만, 이곳은 파라노. 기묘한 일투성이랄까, 기본적으로는 기묘한 일밖에 일어나지 않는다. 하루히로는 소녀 인형을 뛰어넘어 밖으로 나갔다.

희미하게 안개가 껴 있다. 거리인가? 건물이 늘어서 있다. 모든 건물이 돌 벽이고 지붕은 슬레이트 같은 것을 덮었다. 지극히 평범하달까. 더러 있지, 이런 비슷한 거리. 오히려 너무 지나치게 평범해서 파라노에는 어울리지 않는다.

앨리스는 바로 근처에 있었다. 하루히로를 기다려준 것일까? 글쎄? 앨리스니까 그건 아닌가? 그저 움직일 수가 없었던 건지도 모른다.

사람이 있다. 이 거리의 주민인가?

길가 여기에도 저기에도 드문드문… 정도가 아니다.

안개 때문에 형태가 흐릿하긴 하지만 수십 명, 아니, 그 이상의 주민으로 보이는 자들이, 다가오지는 않는다, 아직까지는. 그러나 앨리스와 하루히로를 멀리서 에워싸고 있다. 길가뿐만이 아닌 건가? 여기저기 건물 위, 즉 지붕 위에서도 사람 실루엣 같은 것을 확인할 수 있다.

"꽤 멀리 날려왔군…."

앨리스가 중얼거렸다.

"저… 여기는?"

하루히로가 묻자 앨리스는 고개를 숙이고 하아, 한숨을 내쉬었다. 그리고 "인형 마을이야"라고 답하고는 "폐허 3호"라고 덧붙였다.

"아아… 여기가."

파라노에서는 온갖 것들이 변화한다. 때로는 천천히, 가끔씩은 급격하게. 지형도 예외는 아니다. 지금 여기에 바위산이 있어도 잠시 후에는 사막이 될지도 모르고 회색의 숲으로 변할지도 모른다.

하루히로보다 파라노 경력이 훨씬 긴 앨리스의 말에 따르면, 그런 파라노에도 변하지 않고 계속 존재하는 장소가 몇 군데 있다고 한다. 예를 들면 폐허 1호부터 폐허 7호까지 일곱 개의 거리의 유적과 그 주변이 그에 해당한다.

"그 몽마와 맞닥뜨렸던 선홍의 숲이 폐허 1호… 맞지?"

"응."

"폐허 1호부터 이 폐허 3호까지는…."

"걸어가면 꽤 걸린다."

파라노에서는 거리나 시간도 애매하달까, 감각적으로 계측할 수밖에 없다. 몇 킬로미터 정도 혹은 한나절 정도 걸린다는 등의 대략적인 계측조차 성립되지 않는다. 애매하다기보다는 거리나 시간이 확정적인 척도가 되지 않는다고 생각하는 게 좋을지도 모른다. 그래도 앨리스가 꽤 걸린다고 말하니 분명 먼 것이겠지.

"…용케도 무사했네."

"오고 싶지 않았다. 여기에는."

"그래?"

"참고로, 인형 마을은 도쿄에도 있지만 그것과는 다른 거야."

"도쿄….."

왠지 신비한 어감이다. 짐작컨대 지명인 모양이다. 알고 있는 것 같기도 하고 모르는 것 같기도 한. 생각하다 보면 기억날 것도 같은 느낌이지만, 분명히 지금은 그럴 때가 아니다. 인형 마을. 인형.

"…저건 전부 인간이 아니라… 인형?"

하루히로가 길가와 지붕 위의 실루엣을 둘러보면서 묻자 앨리스는 짜증스럽다는 듯 다시 한번 한숨을 내쉬었다.

"여기는 인형사의 마을이니까."

"그건… 아는 사이?"

"친구였다. 어둠에 떨어지기 전에는."

"어둠…."

"있다."

"헉… 어디?"

"저기."

앨리스가 왼쪽 비스듬히 뒤로 몸을 틀었다. 하루히로도 황급히 그쪽을 본다. 아무도 없다. 길가에는. 길가에 면한 건물 위에, 뭔가 가 서 있다. 뭔가, 랄까, 왜냐하면 사람 형태를 하고 있다고 할 수 있을지 어떤지. 머리가 있고, 몸통이 있고, 팔과 다리가 두 개씩, 있 기는 있는데, 그런데, 가늘다. 너무 가늘어. 기발한 모자를 쓴 머리 외에는 모든 게 다 가늘고 길다. 목도, 팔다리도 거의 막대기다. 아 주 짧은 스커트를 입고 속옷 같은 천으로 가슴을 싸맸다. 허리 또한 가늘다. 아마 인간이 극한까지 살을 빼고 배를 쑥 집어넣고 더욱이 벨트나 그런 걸로 조인다고 해도 저렇게까지 가늘어지지는 않지 않을까?

과하게 장식한 케이크를 연상시키는 모자와, 어째서인지 몇 개나 겹쳐 쓴 안경 때문에 이목구비는 전혀 알기 힘들지만, 입술은 크고 흉흉할 정도로 빨갛다. 아무래도 여성인 모양이다. 그녀는 인형사라고 하니 인형은 아니겠지.

"…음… 음… 크크… 크…."

인형사는 웃고 있는 건가? 한밤중에 부는 폭풍 같은 목소리다.

"누이…."

앨리스는 삽 끝을 바닥에 꽂고 "…오랜만"이라고 씁쓸한 듯 말했다.

누이. 인형사가 앨리스의 친구였던 무렵의 이름인가? 누이.

어느 틈엔가 인형들이 이동하고 있었다. 방금 전까지는 안개 때문에 잘 보이지 않았지만 드레스 색깔을 식별할 수 있는 인형도 드문드문 섞여 있는 것을 보니 조금씩 앨리스와 하루히로에게 접근한 모양이다.

그보다, 숫자가 늘지 않았어?

그런 느낌이 드는 것뿐인가? 아니, 틀림없이 늘어났다. 혹시나 인형 마을 안의 모든 인형이 이 일대로 모여들고 있는 건가?

"…아아… 응… 후후… 큭… 쿠굿… 홋…."

"누이, 나는 너와 싸우고 싶지 않아. 말해도 소용없을지도 모르지만… 우리는 친구였잖아."

"…치… 인… 구… 크크홋…."

"오려고 온 게 아니었어. 만나고 싶지 않다는 게 아니야. 단지… 좋은 형태로 재회할 수 있을 거라고는 생각할 수 없으니까. 그래서 피했었지. 너는 여기에서 언제까지고 계속 인형을 만들고 있으면 돼. 그게 네 바람이잖아. 나는 방해하거나 하지 않아."

"…하아… 헤아… 하아… 응응훗…."

"틀렸나."

앨리스는 혀를 차고는 삽을 바닥에서 뽑았다.

"…틀렸다니?"

"말이 안 통해. 나도 못 알아보는 모양이다. 그야 트릭스터니까. 어쩔 수 없어."

"하나메와 같은, 그건가…?"

언제였던가? …파라노에서 '언제'라고 묻는 것도 우습다고나 할까. 무의미한가? 앨리스에게 이끌려 폐허 2호, 바야드 가든이라 불리는 장소에 갔었다. 그곳 주인은 하나메라는 트릭스터로 그녀의 꽃밭을 망치지만 않으면 안전하다는 이야기였는데, 이러니저러니 험한 꼴을 당했었다. 하나메가 하늘을 뒤덮는 모습은 지금도 하루히로의 뇌리에 새겨져 있다. 그것이 트릭스터의 힘이라면 이 상황은 매우 위험한 것 아닌가?

"…싸, 울 거야?"

"한 방 날리고 나서 생각한다."

어서… 라고 재촉당하기 전에 하루히로는 앨리스를 뒤에서 끌어 안았다. 생각하기에 따라서는 변태 행위다. 하루히로도 하고 싶어서 하는 것은 결코 아니지만. 재빨리 하지 않으면 또 하지 않는다고, 말 안 하면 모르냐고 야단맞을지도 모른다.

하루히로의 마법인 레저넌스가 앨리스의 마법인 필리아를 증폭시킨다. 그렇기는 해도, 그 레저넌스가 어떤 식으로, 어떤 형태로, 어느 정도로 작용하는 건지 하루히로 본인도 잘 모른다. 물리적으로가 아니라 정신적으로 쓰윽 끌어당기는 것 같은 힘, 끌려가는 것 같은 느낌은 있다. 좀 과장되게 말하자면, 혼이 빠져나가는 것 같은 느낌이다. 혹은 내가 그릇이라면 그 안에 생명 에너지 비슷한 것이 들어 있다. 그것이 앨리스에게로 흘러간다.

　"가라."

　앨리스가 살며시 속삭였다. 앨리스는 언제나 삽을 손에서 놓을 수 있고, 당연히 삽은 앨리스가 아니다. 그럼에도 불구하고 페티시(주물)인 삽과 앨리스는 일심동체다. 딱딱하면서도 매끈한 표피가 벗겨진다. 바깥 공기에 닿는 것만으로 얼얼해지는, 지독히 상처 입기 쉬운 실체가 드러난다. 그 표피는 앨리스를 지키고 적을 베어버리는 검이고, 긴 창이고, 미늘창이다. 박살 내버려. 박살 내. 박살 내. 박살 내. 나를 해치려는 것들은 전부 박살 내버려. 표피가 맹위를 떨친다. 쭉 늘어나고, 자유자재로 구부러지고, 휘고, 수십 개의 칼날로 변하여, 가까이 있던 건물에, 그리고 인형사에게도 덤벼든다. 인형사는 물러서지 않는다. 막대기 같은 두 팔을 들어올린다. 그 두 손의 손가락은 각각 형태가 다르다. 검지와 중지가 가위이기도 하고, 구부러진 단도이기도 하고, 송곳이기도 하고, 끌이기도 하고, 실톱이기도 했다. 인형사의 두 손은 인형을 제작하기 위한 공구다. 단, 단순한 공구가 아니다. 그것들은 섬세한 작업뿐만 아니라 위험한 작업에도 쓸 수 있다. 인형사는 두 손의 공구로 삽의 표피를 막아내고, 끊어버린다. 표피는 인형사를 상처 입히지 못한다. 하지만 그것은 나도 예상하고 있었다. 알고 있기 때문에 더욱, 나는 가차 없이 표피를 인형사에게 들이민다. 인형사는… 아니, 누이는 내 친구였다. 저런 식으로 변해버렸다 해도 친구를 죽이고 싶지는 않아. 하지만 누이는 어둠에 떨어진 트릭스터다. 인형사는 옛날 친구라는 이유로 나를 봐주거나 하지는 않는다.

노리는 것은 발밑이다. 표피는 인형사가 서 있던 건물을 그 주변의 건물과 밀려드는 인형들까지 한꺼번에 사정없이 베어 쓰러뜨렸다.

인형사는 건물의 파편에 파묻혔다. 분명 금방 기어 나오겠지. 그래도 그사이에 도망치는 일 정도는 할 수 있다. 굿바이, 누이….

앨리스에게서 휙 떨어지자마자 이것은 뭔가 무척 기이하다고 깨달았다.

앨리스는 이미 달리고 있다. 쫓아가야 해. 하루히로는 그렇게 했다. 몸은 일단 제대로 움직여주고 있지만 머릿속은 뒤죽박죽이다. 뭐지? 도대체 어떻게 된 것인가?

방금, 앨리스였다.

내가 마치 앨리스인 것처럼 느껴지기도 하고 그렇게 생각하기도 했다. …그런 것 같은데?

마법 탓인가? 레저넌스. 앨리스는 처음 봤다고 말했었다. 매우 희귀한 마법이라고 한다. 타인의 마법을 증폭시키는 마법. 실제로 하루히로가 만지면 앨리스의 마법은 강해진다.

하지만, 정말로 그것뿐일까?

"…운명. 그래요. 그렇습죠. 운명이라고 생각하거든요, 나와 이오 님과의 만남은요. 운명이라고밖에 표현할 수가 없거든요. 나와 이오 님이 운명으로 맺어진, 이라고는 말하지 않겠지만. 그런 말을 했다가는 이오 님한테서 야단맞을 테고. 진짜로 "잠깐, 잠깐. 톤베. 소오름. 참아주지 않겠어? 진짜 스름이거든. 봐, 이거 보라니까. 소름이 돋았잖아"라면서 소름이 돋은 이오 님의 상완, 즉 어깨, 아니, 어깨는 좀 그런가? 어깨는 보여주지 않겠지요. 그럼 팔 정도? 보여준다거나 한다면, 물끄러미 보게 되어버리잖아요. 바라보겠지요, 그야. 엄청 보겠지요, 이오 님의 팔이니까요. 그러면 한층 더 이오 님이 기분 나빠하실 건 잘 알지만요. 알면서도 보고 말 거예요. 응, 보고 말걸. 이오 님의 소름을 보는 것을 반찬 삼아 밥을 몇 공기나 먹을 수 있을 것 같은, 그런 느낌이라고요. 열 공기는 먹을 수 있을까? 그보다 몇 번이나 절정에 달할 수 있냐 하는 건데요, 사실은. 쿠후후후오효효. 아, 참고로 이건 비밀입니다. 이건 진짜로 비밀로 해주지 않으면 나중에 장난 아니거든요. 부탁할게요. 아무튼 이오 님을 만나게 되어 다행이지요. 그것만으로도 태어나길 잘했다고 나는 생각하니까요. 그래요. 처음에는 말이죠, 오르타나의, 셰리의 주점에서 말이죠. 그쪽도 의용병 같으니 알고 있겠죠? 셰리의 주점. 거기에서 말이죠, 신관이 파티 동료를 모집하고 있다는, 그런 이야기를 듣고 말이죠, 나는 그때 다른 파티에 들어 있었지만요, 그놈들은 쓰레기 중의 쓰레기, 킹 오브 쓰레기라서, 쓰레기 왕이었죠, 쿠후후후오효효. 날더러 뚱보라는 둥 못난이라는 둥 징그럽다는 둥

끔찍하다는 등 냄새 난다는 등 걸핏하면 있는 말 없는 말, 뭐 전혀 없는 말이냐 하면 그건 아닐지도 모르지만요. 그렇긴 해도 사람을 앞에 두고 그런 말을 할 수가 있냐는 느낌의, 이 말 저 말 지껄였는데요. 그게 심했다 이거지요. 그러다가 내가 화를 내면 말이죠, '어이, 뭘 얼굴이 빨개져서 정색하는 거야? 장난하는 거잖아. 웃기는데'라는 말을 듣게 되거든요. 나도 그때에는 좀 어른스럽지 못했나… 라는 생각도 해서 도로 수그러들었지만요. 같은 일이 몇 번이고 몇십 번이고 몇백 번, 몇천 번, 몇만 번, 몇억 번이나 하염없이 계속 반복되다 보니 결국 너희는 그냥 어물쩍 넘어가려는 것 아니냐고. 너희는 장난이 아니야, 분명. 나를 능멸하며 웃는 것뿐이라고. 나를 상처 입히는 거라고. 나는 겉으로는 실실 웃고 있어도 실제로는 하트브레이크 이보 직전. 그게 아니라 일보 직전. 아무튼, 뭐 나는 키 171센티미터고 체중 98킬로그램이지만요, 백 킬로는 안 된다고요. 백 킬로 미만의 인간을 뚱보라고 부르다니. 그건 뚱보라는 개념에 대한 도전이라고요. 그쪽도 그렇게 생각하죠? 생각하겠죠? 네?"

"아… 하아. 그러네요, 뭐…."

동의해도 되는 건지 아닌지. 애초에 뭐에 대해 동의를 구하는 건지.

뭔지 잘 모르겠네. 왜냐하면 이 사람, 옆에서 계속, 계―속해서 작은 목소리로 지껄이고 있잖아. 전혀 멈출 기색이 없고. 걸어가면서 거의 논스톱으로 지껄이고 있단 말이지. 듣는 것도 한계가 있다고. 듣고 있다고 생각하는데도 실은 들리지 않는, 그런 느낌이 될 수밖에 없다니까. 이 뚱보, 진짜 빌어먹게 짜증 나….

"무엇보다도 말이죠, 자주 나를 놀리며 자기들은 '귀여워한다'고

주장하는 파티의 리더인 사쿠마타라는 남자가 있는데요, 아직도 있을까? 살아 있으려나? 아무튼 있었는데요, 그놈은 파티 내의 여자 마법사와 사귀었지만 헤어지더니 그다음에는 여자 도적과 사귀고, 얼핏 보기에는 미남풍이랄까요, 자기 입으로도 '나 그런대로 인기 있는 편인데?' 정도로 생각하는 느낌으로, 사실 '여자가 아쉬웠던 적은 없으니까'라고 공언했지만요, 실은 얼굴은 별거 없었거든요. 말상에 코는 납작하고 입술도 얇고 처진 눈이라 뭉개진 바나나 같은 얼굴이었으니까요. 그 파티 안에서는 그나마 나은 편이었는지도 모르지만, 완전 우물 안 개구리니까요. 참고로, 그 여친이었던 여자 마법사도, 그리고 여자 도적도, 이렇게 말하면 좀 그렇지만, 기껏해야 중의 중이니까요. 혹은 중하인지도 모르지요. 내 얼굴은 확실히 단정하지는 않을지도 모르고 미남자한테서라면 못난이 소리를 들어도 할 말 없는지도 모르지만요, 적어도 그놈이 할 말은 아니잖아요. 그놈한테는 말할 권리도, 자격도 없으니까요."

"아아… 어, 음…."

"요는 말이죠, 까놓고 말해서 나는 사쿠마타의 파티에서 나가고 싶다, 나가버릴까, 어쩔까, 비슷한 생각을 했단 말이죠. 그럴 때 등장한 거예요. 여신 강림이다. 강림하셨습니다. …맞아요, 그야말로 여신이었지요. 동료를 모집하고 있다는 신관을 한 번 보러 갔더니 말이죠, 여신이 거기에 있었다는. 여신이 강림했다는. 여신 환생이라고요. 줄여서 여환이 된 거지요. 여한이 없겠다고요? 쿠후후후오효효."

"아, 네에…."

별로 흥미 없는데. 우선 그 웃음소리 어떻게 좀 안 될까? 막연히 그런 생각을 한다. 그보다 이제 싫다. 본격적으로 혐오감이 들기 시작했다.

"…저, 죄송하지만, 톤베 씨."

쿠자크는 비교적 예의 바르게 말을 가로막으려고 했건만, 살찐 성기사 톤베는 아랑곳하지 않았다.

"뭐라고 하더라, 머리카락은 하늘하늘하고, 키가 작고, 그래도 뭐랄까, 굉장히 작기는 한데요, 가냘프다는 것과도 좀 달라서, 여성다운 몸매라고나 할까요. 신관 옷은 흰색인데 그 흰색이 또한 엄―청나게 잘 어울리고요, 피부는 매끈매끈해 보이거든요. 반짝반짝 빛나고요, 눈이, 크고, 게다가 말이죠, 여신님은 이미 많은 의용병 남자들한테 둘러싸여 있는데 나와 눈이 마주친 순간에 웃어줬단 말이죠. 생긋 웃는 얼굴. 내 심장, 멈췄었다고요. 아니, 거짓말이 아니라, 과장이 아니라 말이죠, 그때 내 심장이 한 번 완전히 멈췄었다고요."

왜 그때 죽지 않았을까? 이 녀석. 그때 이 녀석이 죽어줬더라면 내가 이런 되도 않는 이야기를 하염없이 듣지 않아도 되었을 텐데.

아니, 지금 그 말은 취소. 좋지 않아. 반성, 반성. 아무리 그래도 죽으라거나 그런 건 안 되지. 날 도와준 거고. 이 뚱보가. 뚱보라는 말도 좀 그런가? 뭐, 살이 찐 것뿐이고. 살이 쪘다는 건 별로 상관 없다고 생각하는데, 살이 찌는 방식이라는 게 있잖아. 뭔가 재수 없다고. 톤베 씨의 살찐 방식. 그게 아닌가? 톤베 씨라서 재수 없는 건가? 음… 그럴지도. 그보다, 빌어먹을. 나른하고 졸려. 내가 생각해도 용케도 걸어가고 있네. 걸어가고 있다고나 할까, 몸이 앞으로 기울어서 다리가 멋대로 앞으로 나가고 또 몸이 앞으로 기울고 다리가 앞으로 나가고 그러는 것 같은. 그 반복 같은. 그리고, 뭔가 묘하게 달콤한….

"당연하지만요. 곧바로 결단을 내렸지요. 후다닥 바보 멍청이 뭉개진 바나나, 즉 사쿠마타한테 돌아가서 '안녕, 두 번 다시 만나고 싶지 않습니다. 나를 잊어주십시오. 그래요. 영원히'라고 고한 거지요. 그로부터 초스피드로 여신님한테 가서 용기를 쥐어짜서 동료에 입후보했지요. 뭐라고 했었는지 확실하게는 기억나지 않지만요, 인생을 바꾸고 싶습니다, 비슷한, 그런 유의 발언은 있었던 것 같네요. 그리고, 뭐든지 다 할 테니까 아무쪼록 잘 부탁드립니다, 라는 식의 말을 했던 것 같네요. 그야 뭐든지 다 하지요. 상대가 여신님, 이오 님이니까요. 뭐든지 다 안 할 수가 없지요, 네. 쿠후후후오효효."

이제 한계.

분명히 무리인 듯. 이제 어떻게 되든 상관없어.

쓰러져버리자.

털퍼덕 쓰러졌더니 곧바로 걷어차였다.

"아얏!"

쿠자크는 두 손으로 이마를 누르며 데굴데굴 굴렀다.

"자지 말그래이, 얼간이."

하필이면 쿠자크의 이마를 발끝으로 찬 것은 톤베가 아니었다. 톤베처럼 뚱뚱하지 않은, 다른 동행자가 쿠자크를 내려다본다.

"…차, 치지 마. 아프잖아…."

"차버린데이."

그 녀석은 온통 검은색, 그야말로 암흑 기사라는 차림을 하고 있다. 턱이 유난히 길다. 너무 길어서 마스크에서 삐져나왔다. 눈썹이 정삼각형에 가까운 이상한 모양이고, 삼백안이고, 그리고 이마가 극단적으로 좁다. 좁은 것도 정도가 있지. 이렇게까지 헤어라인이 내려온 이마는 지금껏 본 적이 없다.

"잠들면 성가셔지니까. 발로 차는 건 대수도 아니데이. 잘려면 죽으래이. 스스로는 못 죽겠다면 내가 죽여준다고라."

"고미."

유리 방울이 울리는 듯한 목소리가 들렸다. 그런 미성으로 고미 (주1)… 라니.

소리가 난 쪽을 보니 하얀 옷을 입고 머리가 긴 미소녀가 이쪽을 돌아보고 있었다.

미소녀라고는 해도 마스크를 끼고 있어서 얼굴 아래쪽이 가려져 있다. 그런데도 미소녀 느낌이 장난 아니다. 톤베는 분명히 체구가 작다고 말했던 것 같은데, 키는 크지도 작지도 않고 표준 정도다. 스타일은 흠잡을 데가 없다. 뭐랄까, 정통파 미소녀랄까? The 미소녀. 그렇지, 미소녀라고 하면 이거지… 그런 느낌. 투명감이 있고 청초한 분위기? 그런 표현이 전부 진부하게 느껴지고 마는 것이 미소녀라는 거다… 라는 듯한? 두말할 것 없는 미소녀가 바로 여기 있었다. 미소녀는 가공의 존재가 아니었다. 미소녀는 정말로 실재했던 것이다.

미소녀의 옷은 새하얗지는 않다. 파란 줄이 들어가 있다. 귀여운 느낌으로 살짝 고치긴 했으나 소위 신관복이다. 그것이 엄청나게 어울린다. 마치 미소녀용으로 만들어진 것 같은, 특별 주문 제작. 하나밖에 없는 의상인 것 같다.

주1) 고미는 쓰레기라는 뜻.

그 미소녀가 미소녀에게 어울리는 목소리로 던진 한 마디, 고미.

파괴력이 엄청나다.

"그쯤 해둬, 고미."

또 말했다.

미소녀 입에서 쓰레기라니.

고미라 불린 암흑 기사는 상반신을 90도 각도, 아니, 120도, 아니, 아니, 180도 가까이까지 굽혔다.

"네, 네! 이오 님이 말씀하신다면 기꺼이…!"

"목소리가 크다. 시끄러워, 고미."

미소녀가 꾸짖자 고미는 얼굴이 자기 무릎 언저리에 닿는 참신한 자세를 유지한 채 모기가 우는 것 같은 목소리로 "죄, 죄송합니다…"라고 사죄했다. 온몸을 바들바들 떨고 있다. 혹시나 울고 있는 건지도 모른다. 눈물이 뚝뚝 떨어지고 있으니 혹시나가 아니라 다 큰 어른 남자가 거리낌 없이 울고 있는 것이다. 당신, 서른 살은 족히 넘었을 텐데. 울지 말라고….

참고로 톤베는 그런 고미를 보고 히죽거리고 있다. 성격 너무 나쁜 것 아니야?

"뭐…."

쿠자크는 일어나서 목을 좌우로 꺾어보기도 하고 팔을 돌려보기도 했다. 순식간에 졸음이 달아난 것 같은 느낌도 들지만, 아무래도 개운치가 않다.

"잠들어버릴 뻔했던 건 사실이니까. …잠들면 위험한 거지요?"

"그렇지. 파라노에서 잠들면 꿈을 꾸지. 꿈은 왜곡되어 몽마를 만들어내."

"음…."

뭔지 잘 모르겠는 것 같은….

그런 느낌.

하지만, 진짜로. 아아.

졸려….

하품을 하려고 했더니 누가 입을 막았다. 손이었다. 누구 손?

"바람이 불고 있어. 파라노의 단 바람이. 함부로 들이켜지 마."

미소녀가 쿠자크를 올려다보고 있다. 엄청나게 가까이에 있잖아. 어느 틈에? 또 졸음이 와서 의식이 멀어졌던 건지도 모른다. 그보다 미소녀의 손으로 입을 막힌 느낌이잖아. 느낌이랄까, 확실히 막혔잖아.

"이, 이오 님!"

"이오 님!"

뚱보와 쓰레기, 아니, 톤베와 고미가 당황하고 있다. 차라리 격앙되었다고나 할까? 왜 화를 내는 거야?

"…저기… 바람?"

"앗."

미소녀가 몸을 떨더니 약간 요염하달까, 두근거릴 것 같은 목소리를 흘렸다. 어? 뭐, 뭐, 뭐? 나, 무슨 짓 했나?

"…왜 그러세요?"

"간지러웠어."

미소녀는 쿠자크의 입을 막고 있던 왼손을 치우더니 그것을 자기 왼팔로 껴안듯이 하고 빙글 몸을 돌렸다.

"…아이 참."

흘기는 듯한 눈으로 힐끔 쿠자크를 본다. 이것은, 그거다.

농담이죠? 라고 말하고 싶어질 정도로 여우 짓.

하겠냐? 그런 짓. 그렇게 생각하면서도 쿠자크는 두근거리고 말았다. 귀여운가 아닌가를 묻는다면 역시 귀여우니까. 만만치 않아, 미소녀.

"네, 이, 노오오오오오오오오오오오오오오오오오옴…!"

"용, 용, 용, 용서 용서 용섯, 용시 못한데이…!"

톤베와 고미가 길길이 뛰고 있다. 두 사람 다 얼굴이 새빨개져서 당장이라도 쿠자크에게 덤벼들 것 같다. 톤베는 워 해머를, 고미는 등에 비스듬히 차고 있던 대검을 뽑으려고 했다. 살기등등인가…?

미소녀의 손이 쿠자크에게 닿았다. 그래서 두 사람은 격노하고 있는 건지도 모른다. 이해 못하는 건 아니지만. 좋아하는 거겠지. 사랑해버린 것이겠지. 심지어 호칭이 이오 님이잖아. 너무 사랑한 나머지 오히려 숭배에 가까운 마음을 품게 된 것이 아닐까?

하지만 정작 이오 님은 그들을 연애 대상으로는 전혀 보지 않는다. 하인 취급하고 있다.

너무나 비틀린 관계다. 진짜 기분 나쁜데요.

"저… 저기. 그게…."

그렇긴 해도, 도움받은 은혜가 있고 의용병 선배이기도 하고, 그 외에도 인연이 있기도 하다. 쿠자크는 일을 크게 만들고 싶지 않아서, 자기 잘못은 없다고 생각하지만 우선 숙이고 들어가기로 했다.

"…기분이 상했다면 미안합니다."

"사, 사, 사과로 끝날 줄라리료!"

"버벅대잖아요, 톤베 씨…."

"딴지 걸지 마! 건방지게! 후배 주제에!"

"죄송합니다. 나도 모르게 그만⋯."

"이오 님!"

고미는 마침내 대검을 뽑으며 외쳤다. 어째서인지 또 울고 있고⋯.

"아무쪼록 이 느낌만 미남풍인 썩어빠진 꺽다리를 베어버리는 것을 허가해주시기르으으으을!"

"느낌만 미남풍이라니, 뉘앙스가 중복되잖아요⋯? 그야 확실히 저는 미남은 아니라고 생각하지만요."

"뭐시라? 그 여유 넘치는 태도! 미남이 아니라고 하면서 실은 그런대로 잘생겼다고 생각하는 것이라고라! 그런 게 제일 염장질이데이!"

"아니, 그렇게는 진짜 생각지 않는데."

"반말! 우리는 선배! 존댓말 못 쓰냐고라! 베어버린데이!"

"고미!"

이오가 일갈하지 않았다면 확실히 고미는 쿠자크에게 덤벼들었을 것이다.

그리고 쿠자크는 단칼에 쓰러졌을 것이다. 그랬을지도 모른달까, 아마도 십중팔구 베였겠지. 온몸의 털이 곤두섰다. 무섭다고.

불꽃이 튈 것 같은 고미의 눈빛. 앞으로 내딛기 직전, 한순간에 한계까지 용수철을 누른 것 같은 준비 동작의 날카로움과 힘의 느낌. 게다가 고미는 암흑 기사. 암흑 기사는 높은 기동력과 상대를 현혹시키는 몸놀림, 검술이 재산이다. 쿠자크는 분명 속수무책으로 고미의 첫발을 맞았을 것이다. 보통 수준이 아니다. 고미는 분명히 상당히 실력 있는, 하이레벨 암흑 기사다. 덧붙여 파라노에서는 누구나 쓸 수 있다는 마법의 작용도 있을지도 모른다. 어쨌든 그 실력은 쿠자크보다 한 단계, 어쩌면 두세 단계 위다.

"그쯤 해둬, 고미."

그런데도 이오에게는 쓰레기일 뿐인가? 확실히 호감을 가질 만한 남자는 아니지만, 살짝 불쌍하다.

"저자도 이미 내 종이다. 너 따위에게 그를 처단할 권리가 있다고 생각해?"

"…어, 없습니데이. 있을 리가 없습니다. 소, 송구합니다, 이오 님…."

"정말로 알고 있는 걸까? 고미 주제에? 살아 있을 가치가 없는 쓰레기인데 내 말을 듣고 이해할 수 있어?"

"…할 수 없습니다! 할 수 없지만, 노력하게 해주십시오! 저는 더러운 쓰레기지만, 이오 님이 고미라고 불러주시는 쓰레기로 있게 해주십시오!"

이제 거의 통곡이네. 고미는 울부짖으며 이오에게 용서를 구하고 있다. 어째서 저렇게까지 자기 자신을 비하하는 건가? 쿠자크는 전혀 이해할 수가 없었다. 그런 이오와 고미를 보고 톤베가 분하다는 듯이 "끄으으으으으…!" 이를 갈고 있는 것도 의문이다. 무슨 관계성이야? 고찰하고 싶지도 않고, 마음대로들 하세요… 라는 느낌이지만, 그건 그렇다 치고.

"…나도 종… 인 겁니까?"

"그런데?"

이오는 그게 무슨 문제냐는 듯이 말했다. 아니, 아니, 아니?

"어, 언제… 부터?"

"태어날 때부터지."

사뭇 당연하다는 듯한 말투로 그렇게 대꾸하니 어쩌면 그런지도 … 라는 느낌이 든다. 그럴 리가 있나.

"…태어날 때 일은 기억에 없고. 애초에 그림갈에 오기 전의 기억이 없는 거고. 만난 것도 방금 전이고…."

"그대는 새벽 연대(DAY BREAKERS)지?"

"그야. …일단? 실감은 없지만요. 소우마 씨나 아키라 씨나 록 씨도 그렇지만, 너무 구름 위에 있는 사람들이랄까."

"나도 틀림없이 그대에게는 그 지나치게 높은 구름 위의 존재인 건데. 우연찮게 같은 새벽 연대에 소속되어 있고, 게다가 이 파라노라는 이름의 이계, 아니, 타계에서 만나버렸다. 이것이 우연이라고 생각해?"

"아니… 응. 글쎄요. 기이한 인연이네… 라고는 생각하지만."

"바보네. 그건 당연히 필연이지. 그대는 나를 만나야 하기 때문에 만난 거야."

"그런… 건가?"

"응, 그래. 내 종이 되기 위해서."

"종이…."

"나를 모시는 걸 허락하지. 말할 필요도 없겠지만, 이런 행운은 또 없어. 환희에 몸부림치도록."

"옳소!"

톤베가 발을 구르고 침을 튀기면서 외쳤다. 더럽네….

"종이 늘어난 것은 마음에 들지 않지만, 그래도 이오 님의 분부시니까 어쩔 수 없지! 적어도 기뻐해라! 영광스러운 일이니까. 기쁘게 이오 님을 섬겨라! 이오 님 만세…!"

"나는 인정 못한다고라! 하지만 인정하는 수밖에 없데이! 이오 님의 의향이시니…!"

고미는 또 울고 있다. 눈물샘이 약한 것도 정도가 있지. 눈물샘이 약해진 노인이냐?

"가자."

이오는 긴 머리카락을 쓱 쓸어 올리고 걷기 시작하려고 했으나 멈추고 쿠자크를 응시했다.

새삼 빤히 쳐다보니, 뭐랄까, 마치 심장을 움켜잡는 것 같은 감각에 휩싸인다고나 할까. 미동도 할 수 없게 된다고나 할까. 차라리 마스크를 벗으면 별것 아니었습니다… 이런 식의 반전이 있었으면 좋겠다. 만약 그게 아니라 완전무결한 미소녀라면 곤란할지도.

"멍텅구리."

이오가 중얼거리는 것처럼 툭 던졌다.

쿠자크는 고개를 갸웃거렸다.

"…네?"

"네 이름이다."

"아니, 나는, 쿠자크…."

"지금부터 너는 멍텅구리. 내가 결정한 거야. 알겠어?"

납득할 수 있을 리가 없어 항의하려고 했더니 이오가 마스크를 턱 밑까지 내렸다.

완전무결 쪽이었다.

한 치의 허점도 없는 미소녀가 거기에 있다.

유난히 입술이 탱글탱글 매끈매끈한 상태가 관능적일 정도의 스페셜이다.

"알겠어?"

모르겠다… 그보다, 무슨 이야기, 하고 있었더라? 상관없나. 이제. 지나치게 미소녀이고. 쿠자크는 자기도 모르게 고개를 끄덕여 버릴 것 같았다. 어라?

괜찮은 건가? 괜찮지 않지 않아? 안 되잖아?

하지만, 뭐가 안 되는 거였더라…?

"잘 부탁한다, 멍텅구리! 역시 이오 님, 근사한 작명 센스이십니다, 멍텅구리!"

"여어, 멍텅구리! 잘됐네, 멍텅구리! 이제부터 잘 부탁한데이, 멍텅구리!"

톤베와 고미가 양쪽에서 쿠자크의 어깨를 덥석 끌어안았다.

"…아닛?! 멍텅구리는 잘된 게 아닌데?! 잘된 것일 리가 없잖아?!"

"얼간이입니까?! 이오 님이 말씀하시니 멍텅구리로 결정이라고요!"

"맞데이, 맞데이! 딱 봐도 멍텅구리데이! 멍텅구리밖에 없데이!"

"아 참, 고미. 멍텅구리에게 예비 마스크를 빌려주어라."

"넵, 이오 님! 야, 야, 이거 써, 멍텅구리!"

"참고로 말이죠, 멍텅구리. 나는 근본적으로 불면증이라서요, 마스크는 필요 없다고요! 나, 불면증! 알았습니까? 멍텅구리?! 쿠후후후오효효!"

"관심 없어, 당신이 불면증인 건! 그보다 당신들이 멍텅구리, 멍

텅구리 하는 건 희한하게 화가 나는데!"

"그렇습니까? 건방지게도 화가 난다고요? 멍텅구리."

"멍텅구리 주제에 말만은 당당하데이, 멍텅구리!"

"젠장…! 그보다, 간다니, 어디 가는 건데?! 전혀 들은 바가 없는데…."

"선홍의 숲이지."

이오는 허리에 손을 대고 또 머리카락을 쓸어 올렸다. 마음에 든 건가? 저 동작이. 그림이 되는데. 절세의 미소녀라서 그런지. 너무 그림이 되어 무서울 정도인데요.

"너한테 왕을 만나게 해주지. 이 파라노에서 살아남고 싶다면 최대한 공손하게 굴어서 그의 심기를 거스르지 않도록."

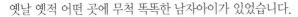

옛날 옛적 어떤 곳에 무척 똑똑한 남자아이가 있었습니다.

남자아이는 날 때부터 대단히 머리가 좋았기 때문에 주변의 모두가 너무나 어리석은 자들로밖에 보이지 않았습니다.

어른들은 남자아이보다도 오래 살아온 만큼 세상에 관해서나 법률에 관한 일, 경제에 관한 일 등을 알고 있습니다. 그러나 그것들은 살면서 자연스럽게 터득하게 된 지식일 뿐이었습니다. 머리가 좋다는 것은 사물을 분석하고, 파악하고, 판단할 능력이 있다는 뜻입니다. 모르는 일은 조사해보면 됩니다. 뭔가를 알고 있느냐 모르느냐 하는 건 사소한 일입니다. 어른들의 많은 수는 그런 일조차 모르고 기억력이 좀 좋은 것뿐인 바보를 공부를 잘한다고 칭찬하고 추어주니까 한심합니다.

현자는 어리석음의 본질을 간파하고 있으니 당연히 어리석은 자를 잘 압니다. 그러나 총명함의 의미조차 모르는 어리석은 자가 현자를 이해한다는 건 있을 수 없습니다. 그런데 주위 사람들이 모두 바보라는 것은 결국 남자아이의 이해자는 한 명도 없다는 뜻입니다.

그러나 남자아이는 현명하기 때문에,

"나는 우물 안 개구리에 불과할지도 몰라. 작은 우물 속에서는 제일이지만, 밖에 연못이나 호수, 그 정도가 아니라 끝없이 펼쳐진 바다가 있다는 것을 모르는 것뿐일지도 몰라."

이런 식으로 생각했습니다. 좀 더 넓은 세계에 발을 들여놓는다면, 자기보다도 머리가 좋고 뛰어난 자를 만나 타격을 입게 될지도 모릅니다. 그런 일은 있을 수 없다고 결론짓고 오만해질 정도로 남자아이는 우둔하지 않았습니다.

　무슨 일이든 일어날 수 있는 것입니다. 무슨 일이 일어나도 괜찮도록 여러 가지, 온갖 사태를 가정하고 대비해둔다, 정말로 현명한 자라면 그런 일을 제대로 할 수 있을 것입니다.

　남자아이는 항상 최악의 상황을 상상하려고 했습니다. 먼 나라에서 거대한 폭풍이 불어 집들이 날려가고, 강물이 넘치고, 많은 사람들이 물에 빠져 죽었다는 말을 들으면, 자기 마을에도 똑같이 큰 폭풍이 덮친다면 어떻게 할까 고민을 했습니다. 땅이 흔들리면, 과거에 화산이 대분화했던 때의 기록을 죄다 찾아서 읽었습니다. 남자아이의 머릿속에서는 가족이나 친척, 친구와 지인들, 이웃들이 몇 번이나 몇 번이나 죽거나 살해당했습니다. 남자아이가 사는 마을은 반복해서 괴멸했습니다. 여러 가지 원인으로 천지가 찢어지고 생물이 살 수 없게 되었습니다. 해님과 달님, 별님도 사라졌습니다. 우주 전체가 소멸하는 일도 종종 있었습니다.

　이건 비밀인데, 남자아이는 항상 두려워했던 것입니다. 그저 길을 걷고 있다가도 들개가 뛰쳐나와 물릴지도 모릅니다. 스쳐 지나친 사람이 우연히도 흉악한 자여서 갑자기 얻어맞을지도 모르지요. 갑자기 운석이 떨어져 남자아이에게 맞을지도 모릅니다. 물론, 그런 사건에 휘말릴 확률은 높지 않습니다. 극히 낮다고 해도 좋겠지요. 그러나 절대로 있을 수 없다고 단언할 수 없는 이상, 무시할 수는 없습니다.

　사실 주위 사람들은 모두 바보입니다. 바보는 겁이 없습니다. 왜냐하면, 두려워해야 할 것이 있다는 사실 자체를 모르기 때문입니다.

그런 바보들과 남자아이 사이에는 도저히 메우기 힘든 골이 있었습니다. 남자아이는 어릴 때부터 그 크고 깊은 골을 깨닫고 있었습니다. 골 이쪽 편에 서 있는 것은 남자아이뿐입니다. 모두 건너편에 서, 걱정할 일 같은 것은 아무것도 없다는 듯이 실실거리며 웃고 있는 것입니다.

남자아이는 딱 한 번 엄마한테 자기 마음과 생각을 털어놓고 상담을 청해봤습니다. 엄마는 남자아이의 말을 다 듣더니 신기하다는 듯이 고개를 갸웃거렸습니다.

"얘야, 네가 걱정하는 그런 일은 좀처럼 일어나지 않는 것 아니니?"

듣자 하니 어떤 탈것을 타고 있다가 사고로 죽을 확률은 백만 분의 9라고 합니다. 대충 말하자면, 그 탈것에 10만 번을 타면 그중 한 번 정도는 죽어도 이상할 것 없다는 말입니다. 만약 10만 번을 타는 거라고 치면, 하루에 한 번씩 타도 274년 정도 걸립니다.

그 정도의 일은 조사해보면 금방 알기 때문에 남자아이도 파악하고 있었습니다. 남자아이가 말하고 싶었던 것은 그런 것이 아닙니다. 백만 분의 9의 확률로 죽게 되니까 그 탈것은 타고 싶지 않다고는 남자아이는 한 번도 말하지 않았고, 그렇게 생각하지도 않습니다. 멀리까지 가는 데 편리하다면, 비록 무섭더라도 남자아이는 탈것을 타겠지요. 남자아이는 바보가 아닙니다.

바보는 사물을 이해하지 못하기 때문에, 두려워하는 게 당연할 정도로 위험성이 높은 일이라도 '다들 하니까'라거나, 어제도 괜찮았으니까 오늘도 괜찮을 것이라거나, 자기만은 실패할 리가 없다거나, 아무런 근거도 없는 이유를 대며 태연히 거기에 손을 댑니다. 또

한 어떤 복권을 한 장 사서 1등에 당첨될 가능성은 1천만 분의 1 정도인데도 꿈을 사는 것이라는 등 잠꼬대를 하며 큰돈을 쏟아붓고는 상당히 높은 확률로 손실을 보거나 하는 것입니다.

그러면서 바보는 불가피한 미래에서는 눈을 돌립니다.

남자아이뿐만이 아니라 바보인 그 가족도, 무분별한 친구도, 본 적 없는 어리석은 자들도, 모두가 언젠가는 죽습니다. 뭐가 어떻게 되든 반드시 죽습니다. 어떤 인생도 시작을 했으면 끝납니다.

남자아이는 죽음에 관해서 이것도 아니고 저것도 아니고… 라며 생각하고 조사하기도 했습니다.

사람은 죽으면 어떻게 되는 걸까요? 애초에 살아 있다는 것은 어떤 일인가요? 나나 당신은 자기가 여기에 있고 살아 있다고 느낍니다. 이런 나와 당신의 의식이란 도대체 무엇일까요?

아무도 죽어본 적이 없으니까 죽으면 어떻게 될지 알 수 있을 리가 없습니다. 그것은 맞는 말입니다. 예를 들면 임사 체험이라는 것이 있고, 그에 관한 증언은 셀 수도 없이 많습니다. 그러나 결국은 죽지 않았기 때문에 말할 수 있는 것입니다. 그것은 죽을 뻔했던 자가 경험한 일일 뿐입니다. 죽음은 경험할 수 없는 것입니다.

우리들 머릿속에는 뇌라는 신경 조직이 집중된 부분이 있습니다. 그 뇌를 비롯한 신경 조직의 작용에 의해 나는 '내가 살아 있다'고 느끼는 것입니다. 그 활동이 사라지고 의식이 없어져버리면 우리는 죽습니다. 심장이 멈추고, 온몸의 세포가 점점 망가지고, 썩어갑니다. 그렇게 되면 원래대로 돌아올 수는 없습니다.

마음과 몸은 따로 있지 않습니다. 몸이 없으면 마음은 존재하지 않고, 영혼 같은 것도 망상에 불과합니다.

남자아이는 숙고한 끝에 이렇게 결론 내렸습니다.

우리의 의식은 현상이다.

뇌나 여러 가지 기관, 조직이 기능한 결과, 우리는 '내가 살아 있다'고 느끼거나 마음먹은 대로 몸을 움직일 수가 있습니다. 그 기능이 훼손되면 당연히 의식은 없어지는 것입니다. 인간이라는 생물의 육체는 영혼 같은 것이 깃들지 않아도 의식이 생겨나도록 되어 있습니다. 남자아이처럼 머리 좋은 인간은 상당히 복잡한 일을 생각할 수 있지만, 그것도 남자아이라는 생물의 육체상에 일어나는 현상일 뿐인 것입니다. 그런 현상이 당연한 것처럼 일어나는 일 자체가 기적 같은 엄청난 일이고, 우리들 인간은 특별하고, 그 때문에 영혼이라는 특수한 것이 구비되어 있는 것이라고 생각하고 싶어지는 것도 무리는 아니지만, 그렇지 않습니다. 아무리 머리 좋은 남자아이라도 드넓은 우주의 한구석에서 일어난 일개 현상에 불과합니다.

나나 당신이나 남자아이, 우리가 태어나고 죽는 것도 단순한 현상입니다.

물론, 남자아이에게 남자아이 자신의 삶은 대체 불가인 단 하나의 현상입니다. 그것이 없어지면 남자아이는 없어져버립니다. 완전히, 말끔하게 사라지지요. 천국도, 지옥도 없습니다. 사후 세계 같은 건 있을 리가 없는 겁니다.

아니라고, 있다고 믿고 싶어지는 마음은 이해합니다.

만약에 죽어버린다고 해도 먼저 죽은 사람들과 천국에서 만날 수 있다고 생각하면 편안하게 죽을 수 있겠지요. 어떤 위대한 학자는 건강했던 무렵에는 무신론자였는데 죽을병에 걸리자마자 어떤 종교의 신에게 매달리게 되었다고 합니다. 남자아이는 책에 적혀 있는 그 이야기를 읽었을 때 그만 웃어버리고 말았습니다. 그러나 남자아이는 똑똑하니 이해할 수는 있었습니다. 신앙이라는 것은 요컨대 의지할 곳이겠지요. 꼭 진실일 필요는 없는 것입니다. 새빨간 거짓말이라도, 허무맹랑한 망상일 뿐이라도 믿을 수 있고, 혹은 믿고 있다고 자신을 속이고 마음의 지주로 삼을 수만 있다면 그걸로 좋은 것입니다.

사실은 삶도, 죽음도 그저 현상입니다. 나나 당신이 죽으면 나와 당신의 의식은 없어집니다. 나와 당신의 기억은 나와 당신의 뇌에 보존되어 있습니다. 그 뇌는 썩고 땅에 묻히거나 불에 타게 될 테니까 이것도 없어집니다. 나와 당신은 흙으로 돌아가겠지요. 나와 당신이라 불리던 것은 없어집니다. 모두 똑같습니다.

죽으면, 나나 당신은, 생각하는 일도, 느끼는 일도 없어집니다.

남자아이는 무(無)가 된 자신을 상상해봤습니다. 그러자 밑바닥 없는 구멍을 들여다보는 것 같은 공포를 느꼈습니다. 그러나 죽으면 그런 공포를 느끼는 일도 없습니다. 죽은 뒤의 일은 전혀 걱정하지 않아도 되는 것입니다.

죽음은 두려워할 만한 가치가 없다.

남자아이가 잠을 못 잘 정도로 너무나 무서워서 견딜 수가 없었던 것은 죽음 그 자체가 아니라 죽음의 순간, 죽기 직전 때문이었습니다.

어떤 유명한 작가가 병상에서 아무 말도 못하게 되고 죽음을 맞이하면서 한쪽 손가락을 네 개 세우더니 곧바로 숨을 거뒀다고 합니다. 남자아이는 책에서 그 이야기를 읽고 떨림이 멎지 않았습니다. 왜냐하면 그 작가는 자기를 바로 지금 집어삼키려는 죽음을 뚜렷하게 느낀 것입니다. 점점 몸이 마음대로 움직이지 않게 되고, 심장도 약해지고, 말할 수 없게 되고, 눈도 보이지 않게 되고, 자기 자신을 죽음에 빼앗기는, 자기가 조금씩 죽어가는, 온갖 것을 점점 잃어버리는 것. 그리고 곧이어 전부 사라져버립니다. 도망칠 방법은 없습니다. 만에 하나의 바람도 없고, 이제 틀렸다, 어떻게도 할 수도 없다, 이게 무슨 일이림, 끝이다, 최후의 힘을 쥐어짜서 작가는 손가락 네 개를 세운 것입니다. 지금 자기는 죽는 거라고 주위 사람들에게 전한 것입니다. 그 사람이 쓴 작품도, 명예도, 긍지도, 무로 돌아가버립니다. 교류가 있던 친구나 사랑한 가족과도 두 번 다시 만날 수 없습니다. 추억에 젖는 일조차도 할 수 없는 것입니다. 아아, 죽는다. 나는 죽는 거다. 내가 죽은 뒤에는 뭔가가 남을지도 몰라. 하지만 정작 내가 거기에는 없다면 도대체 무슨 의미가 있는 거지? 뭐였던 거지? 그런 일을 생각하는 시간조차 이제 없어진다. 슬프고, 허망하고, 그만둬, 죽고 싶지 않아, 살고 싶어, 제발 살려달라고 외쳐도 소용없습니다. 죽는 수밖에 없습니다. 모든 것의 상실, 죽음 이외의 결말은 마련되지 않은 것입니다.

남자아이는 죽는 일 자체가 무서운 것이 아닙니다. 서서히 죽어가는 것이 무서운 것입니다.

태어난 이상, 나도 당신도 남자아이도 어차피 죽습니다. 그렇다면 즉사가 좋아… 라는 것이 남자아이의 간절한 바람이었습니다. 아니면 잠든 채로, 자기가 죽는 것도 모르고 죽어버리고 싶다.

남자아이가 밤낮으로 그런 생각을 하고 있다는 것을 주위의 바보들은 전혀 알아차리지 못했습니다. 바보를 노골적으로 바보라 불러봤자 반감을 살 뿐입니다. 바보들은 남자아이를 명랑하고 항상 재미있는 말을 하며 모두를 웃기는, 유쾌한 사람이라고 생각했습니다. 남자아이가 계산적으로 그렇게 위장했기 때문입니다. 그런 식으로 연기하는 편이 지장이 없고, 대부분의 경우에 유리하니까요.

사실 어느 정도 남자아이가 능숙한 처세술을 갖추었고 그 뛰어난 지력을 무기로 해서 대성공을 이룩했다고 해도 죽는 방식을 선택하는 것은 어렵겠지요. 문득 남자아이의 뇌리를, 죽음의 순간에 느낄 상실에 대한 공포가 스치고 지나갑니다. 언젠가는 그것을 맛보게 되는 것입니다.

우리가 살아가는 의미는 무엇일까요?

그것은, 모두가 그렇게 절망 속에서 죽어가는데 그래도 우리는 살아 있다, 그 사실에 어떤 이유를 붙여야 할까 하는 물음인 것입니다.

마지막 순간에 이를 때까지 죽음은 우리로부터 서서히 지각을 빼앗고 기억조차 흐려지게 합니다. 우리는 그때 운이 좋으면 가족이나 소중한 친구들에게 둘러싸여 있을지도 모릅니다. 그러나 그들의 모습은 보이지 않게 되어갑니다. 그들의 목소리도 들리지 않게 되고, 이제 그들을 인식할 수 없습니다. 나나 당신은 오직 혼자가 됩니다. 누구나 홀로 죽어가는 것입니다. 부고를 접하면, 그 사람에게는 신세를 졌었다, 좋은 사람이었다, 훌륭한 인물이었다, 고마워, 언제까지고 사랑합니다 등등, 살아 있는 자들은 말하지만, 참으로 어리석은 짓입니다. 이미 그 사람은 아무 데도 없습니다. 외톨이로 죽은 뒤인 것입니다.

그런 일을 하염없이 생각하면서 남자아이는 매일을 보냈습니다.

어느 여름의 일입니다.

남자아이는 친구와 여행을 갔습니다. 또래 아이들이 함께 차를 타고 호숫가에 있는 숙소에서 하룻밤 자고 돌아오는 것뿐인, 대수롭지 않은, 여행이라고도 할 수 없을 만한 여행이었고 남자아이는 흥미가 없었지만 친구가 같이 가자고 했습니다. 얘도 가고 쟤도 간대. 너도 가자… 고 하니 거절하면 분위기가 안 좋아질 테고, 1박 정도라면 참을 수 있겠지요. 속으로는 폭풍이라도 불어 중지가 되면 좋겠다고 남자아이는 생각했지만, 그날은 아침부터 흐리기는 했지만 때때로 파란 하늘이 보이기도 했고 그럭저럭 외출하기 좋은 날씨였습니다.

아이들을 태운 승합차는 호수를 향해서 순조롭게 달려갔습니다. 차 안에서는 여느 때처럼 남자아이도 바보 흉내를 내며 바보같이 떠들고 놀았습니다.

이러니저러니 하는 사이에 승합차는 산길에 접어들었습니다. 어느새 주변에 안개가 끼기 시작했습니다. 아이들이 탄 승합차 이외에도 차들이 있었는데, 앞도 뒤도 보이지 않습니다. 짙은 안개 때문에 시야가 흐려져, 분명 있을 터인 차가 보이지 않는 것입니다. 맞은편에서 오는 차도 스쳐 지나가기 직전이 되어야 알 수 있는 상황이었습니다.

어떤 아이는 흉포한 주인에게 겁을 먹은 강아지처럼 얌전해졌습니다. 창백한 얼굴로 덜덜 떠는 아이도 있었습니다. 한 여자아이가 참지 못하고 울음을 터뜨리자 다른 아이도 훌쩍거리기 시작했습니다. 남자아이는 가벼운 농담을 하며 친구들을 격려했지만 사실은 제정신이 아니었습니다.

갑자기 맞은편에서 오던 차의 전조등이 보였고, 승합차 운전사가 핸들을 확 꺾었고, 차체가 기분 나쁘게 흔들렸습니다. 그런 일이 한 번도 아니고 두 번이나 일어났습니다. 그때마다 여자아이가 비명을 지르는 것을 과장되게 흉내 내며 친구들을 웃기면서 남자아이는 안개야, 빨리 걷혀다오… 라고 빌었습니다. 자기가 탄 승합차만은 절대 사고가 날 리가 없다고는 생각하지 않았습니다. 이 산길을 오가는 차는 몇 대나 있고 지금 이 순간 가장 조건이 나쁜 장소를 주행하는 차도 많이 있겠지요. 그중에서 사고가 일어나는 차는 극소수입니다. 어쩌면 모든 차가 무사할지도 모릅니다. 그러나 사고라는 것은 일어날 때에는 일어나는 것입니다.

그런데 왜 승합차는 감속하지 않는 걸까요? 분명히 위험한 상황입니다. 천천히, 느릿느릿 달리면 될 텐데. 갑자기 속도를 낮추면 뒤에 오던 차와 추돌할지도 모른다. 어쩔 수 없는 것이다. 어서 산길이 끝나면 돼. 그러면 안개도 옅어지겠지. 그때였습니다.

"아얏."

운전기사가 이상한 목소리를 냈습니다. 승합차가 오른쪽으로 크게 기울더니 운전기사가 이번에는 "우왁! 떨어진다!" 하고 외쳤습니다.

남자아이는, 당신, 무슨 짓을 한 거야? 웃기지 마… 라고 욕을 하면서 앞좌석 등받이에 달라붙었습니다. 경솔한 아이들은 좌석에서 몸을 띄우고 차 안을 날아다녔습니다. 아무도 들어본 적 없는 것 같은, 듣지 않을 수만 있다면 평생 듣지 않는 것이 좋은, 마음속에서, 배 속에서 터져 나오는 절규가 날아다녔습니다. 어딘가에 부딪친 듯 오른쪽 유리창이 깨졌습니다. 남자아이의 몸은 격렬하게 흔들렸습니다. 눈에는 보이지 않는 힘이 앞좌석 등받이에서 남자아이를 떼어놓으려 합니다. 남자아이는 좌석과 좌석 사이에 들어가 좌석 다리 부분을 움켜잡았습니다. 승합차는 몇 번이나 회전했습니다. 남자아이는 눈을 감고 이를 악물고 그저 견뎠습니다.

정신이 들자 승합차는 멈춰 있었습니다. 거꾸로 뒤집혀 찌그러진 천장이 남자아이의 밑에 있었습니다.

남자아이는 좌석 사이에서 천장으로 내려왔습니다. 머리가 약간 어질어질했지만 대처법이 적절했던 것이겠지요. 놀랍게도 남자아이는 다친 데가 없었습니다. 몸 어디도 아프지 않습니다.

조용했습니다.

여기에는 남자아이 말고는 아무도 없는 걸까요?

그럴 리가 없습니다. 승합차에는 여러 명이 타고 있었습니다.

실제로 지금은 바닥으로 변한 천장에는 남자아이의 친구들이 몇 명이나 쓰러져 있습니다. 다들 잘 아는 얼굴이지만 아무도 아무 말도 하지 않습니다. 꼼짝도 하지 않습니다.

남자아이는 모두 죽었는지도 모른다고 생각했지만, 그 생각은 더 이상 하고 싶지 않았고 생각하지 않으려고 했습니다. 팔과 다리가 이상한 방향으로 꺾인 아이나 눈과 코와 입에서 빨간 액체가 흐르는 여자아이가 시야에 들어와도 남자아이는 무시했습니다. 배설물인지 뭔지 이상한 냄새가 나서 손으로 입을 막았습니다. 아무튼 지독한 냄새로 코를 막지 않으면 도저히 참을 수가 없었습니다. 차체의 유리창이 전부 깨져서 남자아이는 반쯤 기는 것처럼 해서 거기를 통해 밖으로 나왔습니다.

엄청나게 짙은 안개였습니다. 자기 발밑 정도는 간신히 보이지만, 가시거리는 분명 1미터 정도일 것입니다.

맞은편에서 뭔가가 움직인 것 같았습니다.

"누가 있어?"

남자아이는 그렇게 불러봤습니다.

대답은 없습니다. 그것은 눈의 착각이었을까요?

어쩌면 남자아이처럼 다친 데 없이 차 밖으로 나간 사람이 있을지도 모릅니다. 남자아이는 뒤집힌 승합차 주변을 걸어보기로 했습니다. 누군가 있기를 바라지만, 동시에 그 누군가가 큰 부상이라도 입었다면 성가시다고도 생각했습니다. 누군가, 누군가, 누군가 하고 목청 높여 외치고 싶어졌습니다. 차 안을 들여다보고 싶은 충동에 휩싸이기도 했지만 그만두었습니다.

승합차 주위에는 결국 아무도 없었습니다.

남자아이뿐이었습니다.

승합차 옆에 있으면 구역질이 나고 오한이 들어 자기까지 썩어버릴 것 같습니다. 여기에는 있을 수 없다고 남자아이는 절실하게 느꼈습니다. 여기에 있으면 안 돼.

안개는 전혀 걷힐 기색이 없습니다. 이곳을 벗어나려면 거의 더듬어가며 걸어가야 하겠지요. 지금이야말로 남자아이는 현명하게 행동해야 합니다. 만약 내가 정말로 똑똑하다면…. 남자아이는 생각했습니다. 이 고난을 극복할 수가 있겠지. 그러지 못한다면 다른 사람들과 마찬가지로 죽어버릴지도 몰라.

싫다. 절대로.

농담이 아니야.

죽을쏘냐….

6. 바라는 대로 [inspire_me]

처음에 먼발치에서 그 일대를 봤을 때에는 묘지인 줄 알았다.

평지 위에 곶 같은 언덕이 튀어나와 있고 그 언덕에 묘비 같은 것이 셀 수 없을 정도로 잔뜩 줄지어 있었기 때문이다.

언덕으로 다가가서야 그것들이 전부 인간 모양을 한 동상이라는 것을 알았다.

"여자, 동상…?"

하루히로는 앞에서 걸어가는 앨리스에게 묻는 것 같지도 않게 중얼거렸다. 물어본 건지 아닌지를 묻는다면 실은 물어본 것이지만, 대답을 기대하지는 않는다. 예상대로 앨리스는 말없이 성큼성큼 걸어갔다. 하루히로는 잠자코 따라가면서, 앨리스처럼 자기 멋대로 살아갈 수 있다면 편하겠다고 생각했다. 따라 하고 싶은 건지 아닌지를 묻는다면, 알쏭달쏭하다. 남의 일 같은 건 신경 쓰지 않고 자기 마음대로 살아보고 싶기는 하다. 그렇기는 해도 내가 나인 한, 남들을 신경 쓰고 만다고나 할까, 역시 아무래도 신경 쓰이겠지. 란타처럼은 될 수 없다. …란타?

누구더라? 란타가. 란타. 란… 난타? 란란? 아니야. 아닌 것 같다. 그렇다. 아니다. 란타, 다.

곱슬머리가 떠올랐다. 그래, 맞아. 생각났다. 금방 잊어버리게 된다니까. …금방, 인가? 꽤 오랫동안 보지 못했던 것 같은. 몇 개월인지 몇 년인지. 그렇게 느껴지는 것뿐인가? 아니야, 란타와는 실제로 헤어졌다. 그것은 파라노에 오기 전이다. 왜였지? 언제? 어디에서? 사우전드 밸리인가? 그렇다. 다룽갈에서 돌아온 곳이 사우전드 밸리였고, 타이푼 록스와 포르간인지 하는 무리의 전쟁에 말려들었다. 여러 가지 일이 있었고, 란타가 배신하고 포르간에 붙었다. 그 녀석, 살아 있을까? 뭐, 그 바보니까, 어차피 쓸데없이 팔팔하겠지만.

이렇게 물을 길어 올리듯이 퍼 올리고 새겨두지 않으면 모든 것이 사라져버린다. 없었던 일이 되어버린다.

보고 싶다고 생각하기도 한다. 정말로 만난다면 그때에는 또 화가 날 것이 틀림없다. 그래도 두 번 다시 만날 수 없는 것은 좀. 죽은 것도 아닌데.

죽지… 않았지?

쿠자크.

시호루.

세토라, 키이치.

그리고, 메리.

유메는 파라노에는 없을 테지만.

살아 있는 거지?

살아 있어…, 틀림없이.

응.

살아 있어.

그렇다면 이런 일을 하고 있을 수는 없다. 찾아야지. 발견하는 거야.

초조함이 백만 마리의 벌레가 되어 피부 안쪽에서 스멀스멀 돌아다닌다. 당장이라도 그 벌레들이 손톱 사이나 눈꼬리나 귓구멍으로 튀어나올 것 같다. 물론 벌레 같은 건 없다. 없는 것이 나올리는 없지만 이 파라노에서는 일어날 것 같지 않은 일도 일어나지 않는다고 단언할 수 없다. 정말로 이런 일을 하고 있을 때가 아니잖아.

동상은 언덕 기슭에도 있다. 역시 여성으로 보인다. 돌인가? 쇠인가? 나무인가? 유리인가? 여러 가지 소재가 뒤섞이거나 조합되거나 한 것 같다. 사실적인, 실존하는 여성을 그대로 형태로 만든 듯한 것도 있고 변형시킨 것도 있다. 솔직한 감상으로서는 그다지 정교하지는 않다고나 할까, 엉망이라고는 하지 않겠지만 꽤 조잡할지도 몰라.

앨리스는 그것들을 하나하나 확인하는 것처럼 크게 나선을 그리듯이 움직이며 언덕을 올라간다. 언덕 위까지 올라가는 거면 똑바로 올라가면 좋을 텐데. 불평을 해봤자 무시하거나 찍소리도 못하게 하거나 둘 중 하나다. 하루히로는 마스크 안쪽에서 몇 번이나 한숨을 쉬었다. 어린애가 심심풀이로 만든 것 같은 조형인 이런 동상에는 볼 만한 가치 따위는 없지만, 그렇다고 달리 눈길을 끄는 것이 있는 것도 아니다. 처음 한동안은 그런 식으로밖에 생각하지 않았다.

그래도, 왠지… 점점, 동상의 완성도가 높아지는 것… 같은?

아니야. 실제로 사실적인 것은 명백히 형태가 정리되어 있고 데포르메는 초보자가 보기에도 왠지 예술적인 느낌이 든다.

동상은 작은 것도 등신대 정도였고 큰 것은 하루히로 키의 두 배 정도는 될까? 옷을 입은 것도, 나체인 것도 있다.

잠시 후에 문득 깨달았다.

동상의 얼굴이 전부 똑같다.

수백, 수천, 어쩌면 그 이상에 달할지도 모르는 이들 동상의 모델은 단 한 명의 젊은 여성인 것이다.

언덕 중턱 부근까지 다다르자 사실적인 동상이 대부분을 차지하게 되고 정밀도가 꽤 높아졌다. 크기나 포즈, 복장은 다르지만 이것들은 어떤 의미에서는 전부 같은 동상인지도 모른다. 작가도 동일인물이겠지. 누군가가 어떤 여성의 동상을 한 개, 또 한 개씩 제작하다가 이렇게 많은 숫자가 되었다. 상식적으로 생각하면 그 여성은 상상 속의 인물이 아니라 어딘가에 있었겠지. 작가에게는 아마도 애착이 가는, 분명 친한 사이인, 가족이나 친구나 혹은 연인이 아닐까?

앨리스는 힐끔힐끔 주위를 살피면서 동상과 동상 사이를 태연히 걸어간다. 그 뒷모습을 따라가면서, 기분 나쁘지 않은가? 생각한다. 하루히로는 상당히 기분이 나쁘다.

작가는 언덕 기슭에서 꼭대기를 향해서 가며 한 개씩 동상을 만들어간 것이겠지. 그러면서 기술이 향상되어갔다. 이제 곧 언덕을 다 올라갈 것 같은데, 이 부근의 동상은 여성이 무슨 작용으로 돌이 된 것이 아닐까 생각될 정도로 리얼하다. 그런 것이 줄지어 서 있는 광경은 기이하다고 표현할 수밖에 없다.

"폐허 5호, 라…."

이곳은 1호부터 7호까지 일곱 개 있는 폐허 중 하나라고 한다. 그런 것치고는 예를 들어 무너져가는 벽이나 쓰러진 기둥 같은 건물의 흔적 같은 것이 남아 있지 않은 것은 어째서일까? 파편조차 거의 보이지 않는다.

동상인가? 아마도 건물을 부숴서, 혹은 부서진 건물의 석재나 금속재를 이용해서 동상을 만든 것이리라.

앨리스가 어깨에 둘러메듯이 들고 다니는 삽을 내렸다.

오르막 경사길이 끝나자 그곳은 평평하게 펼쳐진 언덕 위였다. 여성의 동상은 언덕의 가장자리 외에는 없었다.

아니, 딱 한 개가 있다.

언덕 위의 대략 중앙 부근이겠지. 거기에 여성의 동상 한 개가 덩그러니 놓여 있다.

하루히로는 숨을 멈췄다.

사람이 있다.

동상 바로 앞이다.

한 남자가 자기보다 약간 키가 작은, 어쩌면 실물과 같은 크기인지도 모를 여성의 동상을 물끄러미 바라보고 있다.

남자의 머리카락은 다소 길고 곱슬곱슬하다. 짧은 수염을 기른 옆얼굴은 젊은 것 같기도 하고 그런대로 나이가 든 것 같기도 하다. 남자가 입은, 목 칼라에 털이 달린 모스그린 외투는 군데군데 해지고 때가 탔고, 튼튼해 보이는 부츠도 척 봐도 오래된 것이다.

저 남자가 앨리스에게 아히르라고 불리던 사실을 하루히로는 알고 있다. 하지만 분명 본명은 아니겠지.

앨리스도, 하루히로도 요란하게 소리를 내며 걷는 편은 아니지만 완전히 발소리를 죽이고 걷는 것도 아니다. 아히르는 앨리스와 하루히로가 온 것을 알아차렸을 것이다. 그런데도 동상에서 눈을 떼지 않는다. 꼼짝도 하지 않는다.

"이상한 그림자는…."

앨리스는 주변을 둘러보더니 "…없, 군"이라고 중얼거렸다. 파라노의 하늘에는 태양이 떠오르는 일도, 지는 일도 없기 때문에 햇빛의 반대 방향에 그림자가 생기지는 않는다. 하루히로 일행의 그림자도 발밑에 흐릿하게 그림자 비슷한 것이 드리워진 것뿐이다. 이상한 그림자… 라니?

앨리스가 아히르에게 다가간다.

"꽤 늘어났네, 아히르."

마치 그 말을 듣고서야 알아차린 것처럼 아히르는 움찔거리며 이쪽으로 고개를 돌렸다.

"…공주님."

"나를 그렇게 부르지 말라고 몇 번을 말해야 알아듣겠어?"

앨리스가 발을 멈추고 삽 끝을 지면에 꽂자 아히르는 크게 한숨을 내쉬고 나서 "앨리스 C"라고 또렷하게 발음했다.

"이제 됐나?"

"공주님만 아니면 뭐든 좋지만."

"흠….."

아히르는 외투 소매로 입 주위를 천천히 닦았다. 그러고 나서 하루히로의 존재를 인식한 모양이다.

"웬일이야? 누군가를 부하로 삼다니. 왕에게서 도망쳐서 외로운 늑대처럼 지내던 앨리스 C가."

"부하가 아니야. 친구다. 거짓말이지만."

앨리스의 말은 무엇을 어떻게 믿어야 좋을지 모르겠다. 거짓말쟁이라는 것과는 다르다고 생각하지만 여러 가지가 모순된다.

아히르가 희미하게 쓴웃음을 짓더니 외투 앞섶을 잠근 단추를 풀기 시작했다.

"보복하러 왔나? 나는 네 집을 부숴버렸으니까."

"정말. 그건 심했다."

쿡, 쿡, 쿡.

앨리스는 삽을 바닥에서 뽑고, 꽂고, 또 뽑고 꽂았다.

"그런 짓을 할 만한 배짱이 너에게 있다고는 생각지 않았다, 아히르. 그런 짓은 하지 않을 거라고 생각했지. 그야, 그렇잖아? 너는 내 아지트를 알고 있었지만 그것은 나도 마찬가지다. 이 폐허 5호, 과거에 츠키히라 불리던 장소에서 네가 그렇게 나이팅게일의 추억에 잠긴다는 사실을 나는 알고 있어."

"오해하는 것 같은데. 추억 따위에 볼일은 없어."

"그럼 왜 그녀의 동상만 이렇게 잔뜩 만드는 거지?"

"달리 할 일이 없는 것뿐이다."

"설득력 없는 핑계로군."

"집을 망가뜨려서 여기에 온 거지? 좋아. 해봐. 전부 부수면 되잖아."

아히르는 외투 단추를 다 풀고서 가죽 벨트에 손을 대고 있다. 저것이 아히르의 페티시다.

앨리스는 여전히 쿡쿡쿡쿡 삽 끝으로 바닥을 찍고 있다.

하루히로는 앨리스 거의 바로 뒤에 위치를 잡고 있었다. 언제든지 움직일 수 있도록 준비는 되어 있다. 뭐, 움직인다고 해도 앨리스에게 달라붙는 것뿐이지만.

"부숴."

아히르가 희미한 웃음을 떠올리고 다시 말했다. 벨트를 벨트 고리에서 뺀다. 보기에는 그냥 검은 가죽 벨트다. 그렇게 생각하자마자 벨트가 저절로 아히르의 오른쪽 주먹에 감겼다.

"부숴. 어차피 가짜일 뿐이다. 전부 부숴버려."

"그런가."

앨리스는 삽을 위아래로 움직이던 손을 멈추고 키득 웃었다.

"자기가 부수지는 못하니까 나에게 부숴달라는 거로군. 그 때문에 나를 화나게 만들려고 했던 건가? 여전히 성가신 놈이야."

아히르의 오른쪽 다리가 떨리기 시작했다. 표정은 변하지 않았지만 동요하고 있다.

"너한테서 성가시다는 말을 듣고 싶지 않아, 공주님."

"아히르, 나는 도저히 이해를 못하겠는데, 나이팅게일을 되찾고 싶다면 왜 그렇게 하지 않는 거지?"

"…할 수 있다면 이미 했지. 너도 좋아서 왕의 손바닥 위에서 놀아나는 어리숙한 공주님 연기를 하는 건 아닐 텐데."

"당연하지. 그래서 나는 도망쳤다. 네가 그 똥 덩어리의 엉덩이를 맛있다는 듯이 날름날름 핥아봤자 그녀는 돌아오지 않아. 그게 아니면, 똥 덩어리가 그녀의 예쁜 목소리에 질려서 버리기를 기다리는 건가? 버리기보다는 바닥에 내동댕이쳐서 산산이 부숴버릴 것 같긴 하지만. 그놈은 한번 자기 것으로 만든 장난감을 누군가에게 주지는 않아. 왜냐하면 틀림없는 진짜 똥 덩어리니까."

"…그럴지도."

"너는 도대체 뭘 하고 싶은 거야? 아히르. 무엇 때문에 나를 화나게 만들어 여기까지 오게 만든 거지?"

"나는… 너를, 오게 만들… 그런… 그럴 의도는 없었다."

"하지만 이상하잖아."

앨리스와 아히르가 무슨 말을 하고 있는 건지 하루히로는 절반도 이해할 수 없었다. 단지 아히르는 앨리스의 기에 눌린 것 같았다. 그것은 틀림없다. 아히르는 당장이라도 폭발할 것 같다. 벨트를 감은 그 오른손 주먹으로 언제 앨리스를 때리려 들어도 이상할 것 없다. 만약 그런다고 해도 앨리스는 가볍게 대처하겠지. 아히르도 분명 그것은 알고 있다.

"어차피 너는 나에게 이길 수 없어. 그래서 심술을 부려서 내가 왕에게 가도록 획책하려는 건가도 생각했지만. 가만히 내버려둬도 언젠가 나는 그 똥 덩어리를 해치울 거다."

"…응. 그렇겠지. 그게 가능할 거라고는 생각하지 않지만."

"그래도 나는 한다. 그 똥 덩어리는 거의 옥좌에서 나오지 않아. 때려눕히려면 이쪽이 가는 수밖에 없다. 준비가 되면 나는 정리하러 갈 거다. 아히르, 너는 뭘 하고 있는 거지?"

"나는… 왕의 명령을 받아…."

"네가 등신이라는 것쯤은 그 똥 덩어리도 알고 있어. 아무도 너한테는 기대하지 않아. 분명 나이팅게일도. 언젠가 네가 왕자님처럼 백마를 타고 구하러 와줄 거라고는 꿈도 꾸지 않을걸."

사정은 잘 모르지만 그렇게까지 말할 건 없지 않나? 하루히로는 점점 아히르에게 동정을 금할 길이 없게 되었다. 앨리스는 입이 험하다. 별로 즐기는 것 같지도 않고 비교적 담담하게 가슴에 콱콱 박히는 말을 쏟아낸다. 가식이 없다고 볼 수도 있다. 악의는 없는 건지도 모르지만, 좀 더 조절을 하면 좋을 텐데.

"…앨리스."

아히르는 허세로밖에 보이지 않는, 사실 허세 이외의 그 무엇도 아닌 것이 분명한 웃음을 지었다. 그리고, 쥐어짜는 것처럼 말했다.

"정말로 재수 없는 녀석이야, 너는."

하지만 당연하달까, 앨리스는 낚이지 않는다.

"미운 오리 새끼 따위한테서 미움받아봤자 아프지도 가렵지도 않아. 하지만 너는 나에게서 미움받고 싶지 않은 것 아닌가?"

"…뭐라고?"

"네 본심을 가르쳐주지. 자기 입으로는 말할 수 없고, 말할 수 없는 정도가 아니라 분명하게 인식할 수도 없는 네 마음과 바람을 말이야."

"왜…."

"너는 머리가 좋지 않아. 게다가 나이팅게일을 인질로 잡혀 사고 정지 상태에 빠졌으니까 자기가 뭘 원하고 뭘 하고 있는지조차 잘 보이지 않는 거야. 그러니까 내가 가르쳐준다는 거다."

"나는…."

"그전에."

앨리스가 목을 살짝 움직였다. 그런 약간의 사인만으로도 알아차려버리는, 반쯤은 자동적으로 반응해버리는 자신이 살짝 안쓰럽다.

하루히로는 앨리스에게 가까이 붙었다. 그러자마자 앨리스의 삽이 벗겨진다. 그 거무스름한 표피는 변환 자유자재인 껍질이다. 앨리스를 지키고 앨리스의 적을 공격한다. 삽의 본체는 앨리스의 마음 그 자체라고 해도 좋다. 그것은 겉으로 드러나 있어 쉽사리 상처를 입는다. 공기조차 닿는 것이 아프다. 나는… 이라고 하루히로는 생각한다. 이미 내가 아니다. 이렇게 앨리스를 뒤에서 껴안아버리면 나는 앨리스다. 삽의 본체를 쥐고 있는 감각이 생생하게 느껴진다. 그것은 어째서 피가 흐르지 않는지 신기할 정도로 생생하고, 부드럽고, 미끈미끈한 살이고, 조직이고, 기관이다. 두근두근 맥박 친다. 수백, 아니, 수천으로 갈라져 넓게 퍼져가는 표피는 무척 튼튼해서 간단히는 파손되지 않는다. 설령 깨지거나 부서지거나 한다고 해도 대수로운 일은 아니다. 표피는 어떻게 되어도 괜찮지만 본체는 다르다. 그것은 위험할 정도로 무르다. 솔직히 이렇게 본체를 직접 집고 있는 깃만으로도 이픔을 ㄴ낄 정도다. 건디고 있다. 참아내고 있는 것뿐이다.

"그만둬!"

아히르가 외쳤다. 그저 큰 목소리를 낸 것뿐만이 아니다. 비통한 얼굴로 "그러지 말아줘!"라고 애원하고 있다. 못 참겠어… 라고 나는 생각한다. 그런 표정 말이야. 하지만 좀 더 좋은 목소리가 나올 것이다.

삽의 표피들이 으르렁거리며 광장을 뛰쳐나가 나이팅게일의 동상을 차례로 휩쓸어 쓰러뜨린다. 나는 웃는다. 크게 웃는 것은 아니지만, 웃지 않을 수가 없어서, 웃으면서 나이팅게일을 두 명, 세 명, 네 명, 다섯 명, 계속 파괴해간다. 나는 가학적인가? 그런 부분이 있다는 것은 부정하지 않겠다. 물론 진짜 나이팅게일에게는 이런 잔혹한 짓을 하거나 하지 않지만. 그녀는 말 그대로 새장 속의 새이고 불쌍하니까. 하지만 아히르가 만든 동상은 그녀가 아니다. 이런 것만 만들고 있는 아히르의 성격도 마음에 들지 않는다. 그러니까, 부순다. 표피로 토막을 치고 만다. 때려 부순다. 두드려 깬다. 부수고 부수고 또 부순다.

"아아…!"

아히르는 그것을 보고 머리를 쥐어뜯는다. 이리로 갔다가 저리로 갔다가 하더니 결국에는 무릎을 꿇었다.

웃기네. 정말 웃겨서 견딜 수가 없어. 말로는 그만해, 그만해줘… 라면서 나를 말리려고 하지 않고. 어차피 아히르가 나를 말리는 것은 무리지만, 적어도 말리는 척하는 기개 정도는 보여주면 어때?

하지만 아히르는 그러지 않는다.

이것이 그가 바라던 바이기 때문이다. 소중하게, 정성껏 만들고, 처음 무렵보다는 꽤 그럴듯해져서 그녀를 닮은 나이팅게일 동상을 전부 박살 내버리고 싶다.

어차피 그녀가 아니기 때문이다. 그녀 대신이 될 수는 없다. 그래도 아히르는 도저히 부술 수가 없다. 그녀를 닮은 그녀의 동상을 자기 손으로 훼손하는 짓은 도저히 할 수 없다. 그것은 그녀가 아닌데도. 바보인가? 바보겠지.

아히르는 이제 무릎을 꿇고서 울고 있다. 놈은 얼굴에 자신이 있고 언제나 왠지 폼을 잡는 것 같은 뺀질한 놈이다. 그런데 눈물을 흘리고, 콧물을 흘리고, 수염 난 얼굴이 엉망진창이다. 꼴좋다. 웃기는 정도가 아니야.

뭐, 전부 다 부숴주지는 않을 거지만.

그보다 귀찮고.

숫자가 너무 많단 말이야. 도대체 몇 개나 만든 거냐고. 파라노니까 마음만 먹으면 얼마든지, 한없이 만들 수 있는 거지만. 한도라는 게 있잖아. 바보야. 진짜, 바보.

그렇긴 해도 언덕 위에 서 있는 동상은 이제 한 개뿐이다.

광장 한가운데에 있는, 혼신의 역작. 분명 이것으로 마지막으로

하려고 아히르가 정성들여 꼼꼼하게 제작한 나이팅게일 동상. 하지만 분명히 이렇게라도 하지 않으면 마지막이 되지는 않겠지. 아히르는 절대로 만족하지 못하고 또 다른 동상을 만들기 시작할 것이 틀림없다.

동상을 만드는 일 자체가 대리만족이기 때문이다.

두 번 다시 이 팔로 그녀를 안을 수는 없겠지. 그러니까 동상을 계속 만듦으로써 자기 자신을 위로하는 수밖에 없었다.

한심한 놈이다.

"응."

다시금 표피를 두른 삽을 바닥에 꽂고 나는 고개를 끄덕였다.

"뭐, 그래도 후련해졌어."

하루히로는 앨리스에게서 떨어졌다. 피로가 확 밀려와 주저앉아 버렸다. …이제 앨리스가 아닌, 나다.

"…나도."

아히르는 여자아이 같은 자세로 앉아 넋이 나간 것처럼 물방울 모양 하늘을 우러러보고 있다. 눈물과 콧물, 그리고 침도 닦으려고 하지 않는다.

"…그런가. …나는, 끝내고 싶었던 거야. …그렇구나."

"아직도 왕 똥구멍을 핥고 싶어?"

"…아니. 지긋지긋하다."

"그럼, 아히르. 너는 이제부터 스파이가 되어줘야겠어."

아히르는 앨리스를 올려다보고 외투 소매로 입 주변을 가볍게 문질렀다. 깨어 있는 채로 끝없이 계속되는 꿈이라도 꾸는 것 같은 얼굴이다. 그 눈동자 안쪽에 작은 불꽃이 지펴졌다.

"스파이… 라고?"

앨리스가 웃으며 말한다.

"그게 네 바람이지?"

긴 터널을 빠져나가자 성이었다.

―이렇게 말하면 무슨 말인지 영문을 모를지도 모르지만, 쿠자크도 잘 모르는 것이다. 어쩔 수 없지 않아?

천장, 높다.

넓은 것도 정도가 있지, 복도… 인가? 그렇지? 이건? 폭이 너무 넓어서 복도라고 단언할 자신이 없다. 뭐지? 홀 비슷한 공간이 끝없이 이어져 있는, 그런 느낌?

바닥은 대리석? 그런가? 딱딱하고 매끈매끈한, 아마 돌이 아닐까 생각된다. 색은 브라운 계통? 갈색? 그런 느낌의 차분한 색조인데도 유난히 반짝반짝 빛나고 있다. 그야말로 고―저―스. 고―저―스 하고 길게 발음할 필요는 전혀 없지만. 고저스? 천장에 샹들리에 같은 발광하는 물체가 무수히 매달려 있고 그 불빛이 바닥에 눈이 아프도록 반사되고 있다. 차라리 반사의 개념을 바꿔버리려는 것 아닐까 의심하고 싶어질 기세로 슈퍼 반사하고 있다.

아무런 예비지식도 없는 상태에서, 여기 어디야? 라고 누군가가 물었다고 치자. 쿠자크는, 일단 실내라는 것만큼은 분명하다고 생각하는데… 라고밖에는 대답할 수가 없다.

하지만 암흑 기사 고미와 성기사 톤베와 멍텅구리, 즉 쿠자크를 거느리고 걸어가는 완벽 미소녀 이오 님께 "…여기 어딥니까?"라는 질문을 했더니 "성이야"라고 대답했으니 여기는 성이겠지. 성이라도 성씨나 육체관계를 말하는 건 아닌 것 같으니 역시 성이겠지. 그보다 육체관계라니?

한동안은 알아차리지 못했지만, 복도 여기저기에 입체화하려다만 그림자 같은 것이 몰려 있다. 뭐랄까, 형상 면으로는 사람이나 짐승이나 그 중간 같은. 참고로 아무래도 이동하고 있는 것 같다.

"도대체 뭡니까? 저것…?"

딱히 누군가에게 물었다기보다는 누군가 가르쳐주지 않을까? 라는 느낌으로 말해봤더니, 고미가 "너무 쳐다보지 말라고라"라고 주의를 준다. 상관없지만, 좀 사투리가 심하거든. 이 쓰레기. 아니, 이 사람.

"저놈들은 말이여, 왕의 신하데이. 신하였던 놈들이라고나 할까. 아니, 그게 아닌가. 아무튼 변한 모습이랄까. 왕의 노여움을 사면 너도 저런 식으로 변해버릴지도 모른데이. 최대한 조심하그래이. 이오 님께도 민폐를 끼치게 되니까."

"…엇. 왕… 이라는 사람… 의 힘으로, 저런 식으로 변했다는 건가? 저놈들, 원래는 인간이었다는 뜻?"

"뭐, 그렇데이…."

고미에게는 어울리지 않는, 뭔가 의미심장하달까, 더 이상은 묻지 말라고 말하는 듯한, 석연치 않은 말투다. 혹시나, 그건가?

쿠자크는 발을 멈추지 않고 힐끔 돌아봤다.

그림자들은 기본적으로 쿠자크를 포함한 이오 일행과 거리를 두고 있다. 진행 방향도 제각각이다. 그중에서 저 그림자 하나만은 일행을 따라오고 있다.

이오에 관해서는 절세의 미소녀이고 신관이라는 것 이외에는 아는 바가 없지만, 고미도 그렇고 톤베도 그렇고 상당한 숙련자다. 설마 저 그림자가 따라오는 것을 알아차리지 못한 건 아닐 터다. 그런데도 무시하고 있다. 신경 쓸 가치도 없는 그림자이기 때문일까? 그럴지도 모르지만 왠지 그뿐만은 아닌 것 같다.

같은 새벽 연대여도 만난 적조차 없었고 이오 부대에 관해서 쿠자크가 알고 있는 정보는 많지 않다. 그러나 어쨌든 세 명은 아니었을 것이다. 이오 말고 다른 이름은 기억나지 않지만, 대개의 파티는 여섯 명이나 다섯 명이고 톤베와 고미 말고도 몇 명 더 있었던 것 같다.

저 그림자는 과거에 이오 부대의 일원이었는지도 모른다. 왕의 노여움을 사서 그림자로 변해버렸다. 이오의 동료가 변한 모습인지도 모른다.

이 복도는 어디까지 이어져 있는 건가? 아무리 호화롭고 아름다워도 익숙해지고 말면 아무런 감흥이 없어진다.

시호루에게 쫓기면서 도망치기도 하고, 설득하려고 하기도 하고, 이제 무리인 것 같다고 포기하기도 하고, 그래도 대화하면 알아줄 거라고 다시 생각하기도 하고, 당할 것 같아서 도망치기도 하고, 아무튼 필사적이었다. 덕분에 천천히 생각을 할 여유가 애초에 없었는데, 하루히로는, 메리는, 세토라는, 그리고 키이치는 지금쯤 어떻게 하고 있는 걸까? 아니, 괜찮겠지. 그야 내가 팔팔한데 다들 괜찮지 않을 리가 없잖아?

시호루 씨는 그렇게 되어버렸지만.

적어도 살아는 있다. 오히려 파워업을 했지.

하지만 그건 정말 시호루 씨인가?

뭔가 다르지 않아? 뭐랄까, 전혀 다르잖아. 그런 사람이 아니었고. 말하면 알아줄 거야. 그렇게 생각했다. 생각하려고 했다. …그저 그렇게 생각하고 싶었던 것뿐이 아닐까? 냉정하게 생각해보면 말이지. 대화로 어떻게 해결된다거나 그런 차원의 변화가 아니었지, 그건. 원래대로 되돌아올 수 있는 건가? 시호루 씨. 돌려놓을 수 있을까? 있어? 방법이? 나는 떠오르지 않는데.

하루히로 일행은?

무사… 한가? 그야 위기 상황은 지금까지도 많이 있었고 극복했었으니까 이번에도. 그것이… 근거가 단지 그것뿐인가?

최강이라 불리는 소우마의 파티나 전설의 의용병 아키라 씨네 파티, 타이푼 록스와 비교하면 떨어지지만, 그렇기는 해도 이오 부대는 이름난 실력자 의용병들의 파티다. 결코 비하하는 게 아니라, 일반적인 평가로서, 쿠자크네 팀과는 격이 다르다. 그런 이오 부대조차 세 사람밖에 남지 않았다.

위험하지 않아? 여기.

데인저러스 존이잖아, 분명히.

위험… 하지.

어쩌면 말이지만.

다들 무사하지 않을지도.

살아 있기는 하다는 라인조차 위태롭다거나 할지도.

"저…."

쿠자크는 그 자리에 쪼그리고 앉았다. 걸을 수가 없다. 한 발자국도. 서 있을 수조차 없다. 단숨에 밀려든다. 허탈감. 잘 생각해보면 피로하지 않을 리가 없다. 하지만 그런 것과는 뭔가 다르지 않아? 이건, 그거다.

배를 움켜쥐고 몸을 웅크린다.

이른바 일종의, 허기 아니야?

"…아무것도 못 먹었으니까…."

뱃가죽이 종이처럼 얇아진 듯이 느껴진다. 배가 너무 고파서 아프다. 공복감의 대군이 몸속을 공격하고 있다. 눈 안쪽이 타는 것처럼 얼얼하고 그 작열감이 코에서 입, 목구멍으로 퍼져간다. 우오오오오오오오. 뜨겁다. 뜨겁다고. 타고 있다고.

"…목… 아아, 그렇구나. 물도 못 마셨어…."

위장이 사룡처럼 입에서 튀어나오고 눈알이 빠질 것 같은데요. 사룡이 뭐지? 사룡이라니. 견디지 못하고 몸부림치려고 했더니 "참아!"라고 누군가가 야단을 쳤고, 그래봤자 그건 불가능하지. 한 방울이라도 좋으니까 물, 물, 물, 물, 물, 물 좀 줘, 이렇게 외치려고 했다. 그보다 절규했다고 생각한다.

밀친 건지 발로 찬 건지는 확실치 않지만 어쨌든 쿠자크는 벌렁 자빠졌다. …무거워….

무겁다고. 톤베인가? 몸에 올라타지 말라고. 당신, 무거우니까. 너무 무겁다고.

"참아, 참는 겁니다, 멍텅구리!"

톤베는 그렇게 말하면서 쿠자크의 얼굴을 퍽퍽 때렸다. 쿠자크는 반사적으로 두 팔로 방어하려고 했지만 방어막은 순식간에 톤베의 주먹에 무너지고 돌파당했다.

30~40발 정도 펀치를 맞고 의식이 날아갈 뻔했다.

"이제 됐다, 톤베."

이오가 말려주지 않았다면 기절했을 것이다.

"여기에서는 광마법을 쓸 수 없으니까 치료할 수 없어. 죽어버리면 골치 아프잖아."

"죄송합니다, 이오 님! 저는, 이 녀석이 싫어서, 저도 모르게 그만 진심이 나와버렸습니다!"

진심 펀치인가. 그보다 몸에 올라탄 뒤에 공격하는 방식, 너무 능숙하지 않아요? 그 점은 리스펙트하지. 열받지만. 인간성이 어떻게 생겨먹은 거야? 그보다 광마법을 쓸 수 없다니. 그렇게 말한 거 맞지요? 그런 것 같은데. 신의 힘이 여기에는 닿지 않는다거나, 뭐 그런 건가?

말하고 싶은 것은 여러 가지였지만 타격이 너무 커서 말할 수가 없다. 여기에서의 공복감이며 갈증에 관해서 설명을 들었지만 절반도 머리에 들어오지 않았다.

"아무튼 참아. 참는 거야. 자, 일어나거라, 멍텅구리. 간다."

이오 님, 엄격하시네요.

쿠자크는 하루히로 팀을 만나고 싶다고 마음속 깊은 곳에서 생각하면서 자력으로 일어나 앞에서 걸어가는 세 사람을 쫓아갔다. 얼굴이 아프다. 피도 난다. 두 눈이 다 퉁퉁 부어 시야가 좁다, 좁다. 비교적 꽤 험한 꼴을 당한 것 아닌가? 좋은 동료라는 건 귀중하구나. 울고 싶어졌다.

"…젠장. 왕인지 뭔지… 그런 걸 만나고 있을 때인가? 별로 만나고 싶지도 않고. 하루히로와 동료들을 찾아야 하는데…."

단, 누군가와 재회하게 된다면 어쩔 수 없이 시호루 이야기를 해야만 한다.

시호루 씨, 어째서인지 알몸에 가까운 모습이었습니다. 실은 솔직히 야했습니다… 라고는 말하지 않는 게 좋을까? 말할 수 없다고.

그리고 눈물이 반짝반짝해서 예쁘지만 엄청나게 위험합니다… 라고. 내가 생각해도 어휘가 지독하게 빈곤하네. 얼굴은 아프고 마음은 무겁다. 발걸음도 무겁지만.

그 그림자는 아직 따라온다. 점점 불쌍해졌다. 동정은 해도 뭔가 해줄 수 있는 것은 아니다. 이제야 복도가 끝났다.

보아하니 극장 비슷한 공간에서 복도가 몇 줄기나 뻗어 있고 쿠자크 일행은 그중의 한 곳을 걸어온 모양이다. 이 앞은 층층으로 된 밭처럼 되어 있다. 밭은 아니지만. 그 반질반질 미끈미끈한 단차를 밑바닥까지 내려가면, 원형 무대인가? 중앙에 원기둥이 서 있다. 뭡니까? 여기. 관객을 모아 이벤트를 한다거나 하는 장소라거나? 그게 아닌가? 아무튼 복도보다도 더욱 웅장하고, 위에서 쏟아지는 빛 때문에 천장이 있는 건지 없는 건지 잘 보이지는 않지만 모든 것이 그저 번쩍거린다. 하아. 굉장해. 그야, 그래서 뭐 어쨌다는 거야? 라는 느낌도 없지 않아 있긴 하지만. 이런 일을 하고 있을 때가 아니거든, 진짜로.

계단의 단차는 높이가 30센티미터가 채 안 되고, 그것이 100단도 아니고 아마 200단 이상 있다. 이 극장 비슷한 공간도 또한 쓸데없이 드넓다. 내려가는 도중에 물어봤다.

"저기, 왕이라는 자를 꼭 만나야만 하는 겁니까?"

"왕은 이 파라노의 지배자라고라."

고미의 사투리가 본격적으로 귀에 거슬리기 시작했다. 가벼운 살의조차 느껴질 정도다.

"아, 아니, 그래도 저는 그런 건 흥미 없는데요. 달리 해야 할 일도 있고…."

"그거야말로 관계없다고라. 너는 이오 님의 종이니까. 이오 님 분부대로 따르면 되는 거래이."

"도와준 건 감사하지만 솔직히 종이라는 건 좀? 상당히? 아무튼 그건 아닌 것 같거든요. 당신들은 좋아서 하는 건지도 모르지만."

"당신들? 제법 건방진 말을 지껄인데이. 멍텅구리 주제에."

"상관 말고 내버려두면 됩니다, 고미."

돈베가 흐흥 하고 코웃음 치는 것을 보니 힘껏 잉딩이를 걷어차서 이 계단을 우스꽝스럽게 굴러 떨어지는 모습을 감상하고 싶어졌다. 그러나 놈은 그냥 뚱보가 아닌 것이다. 유난히 잘 움직이고 강하고 살집이 있는 남자이니 그렇게 하고 싶어도 할 수 없다는 것이 분하다.

"어차피 왕을 알현해보면 알게 됩니다. 이 파라노에서는 왕을 따르는 것이 상책이라는 것을. 뼈아플 정도로. 그걸 모를 정도의 바보라면 맞이할 미래는 뻔하니까요."

"…무섭나요?"

"그러니까, 만나보면 안다고 했잖아요. 돌대가리인가요? 너는. 돌대가리지요? 이 돌대가리. 내 항문에서 튀어나온 똥보다도 더 멍청하네. 똥보다 못한 돌대가리라니 참 어지간하네요!"

쿠자크는 하마터면 파괴 충동에 몸을 맡길 뻔했다. 위험해, 위험해. 안 들린다 안 들린다 안 들린다…. 그렇게 머릿속으로 되뇌며 돈베의 목소리를 차단한다. 대화는 피하자. 진짜로 성격 완전 끝장이니까, 이놈들. 이오는 도대체 왜 이런 놈들을 시종으로 삼은 건가? 종이라는 시점에서 좀 거시기하지만. 록스도 꽤나 이상했고, 아키라 씨네는 초인집단이고, 새벽 연대에는 평범한 사람이 너무

없어. 아아, 하루히로가 보고 싶다. 함께 있는 것만으로도 뭔가 힐링이 된단 말이야, 그 사람은….

쿠자크는 고개를 숙이고 묵묵히 계단을 내려갔다. 이렇게 되면 내려갈 거지만. 어디까지고 내려갈 생각이지만. 얼마나 내려가면 되는 건지. 아직도 내려가? 더 내려가버려?

기약 없는 긴 시간 동안 계단을 계속 내려가고 있는 것 같다.

이제야, 드디어, 밑바닥의 스테이지 비슷한 곳에 도착했다.

이오는 저 기둥에 볼일이 있는 모양이다. 따라가서 보니 그것은 기둥이 아니었다. 문이 있다. 저절로 열렸다. 안으로 들어가자 원통형 방이었다. 놀랍게도 밖에서는 안이 보이지 않았는데 안에서는 바깥이 보인다. 바닥과 천장 이외에는 투명하다. 문이 닫힌다. 방자체가 움직이기 시작했다.

"엘리베이터인가…?"

쿠자크는 중얼거리고 이오의 상태를 살폈다. 이오는 마스크를 벗고서 투명한 벽을 응시하고 있다. 후웃, 한숨을 쉬어도 심각한 표정이 전혀 누그러들지 않는다. 명백하게 긴장하고 있다. 이오뿐만이 아니다. 톤베와 고미도 긴장해서 몸이 굳어져 있다. 두 사람은 상당한 하이레벨 성기사와 암흑 기사다. 파라노의 왕은 그토록 위험한 놈인 건가?

엘리베이터는 계속 상승하고 있다. 좀처럼 멈추지 않는다. 이제 꽤 올라왔을 텐데 바깥 경치가 전혀 변하지 않는 것도 의문이다.

"…그보다 심플하게 너무 올라가네."

중얼거린 순간, 위가 아니라 뒤쪽으로 날아갈 뻔했다.

"우웃…?!"

간신히 버텼지만, 뒤쪽으로 날아갈 뻔했다는 건, 앞으로 나가고 있는 건가? 그렇게 생각했더니 이번에는 오른쪽 방향으로 몸이 크게 흔들렸다.

"우왓…?!"

이오와 톤베, 고미 세 사람은 자세를 낮추고서 버티고 있다. 쿠자크도 그들을 따라 하기로 했다. 아니, 이렇게 될 거라는 걸 알고 있었다면 미리 밀해달라고. 가르쳐줘도 되잖아. 항의할 여유는 없었다.

"우왓?! 오옷?! 훗?! 고옷?! 우핫?! 헉…?!"

엘리베이터가 갑자기 방향을 바꾸기도 하고 구부러지기도 할 때마다 쿠자크는 넘어졌다가는 일어나고 일어났다가는 또 넘어졌다. 이오는 어느 틈엔가 투명한 벽에 몸을 붙이고 있다. 고미와 톤베가 그 주위에서 벽을 만들고 있었다. 두 사람 다 이오에게는 손가락 하나 닿지 않고 또한 거의 굴러다니다시피 하는 쿠자크도 절대 닿지 못하게 하겠다는 자세다. 그 충성심은 솔직히 대단하다고 생각해. 존경은 하지 않지만.

"—우옷…!"

엘리베이터는 역시 갑자기 정지했고, 동시에 문이 열리고 쿠자크가 거기로 굴러 나가버렸다.

눈이 돈다. 큰 대자로 뻗은 상태잖아. 구역질 나. 뭐야? 여기.

"…우우… 아아….."

너무 심하잖아. 신음하고 있노라니 옆구리를 걷어찬다.

"냉큼 일어나라고라!"

아프잖아. 항의하려고 했다.

목소리가 나오지 않는다. 오한이 든다. 온몸이 단숨에 차가워지고 움츠러든다. 거의 경험한 적 없는 엄청난 한기다. 꼼짝도 못할 것 같다. 그런데도 쿠자크는 벌떡 일어났다. 지금은 무조건 그렇게 해야만 하고 그러지 않으면 최악의 결과를 초래하게 된다. 육감이 몸을 움직이게 만들었다.

쿠자크는 숨을 멈췄다. 그보다 호흡을 잘할 수가 없다. 엘리베이터에 타기 전에 있던 복도와 극장 비슷한 공간도 장엄했지만 여기는 차원이 다르다. 이미지로서는 종유 동굴 같다. 뭔가 뾰족한 것이 천장에서, 벽에서, 덧붙이자면 바닥 여기저기에서도 튀어나와 있다. 하지만 그것들은 암석은 아니겠지. 형태가 직선적이기도 하고 반대로 곡선적이기도 하고, 인공물의 부품 같다. 전체적으로 거무스름하고, 중후한 감이 있고, 그보다 위압감이 지나치다.

정면 맞은편 벽만이 새하얗다. 발광하는 것처럼 보이기도 한다. 유리창인가 하고도 생각했지만 투명하지는 않다. 백탁 현상이라는 건가? 어쩌면 유리가 아닌 건가?

하얀 벽 앞은 한 단이랄까, 여러 단, 수십 단인지도 모르지만, 높아진다.

그 위에, 저것은 의자인가? 역시 거무스름하고 네모난, 사슬을 몇 겹이나 휘감은 등받이에 팔걸이도 달려 있다. 좀, 아니, 꽤 묘한 형태지만, 뭐, 의자겠지. 옥좌라고 하는 건가?

여기는 편전(주2)이다.

쿠자크가 막연히 상상했던 것과는 동떨어진 모습이다. 하지만 틀림없다.

옥좌에 다리를 꼬고 앉아 있는 남자가 왕이다. 누가 말하지 않아

주2) 편전: 便殿. 왕이 평상시에 거처하는 궁전.

100 |

도 왕이라는 걸 알겠다. 저게 왕이 아니라면 파라노에 왕은 없다. 만약 저 수염을 기른 사내가 검은 왕관 같은 것을 쓰고 있지 않았다고 해도 왕으로밖에는 보이지 않았을 것이다. 남자는 검은 가죽인지 뭔지 딱 달라붙는 옷을 입었는데, 왕에게 어울리는 복장인가 하면, 쿠자크로서는 뭐라 말할 수가 없다. 왕이라고 하면 좀 더, 뭐랄까, 요란하거나 화려하거나 보기에도 고급스럽다거나 그런 의류와 장신구로 지장할 것 같은 느낌도 든다. 하지만 저것은 왕이다. 왕이 있다는 건, 이곳은 편전인 것이다.

옥좌, 아니, 왕에게밖에 눈길이 가지 않는다. 왕은 멀리 있다. 거리감이 이상해진 것 같아 몇 미터인지는 알 수 없지만, 여기서부터 옥좌까지 수십 미터는 떨어져 있을 것이다. 그런데도 왕의 모습은 어째서인지 또렷하게 보인다.

일어서면 키가 클 것 같다. 왕의 다리는 유난히 길고 늘씬하다.

30대는 아니겠지. 40대이거나 혹은 50대인지도 모른다. 나이에 맞게 주름 잡힌 얼굴에 반백의 짧은 수염을 길렀다. 머리도 또한 짧다. 웃음을 짓고 있지 않았다면 인상이 달라 보일지도 모르지만, 어느 쪽인가 하면 온화한 얼굴이다. 특히 눈은 다정해 보이기까지 했다. 그러면서도 무섭다.

왕이 거기에 있다는 사실만으로도 이 편전 전체의 공기가 딱딱해진다.

무수한 뾰족한 것들은 왕이 거기에 있기 때문에 생겨난 것이 틀림없다.

이 편전이 거무스름한 것은 왕이 거기에 있기 때문이다.

왕의 존재가 이 자리를 규정한다. 아니, 제압하고, 지배한다.

물론 쿠자크도 그렇다. 왕에게 지배당하고 있었다.

그 증거로, 어느샌가 쿠자크는 무릎을 꿇고 머리를 조아리고 눈을 치뜨고 훔쳐보는 것처럼 왕의 모습을 보고 있었다. 톤베와 고미, 게다가 이오까지 쿠자크와 마찬가지로 무릎을 꿇고 있다.

이곳에 있는 이상은 그렇게 할 수밖에 없다. 왕을 만나보면 알 거다, 왕을 따르는 수밖에 없다… 그런 비슷한 말을 톤베가 했었다. 그 말이 맞았다.

"어이, 이오."

왕의 목소리는 낮고, 부드럽고, 깊이가 있고, 뭐지? 여자들한테도 인기가 있을 것 같은 아저씨 목소리… 라고나 할까. 그런 느낌인데도 뇌명처럼 울려 쿠자크 일행을 압도했다. 단 한 마디를 들은 것만으로도 쿠자크는 떨려서 눈물이 날 것 같았다.

"…네, 폐하."

대답한 이오의 목소리가 유난히 가늘다. 왕, 위험해. 너무 위험해. 정체를 모르겠다. 그 점이 위험도 맥스다. 어떤 의미에서는 이거야말로 위험이라는 건지도 모른다. 진짜로 정말 위험하다는 건 바로 이건가? 왕을 표현하는 말이었나? 그런 느낌.

"뭔가 데리고 왔군. 신참인가?"

"…네, 폐하. …폐하의 분부를 받들고자… 그것이 제… 폐하의 신하 된 저의 역할이라 생각하여… 폐하께 데려왔사옵니다."

"훌륭한 마음가짐이다."

"…황공하옵니다, 폐하."

"신하는 몇 명이 있어도 좋아. 쓸 만한 신하라면 말이야."

"…만약… 만약 폐하께서 쓸모없다고 느끼셨다면… 뜻대로 하시기를."

어? 뭐야? 그건. 뭐냐고나 할까, 혹시나, 어라?

저 그림자… 분명히 왕의 노여움을 산 놈들이 변한 모습이라고 하지 않았던가?

쓸모가 없다면 그림자로 만들어버려주세요… 라는 뜻?

그건 비교적, 최대급으로 곤란한데요?

이오에 대한 미묘한 분노와 반감, 초조함 탓에 왕에 대한 경외감이 약간 흐려졌는지도 모른다. 쿠자크는 그제야 왕 말고 다른 것들을 관찰할 수 있게 되었다. 반대로 말하자면, 그때까지는 거의 왕밖에 보지 않았던 것이다. 얼마나 대단한 거야? 왕.

편전 안쪽은 단상으로 되어 있고 거기에 옥좌가 있다. 옥좌 뒤는 하얗게 빛나는 창문이나 벽이다. 단, 그것 말고도 여러 가지 것이 있다. 가장 눈길을 끄는 것은 천장에 매달린, 저것은 거대한 새장인가? 아니, 케이지는 맞지만, 새장은 아닌가? 새장 비슷한 형태를 하고 있지만 안에 갇혀 있는 것은 새가 아니다.

인간이다.

하얀 드레스 위에 갈색 코트 같은 것을 걸치고 있다. 머리가 길다. 얼굴은 잘 보이지 않지만 체형을 보니 여성인 것 같다. 왕이 있으니까 왕비님이라거나?

아닌가? 어느 세계에 자기 아내를 케이지에 넣어놓는 남편이 있단 말인가. 드물게는 있을지도 모른다. 그런 취미라거나?

옥좌 앞부분에는 계단이 있어서 단상으로 오르내릴 수 있다. 그 계단 이외의 곳이 감옥이라는 사실도 이제야 깨달았다. 감옥은 작게 나뉘어 있고 안에 죄수가 있는 모양이다. 쇠창살에 달라붙다시

피 한 자들의 모습을 확인할 수 있었다. 귀를 기울이면 그들의 목소리도 들렸다.

"이오 님…."

어떤 죄수가 한 말인지는 모른다. 하지만 분명히 그것은 이오를 부르는 목소리였다.

이오의 동료, 이오 님 부대에서 적어도 한 명은 사로잡혔다.

또 한 명은 왕에 의해 그림자가 되어버렸다. 그렇구나.

그렇게 된 건가.

이오는 왕의 위엄에 속수무책으로 굴복하고 충성을 맹세하는 것이 아니다. 동료가 그림자로 변해서 그 강대한 힘을 두려워하고 있는 것도 아니겠지. 인질을 잡힌 것이다.

이오 부대의 일원이면 쿠자크에게는 낯선 타인에 불과하지만, 그래도 일단 새벽 연대의 동지다. 상관없어, 알 게 뭐야… 라고는 말할 수 없다.

왕에게는 거역할 수 없는 것이다.

설령 따르고 싶지 않아도 일단은 따르는 수밖에 없다.

어느 쪽이든 무리지만 말이야.

저런 것한테 거역하다니, 있을 수 없는 일이다.

새장 속의 여자도 누군가의 인질일 것이라거나, 엄청나게 강하다면 그런 양아치 같은 짓은 하지 말라거나, 그런 생각이 안 드는 것도 아니다. 적개심 같은 것이 솟아나는 기분도 없지는 않지만 곧바로 수그러든다. 무리야. 저건 무리. 뭔지 잘은 모르지만, 몰라도 무리라는 건 알 수 있을 정도로 무리. 솔직히 이제 왕을 쳐다보는 것도 무섭다. 보고 싶지 않아. 그런데도 쳐다보게 되고 만다.

아무튼, 도대체 뭘까? 저거.

저 옥좌.

라고나 할까, 등받이?

단순히 지나치게 크고. 팔걸이나 시트는 왕의 체격에 맞는다. 등받이만 유난히 높고 폭도 넓다. 딱딱해 보이고. 게다가 사슬로 친친 감았고. 마치 팔걸이와 시트를 나중에 갖다 붙여서 억지로 등받이로 만든 것 같다. 애초에 등받이가 아닌 것 같은.

여러 가지 것이 새겨져 있기도 하고 가장자리가 뭔가 다른 소재로 보강되기도 한 것 같은데, 저 형태는….

보이는 느낌으로는, 문 아닌가?

"지금부터 너도 내 신하다."

커다란 문을 등받이로 만들었으면서도 등을 기대지는 않고 다리를 꼬고 앉아 있는 왕이 쿠자크를 보며 히죽 웃었다.

"몸이 가루가 되도록, 나를 만족시킬 때까지 열심히 일하면 상을 내려주지. 네가 쓸 만한 신하라면 좋으련만."

쿠자크는 입을 벌리려고 했다. 왜? 뭔데? 왜 입을 벌리려고 했지? 모르겠네. 전혀, 모르겠어. 식은땀이 엄청나게 쏟아진다. 위험해. 쓸데없는 말을 하지 말라는 듯이 이오가 노려보고 있다. 그렇지요. 아니, 말하지 않을 거지만요. 아무 말도 할 수가 없다.

왕은 쿠자크를 응시하며 미소 짓고 있다. 차라리 그쪽이 먼저 뭔가 말해줘. 야단치거나 소리쳐도 좋으니까. 아무 말도 하지 않는 게 괜히 더 무섭다. 쿠자크를 무섭게 만들려고 왕은 저런 태도를 취하는 건지도 모른다. 계산해서 그러는 거라면 치사한 거 아니야? 그렇게 생각하니 약간 두려움이 누그러든다. 아주 약간이지만. 역시 무서워. 바싹 말라버릴 정도로 무서워. 그보다 이미 말라비틀어진 상태인 것 같다.

갑자기 뒤쪽에서 이상한 소리가 들렸다. 그때까지 숨조차 제대로 쉴 수 없었는데, 어째서인지 돌아볼 수가 있었다.

바닥에서 천장을 향해 원기둥이 뻗어 있다. 쿠자크 일행이 타고 온 엘리베이터다. 그 문이 열려 있다. 목 칼라에 털이 달린 모스그린 외투를 입은 남자가 나왔다.

약간 긴 머리카락은 살짝 곱슬머리였고 덥수룩하게 수염이 나 있다. 나른해 보인달까, 퇴폐적이라고나 할까. 남루한데도 세련된 분위기를 풍기고, 사실대로 말하자면 여자한테 인기가 많아 보이는 타입의 남자다. 쿠자크 일행을 보고 남자는 살짝 얼굴을 찡그렸지만 곧바로 눈을 피하고 단상으로 다가갔다.

"아히르."

왕이 부르자 남자는 발을 멈추고 무릎을 꿇고서 허리를 깊이 숙였다.

"폐하. …또 뵙게 되어 영광입니다."

"나이팅게일은 여전히 좋은 목소리로 노래한다. 나만을 위해서."

왕이 그렇게 말했을 때 아히르라는 이름인 듯한 남자의 등이, 떨리지는 않았는지도 모른다, 하지만 긴장했다. 쿠자크에게는 그렇게 보였다.

문득 새장 속의 여자에게 시선이 향했고, 그 직후에, 저 녀석 말인가? 하고 쿠자크는 생각했다. 여자는 마치 혼이 빠져나간 인간의 빈 껍질 같았지만 아까와는 자세가 다르다. 단언은 할 수 없지만, 아마도 아히르를 쳐다보고 있는 것 같다. 이오네와 마찬가지로 아히르도 저 나이팅게일인지 하는 여자를 인질로 잡힌 것이겠지.

쿠자크는 고개를 숙이고 이를 갈았다. …아아, 열받아.

아무리 싫은 놈이라도 저 왕에게는 절대로 거역할 수 없다. 거역하면 끝이다. 이것만큼은 어떻게도 할 수 없다.

"나이팅게일은 언제나 나를 기쁘게 해주고 있는데, 너는 선물도 없이 빈손인가? 아히르."

"…송구합니다."

"너도 노래할 줄 알지? 여기서 한 곡 불러보면 어떠냐?"

"용서해주십시오. …노래는 오랫동안 부르지 않아서. 폐하의 귀를 더럽힐 수는 없으니까요."

"그렇다면 당장 앨리스를 데리고 와."

"폐하도 아시는 바와 같이 그 공주님은 만만치 않습니다. 부끄러운 이야기지만, 저는 힘으로는 이길 수 없어서 공주님의 집을 부숴버렸습니다."

"오호, 그것 참. 필시 화가 났으렷다?"

"이리로 쳐들어올지도 모릅니다."

"나한테서 도망쳤을 때처럼 선홍의 숲을 빠져나갈 수 있을까?"

"글쎄올시다. …그 공주님이라면 그럴지도요."

"여기에 오기 전에 먼저 너를 죽이려 들지도 모른다. 아히르."

"저는… 도망치는 것만큼은 빠릅니다."

"앨리스를 이리로 불러들이려는 건가? 그것이 네 책략이로군, 아히르."

"일이 잘 성사되지 않으면… 다른 수를 생각하겠습니다. 시간은 있으니까요. 아니… 시간 같은 것은 없나."

"시간은 없다고도, 무한히 있다고도 할 수 있지. 우리는 영원이다. 아무리 갈망해도 내 것으로 만들 수 없는 것이 마땅했던 영원을 우리는 손에 넣었다. 이미 남들의 척도로 측량할 필요는 없는데도 그렇게 할 수밖에 없다. 이것은 업이다. 업 같은 것은 던져버려라."

"…어려운 이야기는 잘 모르지만, 잘 생각해보겠습니다… 폐하."

"물러가라. 나이팅게일의 목소리가 듣고 싶어졌다."

"가자."

이오가 속삭이는 것 같은 작은 목소리로 말했다.

얼굴을 들자 이오와 톤베, 고미는 벌써 돌아가려고 했다. 아히르는 움직이지 않는다. 나이팅게일도 아직 아히르에게로 시선을 향하고 있다.

왕이 바닥을 탕, 탕, 탕 구르면서 명령했다.

"물… 러… 가…."

쿠자크는 펄쩍 뛰어오르는 것처럼 일어나 발길을 돌렸다. 무섭. 오줌을 지릴 뻔했다.

마음에 걸려서 힐끔 아히르 쪽을 보았다. 아히르도 도망치는 것처럼 쿠자크 일행 뒤를 따라온다. 등을 굽히고, 오른손으로 왼쪽 가슴을 쥐어뜯는 것처럼 감싸고, 두 눈을 치뜨고, 이를 악물고, 마치 귀신과도 같은 형상이다. 이 남자도 마음속 깊은 곳에서는 왕에게 복종하는 것이 아니다. 오히려 죽인다, 반드시 죽이겠다… 는 마음을 간신히 억누르고서 어쩔 수 없이 왕의 말을 따르고 있는 것이다.

"저기, 우리가 할 일이란 건?"

엘리베이터를 향해서 걸어가면서 묻자 이오는 "처리하는 거야"라고 빠른 말투로 대답했다.

"파라노에 있는 인간은 전부. …혹은 왕에게 데려와서 신하로 만든다. 그것이 신하의 할 일."

"…그런가요?"

혹시나… 하고 쿠자크는 생각하기 시작했다. 이오는 왕을 따르는 척을 하면서 동료를 모으고 있는 건지도 모른다. 그리고 그때가 오면 옥좌에서 왕을 끌어내리는 것이다. 왕을 처치하면 저 문을 열 수가 있다. 문 너머에 뭐가 있는 건가? 그림갈로 돌아갈 수 있는 건가? 돌아갈 수 없는 건가? 그보다 우선은 하루히로와 동료들을 찾아야 해. 하지만 시호루는 어떻게 하지? 문제가 너무 많다. 이런 때에는 역시 하루히로인데. 하루히로가 없으면 아무것도 해결되지 않아. 하루히로….

옛날 옛적 어떤 곳에 잘 안 팔리는 노래꾼이 있었습니다.

그러나 노래꾼은 의문을 품었습니다. 안 팔린다는 건 도대체 무슨 뜻일까요?

긍지 높은 노래꾼은 자기 노래는 파는 것이 아니라고 생각했습니다. 무엇보다도 뭐든지 돈이 되나 안 되나로 평가하려고 하는 그 정신이 너무나 빈곤하지 않습니까?

노래는 예술입니다. 예술이란 미(美)를 추구하고 표현하는 것입니다. 미는 본래 이해나 흥미를 초월해서 사람을 감동시키는 것, 아니, 그 감동 자체를 미라고 부르는 것입니다.

노래꾼의 노래에 감동하고 미를 느꼈기 때문에 악단을 짜자고 제안하는 자가 있고 연주회를 개최하려는 자도 있었던 것입니다. 그리고 이것은 반드시 돈이 된다, 황금알이라고 떠받들어줄 때마다 노래꾼은 이상하다고 고개를 갸웃거리는 것이었습니다. 돈 같은 건 상관없지 않나? 노래꾼은 온몸이 저리는 듯한 노래를 부르고, 청중과 혼이 연결되고 일체화하는 것 같은 감각을 얻을 수만 있다면 그걸로 만족이었습니다. 그것은 정말로 여자와 자는 것보다도 훨씬 좋았고, 경험한 적이 없는 자는 상상도 못하겠지요, 더할 나위 없이 최고인 것입니다.

노래꾼은 노래를 만들고, 그 노래를 부르고, 청중들을 사로잡고, 어떤 사람들한테서는 절대적인 지지를 얻었습니다. 노래꾼에게는 악단 동료가 있었는데, 그들과의 관계는 처음에는 양호했지만 점점 어긋나게 되었습니다. 왜냐하면 돈벌이가 될 만한 건수를 들고 오는 자들을 노래꾼이 전부 쫓아버렸기 때문입니다.

　노래꾼도, 악단 동료들도 피땀 흘려 노동하고, 여가를 이용해서 연습하고, 연주회에 힘을 쏟았습니다. 이것으로 좋지 않아? 그렇게 노래꾼은 생각한 것입니다. 이런 형태라면 돈을 위해 노래하지 않아도 되니까요. 그러나 악단 동료들은 아무래도 불만이었던 모양입니다.

　"우리라면 성공할 수 있다니까."

　그들은 그렇게 주장했습니다.

　"잘나갈 거라고. 우리는 음악으로 먹고살 수 있다니까."

　그러면 일하거나 하지 않아도 돼. 음악에 모든 것을 쏟아부을 수 있습니다.

　노래꾼은 저기 말이야… 라고 악단 동료들을 타일렀습니다.

　"그런 식이 되면 노래가, 연주가 순수한 노래와 연주가 아니게 되어버리잖아. 그렇게 돈을 번다는 건 이미 노동이나 다를 바가 없잖아."

　하지만 악단 동료들은 아니라고, 일하면서 활동하는 것은 이제 한계라고 말했습니다.

　"야, 하자. 된다니까. 한 방 터뜨리는 거야. 우리라면 할 수 있다니까."

　마침내 노래꾼은 꺾였습니다.

　"알았어, 좋아. 그 대신 나는 지금까지와 마찬가지로 내가 하고 싶은 대로 할 거니까. 그걸로 됐지?"

　그걸로 좋다고 악단 동료들은 입을 모아 동의했습니다. 그래서 노래꾼은 하고 싶은 대로 했습니다.

노래에 관해서는 노래꾼은 진지하고 절대로 대충 하지 않았습니다. 노래를 만드는 것도 한결같다기보다는 오히려 필사적이었습니다. 정말로 생각하는 것, 느끼는 것, 고찰하고 있던 것만을 솔직하게, 있는 그대로 노래꾼은 가사로 썼습니다. 그것은 가차 없고 때로는 잔혹할 정도였습니다.

진짜 솔직하게 하려고 하니까 진심으로 사랑하는 여자를 그저 아름답게만 그릴 수는 없었습니다. 정을 나눈 뒤에 곯아떨어져 코를 고는 여자를 문득 밉다고 생각한 적도 있습니다. 이렇게 맛없는 음식이나 만들다니… 라고 불평을 하고 싶어지는 경우도 있었고, 다른 여자를 떠올리며 수음을 하는 밤도 있었습니다. 아아, 그래도 지금 이 순간은 누구보다, 그 무엇보다도 너를 사랑하고 있다고, 부끄러움도, 꾸미는 것도 없이 외치는 것이 정말로 정직하다는 것입니다. 내일은 어떻게 될지 모른다. 언젠가 너를 대형 폐기물처럼 버릴지도 모르지만, 지금은 너를 사랑한다.

악단 동료를 대할 때에도 노래꾼은 적당히 넘어가지 않았습니다. "이 실력 없는 놈. 때려치워. 왜 제대로 못하는 거야? 한 몇 번 다시 태어나라. 나는 너희를 좋아하지만, 지금은 죽이고 싶어. 완전히 정신이 해이해져서 전혀 진지하게 하지 않으니까. 내 말이 맞지?"

노래꾼은 종종 호통을 쳤습니다.

"돈이 아니야. 돈 따위를 위해 음악을 하는 게 아니야, 젠장. 백보, 아니, 만보 양보해서, 돈은 따라올 수도 있어. 하지만 돈이 우리 앞에 있는 건 아니야. 돈 욕심에, 돈을 위해서 하게 되면 끝이야. 그런 건 노래가 아니야. 노래할 가치도, 들어달라고 할 가치도 제로야, 제로. 왜 이해 못하는 거지? 지금까지 같이해왔는데, 너희들 언제부터 그런 쓰레기가 되어버린 거야? 너희에 비하면 토사물이 차라리 낫겠지만. 나, 너희보다 똥에 꼬이는 파리가 지금은 더 예뻐 보일 정도지만. 지금은 너희를 전혀 사랑할 수 없지만. 지금 당장 다들 죽으면 좋겠다고 생각해, 진짜로.”

더 이상 견딜 수가 없다며 악단 동료가 한 명 빠져나가고, 두 명 빠져나가고, 마침내 악단은 노래꾼 한 명이 되어버렸습니다.

노래꾼밖에 없어서는 악단이라고 부를 수는 없습니다. 그럼에도 불구하고 노래꾼은 악단이라는 이름을 계속 내걸고 정말 정직하게, 목숨을 걸고 노래를 만들어서 있는 힘을 다 담아 불렀습니다. 사랑과 증오에 관해서, 그리고 정의와 불의, 또한 어차피 도리 같은 것은 가식적이라는 것과 세상의 모순에 관해서, 진실과 거짓, 자유에 관한 노래를 노래꾼은 아무것도 겁내지 않고 정면으로 사람들에게 내던졌습니다.

“다들 나를 좋아한다고 하는데.”

노래꾼은 청중들에게 질문했습니다.

“도대체 왜지? 내 어디가 좋아? 노래를 잘하니까? 심금을 울리는 가사를 쓰니까? 자기 대변자처럼 느껴지니까? 그게 아니면, 나 같은 놈을 좋아하는 자기 자신이 특별한 존재라고 생각되니까? 하지만 말이야, 나는 그런 걸 위해 노래하는 게 아니야. 나는 나를 위해서 노래하는 것뿐이고, 이것은 내 마음이고, 너희의 마음이 아니고, 나와 너희는 완전히 별개고, 겹치는 부분 같은 건 거의 없는데? 마치 내 이해자 같은 얼굴을 하고 나를 논하다니, 글쎄? 나는 너희에 대해서 전혀 모르는데? 남을 이해한다는 건 그렇게 미적지근한 게 아니잖아? 너희들, 그렇게까지 진심인 거야? 나는 너희에게 거짓말만은 하지 않는다는 것 말고는 아무것도 약속할 수 없어. 그런데 너희는 어때?"

어떤 이는 노래꾼이 상업주의의 희생자이며 예술의 순교자라고 평했습니다.

또 어떤 이는 노래꾼은 어린아이 같은 자아가 비대해진 중증 자의식 과잉이며 혁명가 행세를 하는 애송이, 착각에 빠진 피에로라고 단언했습니다.

더욱이 어떤 이는 노래꾼은 뭔가 자신을 비극의 천재라고 생각하는 건지도 모르지만 세상에 적응하지 못하는 것은 요컨대 재능이 없다는 뜻이며, 나름대로 그럴듯한 곡도 없지는 않지만 이대로 사라져버려 금방 잊힐 것이라고 냉소적으로 예언했습니다.

"좋아. 아무렇게나 말해."

노래꾼은 그렇게 내뱉고 평론가들에 대한 반론을 노래로 만들었습니다.

눈에는 눈 이에는 이.

애초에 얻어맞을 각오가 없는 자는 주먹을 치켜들어서는 안 됩니다. 그들은 먼 곳에서 돌을 던지고 있다고 생각하는지도 모르지만, 노래꾼은 잠자코 우뚝 서 있는 허수아비가 아니기 때문에 가까이까지 가서 돌을 되던져줄 수가 있습니다.

당하는 만큼 갚아준다, 그것이 노래꾼의 신조였습니다. 생각한 것은 속으로 삼키지 않고 말로 내뱉어서 연마하는 것입니다. 노래꾼의 말은 날카로운 칼날이 되어 사람을 상처 입히지 않고는 배길 수가 없습니다. 그러나, 아무것도 아닌 한 마디로도 때로는 마음을 후벼 팔 수 있다. 그것이 인간입니다. 상처 입지 않고 상처 입히지 않고는 아무도 살아갈 수가 없는 것입니다.

몸도 마음도 상처투성이가 되어 피를 줄줄 흘리고 과다 출혈로 죽어가면서도 무거운 발을 질질 끌며 앞으로, 앞으로 걸어가는 것이 사람의 아름다운 모습이 아닐까요?

상처를 입고 싶지 않다면 목이라도 매어 죽어버리면 됩니다. 그러면 이제 두 번 다시 상처 입을 일은 없습니다. 어차피 모두가 언젠가는 죽는 것이니까 지금 죽든 내일 죽든 마찬가지입니다. 멋대로 죽어버리다니… 라고 분개하는 자나, 어째서 죽었냐고 슬퍼하는 자도 있을지도 모릅니다만, 죽은 사람은 모릅니다. 아프다면, 아파서 못 참겠다면, 견딜 수가 없다면, 도망치면 돼. 누군가가 말리더라도 정말로 스스로 목숨을 끊으려고 하는 자를 막을 수는 없습니다. 자살이라는 비상구는 항상 우리 곁에 있는 현실적인 선택지입니다. 그것은 중대한 죄라고 지껄이는 자도 있지만, 죽은 자의 무덤 위에 죄목의 무거운 돌을 올려놔봤자 살아 있는 자들의 속이 후련해질 뿐이지 이미 죽은 자는 아프지도, 가렵지도 않습니다. 그야 그 자는 죽어 아무것도 남지 않았으니까요.

노래꾼은 비판하지 마, 때리지 마, 발로 차지 마, 돌을 던지지 마, 이렇게는 단 한 번도 요구하지 않았습니다.

"마음대로 해. 아무렇게나 말해. 나를 때려도 좋아. 물어뜯어도 좋고. 바위로 내 머리를 깨버리고 싶다면 그렇게 해. 그래도 나도 내 마음대로 할 거니까. 가만히 있지 않을 거니까. 피차 피투성이가 되자고. 좋지? 피장파장이니까?"

혼자만의 악단, 노래꾼 주위에서 사람이 잇달아 떠나버렸습니다.

어떤 사람은 말했습니다.

"이제 같이 못 가겠어. 일일이 피곤해져. 너랑 있으면."

결국 그저 제멋대로 구는 것에 불과하다고 노래꾼을 비난하는 사람도 있었습니다.

"아, 그래. 나는 내멋대로야. 그게 뭐 어쨌다는 거야?"

"오기부리지 마. 그러니까 너는 언제까지고 어린애고 변할 수 없어. 성장하지 못하는 거야. 조금은 다른 사람도 생각하면 어때? 이제 좀 어른이 돼. 될 수 없겠지. 너는 바보 같은 건방진 애새끼니까. 그게 멋있다고 생각하는 거겠지. 큰 착각이야."

그 사람은 얼굴이 새빨개져서 한바탕 외치더니 어딘가로 가버렸고 두 번 다시 돌아오지 않았습니다.

너는 이제 끝났다고 노래꾼에게 고하고 등을 돌린 자도 있었습니다.

"분명히 말해서 다들 그렇게 생각하고 있어. 그걸 모르는 건 너뿐이야."

노래꾼은 신기했습니다. 여전히 노래꾼은 정직하게 노래를 만들고 열심히 불렀습니다. 노래꾼은 무엇 하나 변하지 않았습니다. 그런데도 악단 동료들은 할 수 있어, 성공할 수 있어, 팔릴 거라니까 … 라며 멋대로 탐욕스러운 꿈을 꾸기 시작했고, 사람들은 칭찬하고 떠받들어주었고, 다들 각기 멋대로 신나서 행동하나 싶더니 이윽고 불평과 험담, 욕을 하게 되었고, 예상이 빗나갔다거나 이렇게 될 줄 몰랐다거나 참는 데도 한도가 있다는 등 말하면서 노래꾼에게서 떨어져나갔습니다.

노래꾼은 몇 명이나 되는 여성을 사랑했지만 그녀들도 마찬가지였습니다.

처음에는 어떤 여자도 이것은 분명 운명이라거나 무슨 일이 있어도 절대로 헤어지지 않겠다거나 죽을 때까지 당신과 함께 있고 싶다거나 아무튼 자기를 버리지 말라고 말했으면서, 언제부터인가 불만이 많아지고, 당신은 다정함을 모른다거나 인간으로서 잘못되었다거나 덜된 인간이라거나 결함품이라거나 정신 나간 악당이라거나 급기야 당신에게 바친 시간을 돌려달라거나 쓸모없는 놈이라거나 제비 같은 놈이라는 등 별별 말을 다 했습니다. 너무 화가 나서 발로 찼더니 어디를 다쳤다는 등 코피가 났다는 등 뼈가 휘었다는 등 그중에는 위자료를 내놓으라며 덤벼드는 여자까지 있는 꼴이었습니다.

단 한 사람뿐이었습니다.

그녀만은 다른 누구와도 달랐습니다.

처음 만난 날, 당신의 노래는 좋아하지 않는다고 그녀는 노래꾼에게 말했습니다.

"당신 노래는 어디까지고 힘으로 밀어붙여서 섬세함이 부족하고, 자아도취적이고, 즉흥적이라기보다 그때뿐이야. 오히려 임시방편 같은 것으로 일말의 보편성도 없어. 당신은 자기 노래가 예술이라고 주장하지만, 과대평가도 정도껏이어야지. 당신은 요컨대 사람들 앞에서 자위를 보이고, 대중 앞에서 이런 식으로 뻔뻔하게 자위를 할 수 있는 나는 대단하지? 끝내주지? 라고 자랑하는 마스터베이션 머신이라고 생각해."

노래꾼은 물론 펄쩍 뛰었습니다. 그러나 확실히 노래꾼은 찰나의 일회성을 중요시했고, 기교를 부리는 것보다도 있는 그대로 표현하는 데에 집착했고, 자위를 하고 싶으면 사람들 앞이든 아랑곳하지 않고 하고, 정직한 나, 이것이 진짜 방식, 대단하지? 라며 자화자찬 했었습니다. 그녀의 지적은 틀리지 않았습니다. 화를 내는 것은 도리가 아니지요.

"네 말이 맞는지도 몰라. 하지만 화가 나."

노래꾼은 그녀에게 그렇게 말했습니다.

"그것은 문학적인 태도이고 당신의 노래보다 바람직해."

"무슨 말을 하는 건지 모르겠지만, 이제부터 너를 안고 싶어. 괜찮아?"

"그건 좋은 생각이네. 연속으로 몇 번이나 서로를 탐하는 것 같은 격렬한 섹스를 하고서 그 뒤에 당신을 천천히 관찰하고 싶어. 실은 그게 내 방식이야."

"그럼, 하자."

이렇게 해서 두 사람의 관계는 막을 올렸습니다. 언쟁은 늘 했지만 노래꾼은 끝까지 단 한 번도 그녀에게 손을 올린 적은 없었습니다. 폭력을 행사한다면 그 순간 바로 싫어하게 된다, 무조건 헤어진다, 그렇게 그녀가 노래꾼에게 말했기 때문입니다. 명언한 이상 그녀는 틀림없이 그렇게 할 것임을 노래꾼은 알고 있었습니다.

그녀는 정말로 정직한 사람이었습니다. 그녀와 있으면서 노래꾼은 깨달았습니다. 자신은 정직한 것이 아니라 온몸에 힘을 주고 정직하려고 했던 것이라는 사실을.

자기가 정직하다는 것을 증명하기 위해 노래꾼은 사람들을 질책하지 않을 수가 없었습니다. 너희는 거짓말쟁이다. 가식으로 덧칠한 인생을 살고 있다. 그 점이 나는 다르다. 모든 것이 다 다르다. 나는 너희와 달리 정직하고, 순수하고, 아름다운 것이다.

그녀는 그렇지 않습니다. 그녀는 그저 정직하고 있는 그대로의 그녀로 거기에 있는 것뿐입니다.

노래꾼은 정직이라고 쓴 간판을 들고, 정직의 색을 한 옷을 껴입고, 나는 정직하다고 주장하고, 천하제일의 정직한 자라고 인정받으려고 했었습니다.

그녀는 자기가 사람들에게 어떻게 생각되든 전혀 구애받지 않습니다. 어디까지나 투명하고, 종잡을 수 없고, 그러면서도 하나도 거짓말을 하지 않는다고 느껴집니다.

정직한 것이 옳은 것이라고 노래꾼은 믿고 있었습니다. 옳기 때문에 더욱 정직해야 하고 정직하지 않으면 안 된다는 것이 노래꾼의 생각이었습니다.

그녀는 옳고 그름 같은 것은 상관없이 그저 정직한 것입니다. 옷을 입고 걸어가도 그녀의 경우에는 나체로 있는 것과 다르지 않습니다. 노래꾼이 그녀를 아름답다고 생각하고 그렇게 말하면 그녀는 어리둥절해했습니다.

그녀는 때때로 노래를 불렀습니다. 너무 잘 불러서 무슨 훈련을 받은 거냐고 묻자, 그녀의 어머니가 젊었을 때 노래를 부르는 사람이었고 어머니의 자장가를 들으면서 자랐다고 합니다. 그녀는 노래를 만들지는 않았습니다. 그녀가 부르는 노래는 어머니의 노래나 유행가뿐이었습니다. 그러나 그녀가 노래하면 전부가 다 그녀 본인의 노래처럼 절절하게 들렸습니다.

노래꾼은 시무룩해졌습니다.

"네 노래를 들으면 가슴이 찢어질 것 같아. 재능이란 건 잔혹하네. 나는 분명 내 노래에는 뭔가가 부족하다는 느낌이 들어서 어떻게 해야만 했던 거야. 그래서 아무도 쓸 수 없는 가사를 쓰려고 했지. 나는 특별해지고 싶었던 거었어. 전부 그 때문이었어. 나에게 노래 재능이 있다면 어떤 노래든 부르는 것만으로도 내 노래로 만들 수 있어야 해. 하지만 나는 그러지 못해."

그러자 그녀는 신기하다는 듯한 얼굴을 하고 노래꾼에게 말했습니다.

"그렇게 실망할 정도라면 노래 같은 건 그만둬버리면 되잖아."

그러나 노래를 그만두면 노래꾼은 직업을 잃고, 안 그래도 많지 않은 수입이 제로가 되고, 너는 뭐하는 사람이냐고 누가 물어볼 때 이러이러한 자라고 말할 수도 없게 됩니다. 노래꾼이라는 신분을 잃는다면 노래꾼은 어떻게 될까요?

내가 노래꾼이 아니게 되어버리는 것이 무섭다, 노래꾼은 솔직히 그렇게 털어놓았습니다.

"없어져버리면 한동안은 힘들지도 모르지만, 의외로 아무렇지 않게 되는 거야."

그녀는 별일 아니라는 듯이 그렇게 말했습니다.

"나는 너를 잃는 것도 무서워."

"왜 당신이 나를 잃어?"

"왜냐하면, 노래꾼이 아니게 된 나와 함께 있어줄 거라고는 생각할 수 없으니까."

"노래꾼인 당신 같은 건 상관없어. 원래 당신 노래는 좋아하지 않았는걸. 나, 처음에 그렇게 말하지 않았었나?"

노래꾼은 우스워서 웃었습니다. 그러다가 울고 싶어졌습니다. 노래를 그만두기로 했습니다. 그리고 그녀에게 말했습니다.

"여행을 떠나지 않을래? 어딘가 먼 곳으로 가자."

"좋아."

그녀는 즉답했습니다만, 드물게 조건을 걸었습니다.

"두 번 다시 여기에는 돌아오지 않을 거라면 여행을 떠나자. 지금 당장."

두 사람은 짐을 꾸려 손을 잡고 걷기 시작했습니다. 목적지 같은 것은 없습니다. 마음 내키는 대로, 가고 싶은 방향으로 가면 되고, 가고 싶지 않으면 멈춰도 되는 것입니다. 두 사람에게 뭔가를 명령하는 사람은 없습니다. 설령 누군가의 지시를 받는다고 해도 두 사람은 듣지 않겠지요.

두 사람은 보고 싶은 것만 눈을 크게 뜨고 보고, 보고 싶지 않은 것이 있으면 눈을 감고 살며시 지나치기로 했습니다.

아침이슬에 젖은 풀숲 속에서나 호수에 달그림자가 비친 밤에 그녀는 노래하고 싶어지면 노래를 불렀습니다. 이미 더 이상 노래꾼이 아닌 나그네는 그녀의 노래에 귀를 기울이며 빠져들었습니다.

수많은 별이 쏟아진 날 그녀는 말했습니다.

"이 여행도 언젠가는 끝나겠지."

"여행을 그만둔대도 나는 네 곁에 있을 거야."

"하지만, 나도 당신도 언젠가는 죽어버려."

"아직 죽거나 하지 않아."

"그래도 언젠가는 죽어. 먼저 죽는 것과 나중에 죽는 것 중에서 당신은 어느 쪽이 좋아?"

"네가 죽는 건, 단연코 싫어."

"그럼 먼저 죽어. 나는 당신을 배웅하고 그 뒤에 혼자서 죽을 테니까."

"그것도 싫어."

"나도, 싫지만."

그래도 우리는 죽을 수밖에 없어. 그렇게 그녀는 체념한 것처럼 말했습니다. 나그네는 원래부터 그녀가 사랑스러워서 견딜 수 없었지만 한층 더, 미칠 정도로 그녀가 소중해졌고 둘도 없는 존재라고 생각하게 되었습니다. 그리고 여행하는 동안에 그녀가 보고 있던 풍경과 나그네가 보고 있던 풍경은 비슷하면서도 다른 것이었다는 것을 알게 되었습니다. 왜냐하면 나그네는 이 여로에는 끝은 없는 것처럼 느끼며 들떠 있었습니다. 하지만 그녀는 어떤 여행도 반드시 끝나는 것이라는 당연한 진실을 잠시도 외면하지 않았던 것입니다. 모래시계에서 모래가 한 톨 한 톨 떨어지는 것처럼 두 사람의 시간은 얼마 남지 않게 되어갑니다. 그 속도를 늦출 수는 없습니다. 언제 모래가 바닥나버리는 건지 두 사람은 알 수 없는 것입니다.

별이 쏟아지는 하늘 아래서 나그네는 그녀를 꼭 껴안고 신께 빌었습니다. 제발, 영원히 그녀와 함께 있게 해주세요. 두 사람을 갈라놓는 죽음이 운명이라고 해도, 무슨 일이 있어도 그녀와 저를 떼어놓지 말아주세요. 아아, 나는…. 나그네는 생각했습니다. 행복하다고는 느끼고 싶지 않아. 만약 무엇보다도, 누구보다도 행복하다고 느껴버린다면 그 순간에 시간을 멈출 수밖에, 인생을 끝낼 수밖에 없게 된다. 그녀를 죽이고 나도 죽는 거다. 그런 일을 하고 싶지는 않지만 그렇게 할 수밖에 없겠지.

"있잖아, 나, 바다가 보고 싶어."

"그래. 바다를 보러 가자."

여행은 끝나는 것이라고 해도 아직 둘 다 살아 있습니다. 그녀가 바란다면 나그네는 어디든 갈 생각이었습니다.

바다로 가는 도중에 그녀가 물어보지도 않았는데 자기 신세를 이야기했습니다.

"나한테는 언니가 있었어. 여섯 살 위고 무척 예쁜 사람이었어. 내가 아홉 살 때 언니는 병으로 죽어버렸어. 그래서 모든 것이 완전히 변해버렸어. 젊은 나이에 살아길 길이 끊긴 것은 내가 아니라 언니인데도, 언니가 죽었을 때 내 인생은 다른 것이 되었어."

"예를 들면 언니에게 이 바다를 보여주고 싶었다거나 그렇게 생각한 적이 있어?"

"그런 생각은 전혀 하지 않아. 언니를 갉아먹은 병은 무척 질이 나쁜 것이었어. 언니는 오래 괴로워했어. 그래서 견딜 수 없게 된 것이겠지. 어느 날 나한테 말했어. 너는 좋겠다고. 크게 아프지도 않을 테고 아직 살아 있을 수 있으니까. 앞으로도 계속, 계속 살아서 여러 가지 일을 할 수 있다고. 그런 네가 부러워서 견딜 수가 없다고. 언니, 울고 있었어. 불쌍하게. 나, 그때에는 언니를 미워했어. 왜냐하면 언니가 병에 걸린 것은 내 탓이 아니니까. 나한테 화풀이하지 말라고 말하고 싶었지만 참았어. 곧 죽어야 할 사람이니까. 연민이었어."

"언니는 너한테 사과했지?"

"응. 마음에 담아두지 말라고 나는 말했어. 나는 아직 죽지 않을 거고 아무렇지 않으니까 좀 더 심한 말을 해도 된다고. 그래도 그것뿐이었고 언니는 푸념 한 마디 하지 않고 죽어갔어."

두 사람은 해변에서 며칠이나 보냈습니다. 나중에 생각해보면 거기에 있어서는 안 되었던 것입니다. 재빨리 그곳을 떠나야 했어요. 그러나 한곳에서 며칠씩, 마음이 내키면 좀 더 오래 머무는 적도 딱히 드물지는 않았습니다. 두 사람은 다른 때처럼 다음 목적지가 정해질 때까지 그곳에서 느긋하게 쉬고 있던 것뿐입니다.

그것은 안개가 짙은 아침이었습니다. 자기 발밑조차 잘 보이지 않을 정도의 짙은 안개는 두 사람 다 처음 경험하는 것이었습니다.

위험하다고 생각하기보다는 호기심이 앞섰습니다. 두 사람은 해안으로 나갔습니다. 손을 앞으로 뻗으면 손가락이 흐릿하게 보일 정도의 안개입니다. 거의 소리에만 의지해서 파도가 밀어닥치는 곳과 아슬아슬하게 가까운 곳에서 물론 손을 꼭 잡고 두 사람은 걸었습니다.

손을 잡고 있는데도 어째서인지 서로 어긋나버릴 것 같아서 나그네는 불안해졌습니다. 떨어지지 않고 함께 있으면 있을수록 그녀에게서 벗어나고 싶지 않아졌습니다. 그러나 떨어져 있는 것이 아니니까 더 이상은 어찌할 수도 없습니다. 머리가 이상해져버릴 것 같을 정도로 안타까운 한편으로 자신이 충족되지 않았고 행복하지는 않다고 느끼는 일이 나그네를 만족시켰습니다.

그녀는 입을 열지 않습니다. 나그네는 묵묵히 계속 걸었습니다.

아무튼 엄청난 안개입니다. 이제 해가 떠도 이상할 것 없는데도 태양 같은 것도 보이지 않습니다. 방금 전까지 밀려드는 파도가 때때로 신발을 적셨었지만, 아무래도 묘합니다. 바다를 향해서 걸어가면 갈수록 파도 소리가 멀어져갔습니다.

그녀는 여전히 아무 말도 하지 않습니다. 나그네는 갑자기 그녀의 노래가 듣고 싶어졌습니다.

노래를 불러달라고 부탁하려고 했는데 그녀가 중얼거리듯 말했습니다.

"그런데 여기는 어디?"

거기에도 과거에 거리가 있었다는 말을 듣지 않았다면, 우선 알아차리지 못했을 것이다.

폐허 7호는 전체적으로 낮게 꺼져 있어 그 가장자리에서 전경을 둘러볼 수가 있다. 한마디로 표현하자면 구멍투성이의 분지다. 게다가 그 구멍이 뭐라 형용할 수 없는 형태를 하고 있다. 아니, 뭐라 표현할 수 없는 것은 아니지만. 형태로서는 일그러진 둥근 구멍인데, 그것이 그러니까, 빽빽하게 지면을 메우고 있는 모양이 왠지 기분 나쁜 것이다. 오한이 들고 몸이 가려워지고 눈을 피하고 싶어진다. 아무리 기다려도 그 생리적인 혐오감이 희미해지지 않는다. 하루히로는 벌집 같은 것도 고역인 편인데, 그것보다 훨씬 심하다.

앨리스는 하루히로의 옆에서 태연히 구멍투성이 분지를 바라보고 있다. 딱히 아무 느낌도 없는 것 같다. 이걸 보고도 아무렇지 않은 사람과는 어울릴 수 없는데. 그렇게 절실하게 느낀다. 서로 이해할 마음이 전혀 들지 않는데도 앨리스에게 몸을 가까이 가져가면 내가 아니라 앨리스가 될 수 있다. 될 수 있다기보다 되어버린다. 혹은 되기도 하고 되지 않기도 하고, 컨트롤할 수 있는 것인가? 그 점은 시험해보지 않아서 모르지만, 그것은 아무리 생각해도 하루히로의 마법인 레저넌스가 일으키는 현상인 것 같다.

매우 드문 종류의 마법인 듯, 앨리스도 하루히로의 케이스는 처음 보는 것이라고. 그 때문에 아직 소상히 밝혀지지 않은 것이겠지.

레저넌스에는 분명 비밀이랄까, 알려지지 않은 부분이 있다. 타인의 마법을 강화하는 것뿐만이 아니라 그 상대방의 마음에 파고든다거나. 혹은 동조한다거나.

앨리스에게는 아직 아무것도 말하지 않았다. 애매한 것은 입에 올리지 않는 편이 좋다는 논리로 자신을 납득시키기도 했으나, 사실을 말하자면, 그저 말하기 힘든 것이다. 왜냐하면 말이지, 누구나 싫지 않겠어? 의도적인 게 아니라고 해도 하루히로는 앨리스의 마음을 엿보고 있는 것이다. 가능하다면 하루히로도 그런 일은 하고 싶지 않다. 하지만 앨리스는 하루히로의 레저넌스를 파워 업 아이템으로 간주하고 있다. 게다가 그 아이템에는 앨리스 C의 이름이 각인되어 있어 쓰고 싶은 때에 쓸 수 있다. 그 정도가 아니라, 아이템인데도 자동적으로, 앨리스가 쓰고 싶다고 생각하면 네, 당장 대령합죠… 라는 듯이 아이템 쪽에서 달려온다. 편리하다. 있다면 탐난다, 그런 아이템. 뭐, 여기 있지만.

단지, 공과 죄는 표리일체인지도 모른다. 편리한 아이템에 부작용 같은 면이 있다고 해도 놀랄 일은 아닐 것이다.

원래 약을 먹을 때에는 작용과 부작용 양쪽을 다 알아둬야 한다. 애매하든 어떻든 하루히로는 앨리스에게 털어놓는 게 좋다.

말해버릴까? 어떤 식으로 말할까? 역시 그만둘까? 아니야, 말하지 않는 것은 좋지 않아 등등, 생각하는 동안에 폐허 7호까지 오게 되었다.

"앨리스."

"입 다물어."

이러잖아?

좋아, 말해버려. 그렇게 결심하고 말을 걸면 꼭 이렇게 된다니까. 너무나 안 맞는다. 호불호와는 다른 차원이다. 잘 안 맞는 거라고 생각한다. 늘 함께 행동하고 있는데도 원만치 못하다. 차라리 앨리스가 되어버리면 어떨까? 달라붙어서 레저넌스가 작동하면 구체적으로 어떻게 되는 건지 확인해보고 싶다. 갑자기 껴안겠다는 뜻? 그것도 좀 그러네. 뿌리치겠지, 그리고 얻어터질 것 같다.

하고 싶은 말은 그것 말고도 엄청 많다. 동료를 수색하고 싶다거나, 동료를 발견하고 싶다거나, 동료를 만나고 싶다거나. 가끔씩 조금씩 말하기도 했지만 앨리스는 무시하거나, "아아, 그건 나중에"라고 가볍게 넘겨버리거나. 말해봤자 소용없다는 분위기를 자아내는 것을 그야말로 잘한다.

폐허 7호 저편에는 지나칠 정도로 빨간 숲이 펼쳐져 있다. 새빨간 색은 아니다. 약간 노란빛이 돈다. 선명지만 그러면서도 지나치게 밝지는 않고 깊이가 있는 색이다. 여기에서 보일 정도로 폐허 7호는 선홍의 숲 가까이에 위치하고 있다.

앨리스의 말에 따르면, 선홍의 숲 한가운데에 있는 왕성이 폐허 1호라고. 폐허 7호와 폐허 1호는 마치 인접해 있는 것 같지만 실은 그렇지는 않고 폐허 1호를 둘러싼 선홍의 숲이 너무나 드넓은 것이라고 한다.

선홍의 숲에는 하루히로의 레저넌스로 마법을 증강한 앨리스라도 해치울 수 없을 것 같은 엄청난 몽마가 득실거린다. 숲을 지나가지 않으면 왕성에는 갈 수 없지만, 그 숲을 빠져나가기란 지극히 힘들다. 사실상 불가능하다고 해도 좋을 것이다. 적어도 현시점의 앨리스와 하루히로로서는 무리다.

"저 숲, 원래부터 있던 게 아니거든. 폐허 그 자체가 아니니까…"

파라노에서는 하늘의 철탑이나 유리산, 번뇌계곡, 삼도천, 그리고 일곱 개의 폐허라는 소수의 예외를 제외하고는 모든 것이 사람의 손이 개입하지 않아도 변화하고 움직인다.

앨리스는 하루히로 쪽을 쳐다보지는 않았지만, 드물게 "뭐 그렇지"라고 대답을 해주었다.

"내가 성에서 도망쳐 나왔을 때에는 더 작았어."

"그래서 숲을 빠져나올 수 있었던 건가?"

"승산이 있었으니까 실행한 거야. 선흥의 숲은 잠자는 남자가 만들어낸 거야. 잠자는 남자는 지금도 숲 어딘가에서 잠들어 계속 꿈을 꾸고 있다."

"그럼 그 잠자는 남자를 찾아서 깨우면….'

"저 숲 속에서 얼굴도 모르는 놈을 찾는다고? 멍청한 소리 하지 마."

"…역시 통로를 통과하지 않으면 성에는 갈 수 없다는 건가?"

"네 레저넌스가 좀 더 대단했다면 힘으로 밀어붙여 숲을 돌파할 수 있을지도 모르지만."

"그런 말을 해봤자….'

"나왔다."

"뭐?"

"저기 봐."

앨리스가 턱짓으로 가리킨 방향을 눈에 힘을 주고 본다. 저건가? 수백은 되는 구멍 중 하나에서 뭔가 움직이는 것이 기어 나왔다. 꽤 멀어서 형태는 판별할 수 없다. 하지만 분명 인간이겠지. 앨리스가 하루히로의 머리를 찍어 눌러 몸을 숙이게 했다.

"숨어 있어."

"…말로 해도 되는데."

"시끄러워. 입 다물어."

두 사람은 몸을 웅크리고 구멍에서 나온 인간의 동향을 계속 살폈다.

"이 폐허 7호… 칠색두더지 소굴이 똥 덩어리의 성으로 통할 거라는 짐작은 진작부터 하고 있었다."

"일곱 색깔, 두더지?"

"잠자는 남자와 마찬가지로 실제로 만난 적은 없지만 나보다 오래된 존재야. 저 구멍은 전부 칠색두더지가 판 거야."

"여러 종류의 사람이 있구나…."

"그 똥 덩어리가 많은 사람을 붙잡거나 죽이거나 하기 전에는 좀 더 많았어. 그리고 아히르나 잠자는 남자, 칠색두더지처럼 신하가 되어버리기도 했고. 밟혀서 그림자가 되어버린 놈도 엄청 많다."

"그림자?"

"보면 알아."

앨리스는 그렇게만 말하고 입을 다물었다.

구멍에서 나온 인간은 구멍과 구멍 사이의 좁은 길을 걷고 있다. 좁다고는 해도 어른 두 명 정도가 옆으로 나란히 지나갈 수 있을 정도의 폭은 될 것 같다.

아직 확실하게는 보이지 않지만, 외투 색을 봐서 저것은 아히르겠지. 아히르는 칠색두더지 소굴에서 이어진 비밀 통로를 이용해서 성에 갔다가 왕을 만나고 돌아온 것이다.

"…합류할 거지?"

앨리스는 대답하지 않는다. 어쩔 수 없이 하루히로는 아히르를 눈으로 좇기로 했다. 모처럼 아히르를 끌어들여 스파이로 만들었는데, 앨리스는 무슨 생각인지. 자세히 설명해줬으면 좋겠다.

"좀 더 날 신용해줘도 되지 않나…?"

"아아, 그림자다."

앨리스가 그렇게 말하더니 "역시"라고 덧붙였다. 그림자? 어디에?

"잇…."

하루히로는 눈을 깜빡였다. 혹시나 저거 말인가?

아히르가 나온 그 구멍에서 검은 물체가 나타났다. 그림자처럼 보인다. 하지만 파라노에는 태양이 없기 때문에 그림자다운 그림자는 생기지 않는다. 그보다 저 그림자의 본체는? 그림자라는 것은 뭔가에 빛이 가로막혀 그 부분이 어두워져서 생긴다. 그림자가 저 혼자 존재하는 건 있을 수 없다.

아니, 있을 수 없는 일도 일어나버리는 것이 파라노라고 앨리스가 아까 말했었다. 왕에게 밟혀 그림자가 된 자도 엄청 많다고.

그림자는 아히르를 따라다니는 것 같지만, 꽤 거리가 벌어진 탓일까? 아히르는 딱히 돌아보거나 하는 일도 없다. 그림자가 있는 것을 깨닫지 못하는 건지, 깨닫지 못한 척을 하는 건지.

"저 그림자는?"

"저 녀석이야말로 스파이야. 지성이라 불릴 정도의 지성은 없는 것 같지만. 자율성이라고 하나? 그런 게 별로 없고, 성 안쪽을 둘러보거나 저렇게 신하 뒤를 따라다니며 감시하거나 해."

"아히르는 감시당하고 있다는 뜻?"

"계속 그런 건 아니야. 실제로 폐허 5호에서도 그림자는 없었으니까."

"혹시나… 동상을 하나하나 살펴보고 있던 게 아니라 그림자를 찾고 있었던 거야?"

"무엇 때문에 아히르가 만든 졸작 따위를 체크하겠어?"

"아니, 이상하다고는 생각했지만….”

"그림자가 붙어 있는 동안은 아히르와 접촉할 수 없어."

"처리하거나 하는 건?"

"그야 그림자니까. 죽이는 법을 몰라. 일단 강한 빛을 쬐면 사라지지 않을까 하는 가설은 세웠지만, 그런 빛이 어디에 있냐고. 있다고 해도 대개 그림자는 똥 덩어리에게 거역하다가 저렇게 된 인간이니까."

"…그렇다면 없애지 않는 게 좋을지도.”

"너도 그림자가 될지도 모르는 거니까."

"앨리스도 마찬가지지."

"그 똥 덩어리는 나를 복종시키고 싶어해. 그러니까 갑자기 다짜고짜 그림자로 만들거나 하지는 않아. 그 점을 노려볼 만해.”

앨리스는 일어섰다. 여기에서 벗어날 생각인 모양이다. 이번에는 어디로 가는 건가? 진저리가 나면서도 하루히로는 따라갈 수밖에 없었다. 갖고 있는 마법이 레저넌스이고. 덕분에 혼자서는 자기 몸을 지키는 것도 위태롭다.

물건이 힘을 초래하는 필리아. 자기 강화인 나르시. 도펠은, 뭐였지? 분명, 자기긍정감이 낮으면 도펠을 만들어내게 된다나 뭐라나 앨리스가 말했던 것 같은. 나르시는 그 반대겠지. 필리아는 대상이 되는 물체에 대한 의존이 키워드인지도 모른다. 자의식의 표출

방식, 방향성이 그 사람의 마법을 결정한다고도 앨리스는 말했다. 그럼, 레저넌스는?

혼자서는 아무것도 할 수 없다.

타인과 동조할 수 있다. 할 수 있다기보다는, 해버린다.

발동하면 타인 그 자체가 된다.

생각해보니 그건 바로 나잖아…?

앨리스는 빌써 걸어가고 있다.

하루히로는 몸에 힘이 들어가지 않아서 제대로 일어서지도 못했다.

나, 라는 것이 없다.

부정은 할 수 없… 는지도 몰라.

동료를 빼면 하루히로에게 뭐가 남을까? 파라노에서 나가고 싶다거나 그림갈로 돌아가고 싶다거나 그런 욕구조차 있는 것 같으면서도 실은 없다거나. 동료, 동료. 첫 번째도 동료, 두 번째도 동료, 아무튼 동료다. 그런 나 자신이 싫은가 하면, 아니? 별로, 싫지는 않은데. 그렇다고 해서 좋아하는 것도 아니지만. 뭔가 이것만큼은 갖고 있지 않으면 곤란한, 그런 것도 딱히 생각나는 게 없다.

딱이잖아?

레저넌스.

이것밖에 없다는 느낌.

무엇보다도 나에게 특별한 가치란 게 있는 건가? 이런 말을 하면, 아니, 있겠지 하고 반론하는 자가 많겠지. 그럴지도, 당신한테 있어서는 그렇겠지, 그렇게밖에 하루히로는 말할 수 없다. 당신은 주인공일 테니까. 자기 인생을 하나의 연극에 비유한다면 당연히 주인공은 자기 자신이지만, 무대 한가운데에 서고 싶은 사람만 있는 건 아니다. 하루히로는 솔직히 무대에 오르고 싶지도 않다. 관객으로 만족해. 절대로 그럴 수는 없다면, 앞에 나서지 않는 스태프가 좋아.

예를 들어 히어로 같은 것에 대한 동경이 전혀 없다고 한다면 거짓말이 된다. 하지만, 만약 나에게 어떤 특별한 힘이 주어진다고 치면, 그걸로 어떻게 할 거냐고 묻는다면 대답하기가 곤란해진다.

내가 살아갈 길을 내 손으로 개척한다거나, 자아 실현이라거나 그런 데엔 그다지 흥미가 없다.

욕심이 없는 것은 아니라고 생각한다. 없지는 않다. 단지, 아무래도 욕심이 많은 편은 아닌 것 같다. 탐욕스러워질 수가 없다고 말하는 게 좋을지도 모른다. 흔히 말하는 '업을 쌓는' 타입의 인간은 분명히 아니고, 바닥이 깊지 않다고나 할까. 분명 하루히로의 인격을 깊이 파헤쳐봤자 두드러진 것은 아무것도 찾을 수 없을 것이다.

한숨이 나왔다. 실망한 것은 아니다. 오히려 후련했다. 이걸로 됐다기보다는 이런 거니까 어쩔 수 없다는, 자기 인정에 가까운 건지도 모른다.

앨리스를 쫓아가려고 했더니 구멍에서 다른 인간 같은, 움직이는 것이 나왔다. 아히르가 나왔던 그 구멍이다.

"앨리스, 또 누가…."

한 명이 아닌가? 여러 명이다. 두 명, 세 명… 네 명인가?

멀어서 잘 보이지 않는 것이 답답하다.

그러는 동안 앨리스가 되돌아왔다.

"저놈들도 똥 덩어리의 신하인가?"

"알아?"

"아히르와 같은 구멍에서 나왔잖아. 그렇다면 그것 말고는 없지. 선두는… 여자 같은데. 나머지는 남자인가? 뚱보와, 꺽다리가 두 명. …아아. 그림자도 나왔다. 저놈들도 감시당하고 있어."

"쿠자크다."

"응?"

"쿠사크."

하루히로는 뛰어가려고 했다. 앨리스가 막지 않았다면 그랬을 것이다.

"야, 이 바보!"

"쿠자크라고. 네 명 중 제일 뒤. 쿠자크야. 틀림없어. 무사했구나."

"진정하라니까. 다른 세 명은?"

"다른 사람은…."

하루히로는 고개를 저었다. 젠장. 앨리스가 옳다. 냉정해져야 한다.

"몰라. …아마도. 내 동료는 아니라고 생각해."

"그렇다면, 쿠자크라고? 네 동료는 저 세 사람의 꼬임에 빠져 뚱덩어리의 신하가 된 건지도. 파라노에서 살아가고자 한다면 그런 선택지도 있다. 나는 싫지만."

"내가 설득하면 쿠자크는 이리로 붙을 거야."

"그렇다고 해도 안 돼. 그림자가 보고 있어."

"…그림자가 없어지기를 기다리면? 그림자에게 들키지 않도록 미행해서…."

"하고 싶으면 혼자서 해. 나는 하늘의 철탑으로 간다. 아히르와 만나기로 했으니까."

"어… 하늘의 철탑? 뭐야? 그건. 난 못 들었는데."

"말 안 했으니까. 내가 아히르와 한 말을 제대로 들었다면 굳이 말하지 않아도 알았을 테지만."

뭐든지 앨리스에게 떠맡기느라 주의력이 산만해졌다. 주체성이 없는 것은 어제오늘 일이 아니지만, 그렇다 해도 자기 머리로 생각하지 않았다. 판단을 내리지 않았다.

리더니까, 부족하지만 그래도 동료들이 필요하다고 생각해주니까 더욱 그림갈에서는 최선을 다할 수가 있었다. 그런데 이제 아니다. 나는 리더도, 아무것도 아니다.

요컨대 하루히로는 동료들의 생존은 절망적이라고 반쯤 체념하고 있었던 것이리라.

하지만 저기에 쿠자크가 있다.

살아 있어줬다.

"…쿠자크 그룹은 아히르 바로 뒤에 나타났어. 아히르는 쿠자크에 관해서 뭔가 알고 있을지도 몰라."

"그럴지도. 보장은 없지만."

"알았어. 나도 하늘의 철탑으로 간다."

출발하기 전에 하루히로는 쿠자크의 모습을 눈에 새겨두고 나서 자기 두 뺨을 손바닥으로 철썩 때렸다. 기합을 넣는다. 정신론은 좋아하지 않고 이런 일은 그다지 하고 싶지 않지만 가끔씩은 괜찮겠지.

우선은 아히르와 만난다. 쿠자크와 함께 있는 사람들의 정체를 알아내고 싶다. 그러고 나서 뭔가 방법을 생각하고, 쿠자크와 합류한다. 물론, 메리와 시호루, 세토라와 키이치도 찾아낸다. 지금으로서는 쿠자크 이외에는 소식이 끊겼지만, 다들 반드시 살아 있을 거라는 전제하에 행동한다. 앨리스에게 의지하는 것이 아니다. 앨리스를 이용한다. 앨리스도 하루히로의 레저넌스를 이용하고 있으니까 피차 마찬가지다. 그리고 어떻게 해서든 모두 함께 그림갈로 돌아간다.

하루히로는 한 번도 뒤돌아보지 않고 폐허 7호를 떠났다.

지평선 저편에 물방울 모양 하늘을 두 개로 나누는 세로 선이 희미하게 떠올라 보였다. 저것이 하늘의 철탑이다.

파라노이기 때문에 종종 영문 모를 지형과 맞닥뜨렸지만, 하늘의 철탑만 놓치지 않으면 길을 잃을 일은 없다. 마스크 덕분에 달콤한 바람이 불어도 괜찮다. 대처법만 숙지하고 있으면 이런 장소에서도 살아갈 수 있다. 언제까지고 여기에 있을 생각은 없지만. 그런 마음가짐은 유지하고 싶다. 환경에 순응하는 것은 중요하지만, 파라노에 있다는 사실에 익숙해져서는 안 된다. 이곳은 내가 있을 곳이 아니야. 여기에서 살아갈 생각도 없다. 우리는 돌아가는 거다. 그림갈로.

"앨리스는 원래 세계로 돌아가고 싶지 않은 거야?"

계속 아무 말도 하지 않으면 답답하니까 때때로 앨리스에게 말을 건다. 대개의 경우에는 무시당하지만 가끔씩 대답을 들으면 묘하게 기쁘다.

"별로."

"친구를 두고 갈 수 없어서?"

"누이와는 그 정도로 사이가 좋았던 건 아니야."

"여기에서 일생을 끝내도 좋다고는 생각하지 않지?"

"끝나는 건지 아닌지가 의문이지만."

하늘의 철탑은 변함없이 세로 선이다. 다가가고 있다는 느낌이 전혀 들지 않는다.

현실감, 없단 말이야. 이제 와서지만. 꿈이 아닐까? 몇 번을 그렇게 생각했을까? 차라리 전부 꿈이라면 좋을 텐데. 이것도 몇 번이나 생각했다.

"있잖아."

앨리스 쪽에서 먼저 말을 거는 건 좀처럼 없는 일이다.

"우라시마 타로라고, 알아?"

"우라시마, 타로… 사람 이름? 그렇겠지? 음…. 들어본 적이 있는 것 같기도 하고 없는 것 같기도…."

"타로는 어부거든. 해변에서 거북이가 괴롭힘을 당하는 것을 보고 구해주는 거야. 어부 입장에서 보면 거북이는 괴롭히는 게 아니라 잡는 거라는 생각일까?"

"그냥 불쌍해서 그런 거 아닐까…?"

"거북이를 낚았다는 설도 있는데. 하지만 거북이는 만년을 산다고 하지. 그래서 죽이면 재수가 없을 것 같으니까 풀어준 거라고."

"어느 쪽이든 거북이 입장에서 보면 생명의 은인이네."

"그러니까. 거북이는 보답으로 타로를 바다 밑에 있는 용궁성이라는 곳으로 데려갔어."

"바다 밑. …빠져 죽을 것 같은데."

"어째서인지 숨을 쉴 수 있는 거야. 바다 밑이라는 것은 거짓말일지도. 어딘가 다른 장소일지도."

"용궁성, 이라."

"타로는 거기에서 오토히메라는 수상한 여자의 대접을 받게 되는데, 그 여자 말고는 전부 물고기밖에 없는 거야. 물고기가 노래도 부르고, 춤도 추고, 만담도 하고, 개그를 선보이기도 하고."

"비현실적이네. 파라노도 꽤 비현실적이지만."

"부이라 마셔라 시끌벅적? 그런 비슷한. 치음에는 신기하고 즐거웠지만 곧 질려버리지. 심지어 요리도 물고기가 생선회나 생선구이나 생선조림을 내오는 거니까, 생각해보면 징그럽기도 하고."

"타로는, 돌아가고 싶어졌어?"

"이제 이만하면 됐다 싶어서 슬슬 돌아가고 싶다고 오토히메에게 말했더니, 실은…."

"혹시나 오토히메는… 거북이었다거나?"

"너 인간이 아니었단 말이야…? 그런 기분이겠지. 타로 입장에서는."

"속은 거나 마찬가지니까."

"오토히메도, 미안해요. 죄송했습니다, 그럼, 선물로 이 보물 상자를 드릴 테니 아무쪼록 갖고 가세요… 라는 거야. 하지만 그 상자는 절대로 열면 안 된다고."

"선물인데?"

"전체적으로 수상하지. 낚인 거라고 생각해, 타로는. 목적은 잘 모르지만. 그 부분부터 약간 파라노스러워."

"…그래서, 타로는 무사히 돌아갔어?"

"일단은."

"일단, 이구나…."

"돌아갔더니 그곳은 틀림없는 그 해변이지만 뭔가가 다른 거야. 타로의 고향인데도 아는 사람이 아무도 없는 거지. 용궁성에서 정신없이 노는 사이에 실은 엄청난 시간이 흘러가버렸다는 결말인데."

"잠깐. 보물 상자는?"

"아, 그렇지. 반전은 그쪽이었어. 타로는 어찌할 바를 모르고, 열어서는 안 된다고 오토히메가 말했던 보물 상자를 열어버렸어."

"하긴, 그쯤 되면 열 수밖에 없겠지만…."

"그러자 상자 속에서 뭉게뭉게 하얀 연기가 나오고 순식간에 타로의 머리카락이 새하얗게 변해버려."

"늙었다는 거야?"

"맞아. 타로는 할아버지가 되어버렸습니다. 지독한 이야기지."

"이 시점에서 나한테 그 이야기를 하는 앨리스도 꽤 지독한데."

지표면에서 수직으로 뻗은 세로 선이 어느 순간부터 급격하게 두꺼워졌다.

하늘의 철탑은 전에 왔던 때와 조금도 변함이 없었다. 녹슨 철벽이 철탑을 몇 겹으로 둘러싸고 있다. 철벽과 철벽 사이의 미로 같은 길을 끝없이 걸어가면 그 끝은 고철의 산이다. 그 위에 철탑이 똑바로 서 있다.

두 사람은 철탑 바깥 계단을 올라가기 시작했다.

"그림자가 아히르를 따라오면?"

"눈치 못 챘어?"

앨리스는 철벽의 미로를 가리켰다. 하루히로는 "응?" 고개를 갸웃거렸으나, 자기가 뭘 의아하게 느꼈는지 금방은 알지 못했다. 잠시 생각해보고 그제야 깨달았다.

"…벽과 벽 사이에 그림자가 있네. 햇빛은 비치지 않는데, 어째서?"

"글쎄. 원래는 저것도 움직이는 그림자였을지도. 죽어버린 그림자거나 녹이 슨 그림자거나. 어쨌든 이것만큼은 틀림없어. 그림자는 그림자를 통과할 수 없는 거야. 똥 덩어리의 그림자들은 그림자에 가로막혀서 하늘의 철탑에 다가갈 수 없다는 뜻."

"여기는 안전한 건가?"

"오래 있으면 녹슬어버리지만."

"안전하지 않네…."

하루히로는 고개를 숙이고 한숨을 내쉬었다. 전혀 여기는 안전하지 않다.

"앨리스."

"뭐야?"

"아래."

"…아래가 뭐?"

불쾌한 듯이 말하면서 앨리스도 계단 아래로 시선을 향했다.

하늘의 철탑 주위에 산처럼 쌓인 고철 조각은 크기가 제각각이고 그중에는 인간의 몇 배나 될 것 같은 커다란 것도 섞여 있다. 하루히로는, 그리고 아마도 앨리스도 눈치채지 못했지만, 그들은 고철 조각과 조각의 틈새에 몸을 숨기고 있었던 것이리라.

형형색색의 드레스를 입은 소녀들이 사방천지에서 우르르 튀어나와 하루히로와 앨리스를 올려다보고 있다.

멀리서 보기에는 진짜 소녀 같다. 하지만, 아니다. 저것은 전부 인형이다.

아니, 전부는 아닌가?

소녀 인형도 가냘프지만 좌우의 다리를 일일이 교차시키는 기묘한 걸음걸이로 바깥 계단 입구로 다가오는 그녀는 특별히 더 가늘다. 지나치게 가늘다. 인상만으로 보자면 움직이는 막대기 인형이다. 그 깡마른 몸에 속옷이나 다름없는 차림을 하고, 장식이 덕지덕지 붙은 케이크 같은 모자를 쓰고, 안경을 몇 개나 겹쳐 끼고 있으니 인형보다 더 인형 같기도 하지만 그녀는 원래 인간이었다. 지금도 인간이라고 말해도 되는 건지 어떤지.

"…인형사."

"…누이."

하루히로와 앨리스는 동시에 중얼거리고 서로 얼굴을 마주 본다. 살짝 어색하다. 시선을 피한다.

"…뭘 하러 온 거라고 생각해?"

"글쎄. 말이 통하지 않는 상대의 생각 같은 건 알 수가 없잖아."

"나는 단순하게, 당했으니 되갚아주려고 온 것 아닌가 하고…."

"잠깐 묻어버렸던 것뿐이잖아. 지금은 아무렇지 않아 보이고."

"나한테 그렇게 말해봤자."

"누이에게 말해봤자 대화가 되지 않으니까 어쩔 수 없잖아."

"올라온다."

인형사가 계단에 발을 올렸다. 소녀 인형들도 인형사를 우르르 쫓아온다.

"도망치려면 내려가는 편이."

"알아. 말 안 해도. 하루히로, 너 요즘 건방져."

"한 가지 시험해보고 싶은 게 있는데."

"엉?"

"레저넌스는 마법을 증폭시키는 게 전부가 아닌 것 같아. 인형사와 접촉하고 싶어. 거들어주지 않을래?"

"…네 레저넌스 없이 누이와 싸우고, 네가 저 아이 뒤에 붙을 수 있도록 잘 유도하라는 뜻?"

"뭐, 그런 뜻."

"누이를 어떻게 할 셈이야?"

"해보지 않으면 몰라. 이 방법을 시험해보지 않을 거면, 위에 가면 상황은 악화될 테니 놈들을 물리치고 도망치거나 뛰어내려야겠지. 착지의 충격은 삽으로 어떻게든 할 수 있지? 차라리 인형사를 쓰러뜨린다는 방법도 있어."

"그것은…."

"친구였지? 그래도 이제 다른 존재야. 네가 끝내주는 것도 하나의 형태로서는 가능하지 않아? 나라면 물론 그런 선택은 하지 않겠지만."

"너였다면 어떻게 했을 거라는 거야?"

"원래대로 되돌릴 방법을 찾는다."

"가능하다면 진작에 했지."

"앨리스는 못할지도 몰라."

"너는 할 수 있다는 거야?"

"말 안 했나? 시험해보고 싶다고. 해본 적이 없는데 할 수 있는지 아닌지 모르잖아."

"이토 누이. 그게 저 아이 이름이야."

앨리스는 삽을 고쳐 쥐었다. 검은 표피가 벗겨져 앨리스의 오른팔에 감기면서 창 같은 형태를 만들어간다.

인형사, 아니, 변해버린 앨리스의 친구 이토 누이가 소녀 인형들을 이끌고 계단을 올라온다.

"누이가 말을 꺼내지 않았다면 나는 동굴 탐험 같은 걸 하지는 않았을 거야. 당연히 파라노로 흘러들어오는 일도 없었겠지. 성가신 면도 있지만 근본은 그렇게 나쁜 아이가 아니야."

하루히로는 살그머니 앨리스의 뒤로 이동했다. 온몸에서 쓸데없는 힘을 뺀다. 계단 발판은 그리 두껍지 않은 철판으로 튼튼하다고는 말하기 힘들다. 그 발판 밑으로 쓱 가라앉는 것 같은 이미지다. 스텔스(은폐)… 완료. 비스듬히 위쪽에서 자기를 포함한 주위 일대를 부감하는 것 같은 느낌도 든다. 좋은 느낌이다. 그렇다고 해서 자만하지 마. 마음은 수면 같은 것으로, 아주 사소한 일로 파문이 인다. 파문은 점점 퍼져간다. 하루히로는 한 척의 조각배를 타고 있다. 작은 배라서 쉽사리 뒤집혀버린다. 마음을 흐트러뜨리지 말아야 한다.

누이가 계단을 올라온다. 하루히로는 앨리스 뒤에 숨어 있다. 누이의 모습이 보이지 않는다. 그러나 발소리는 들린다. 발의 움직임이 빠르다. 아까보다 훨씬 빨라졌다. 가깝다. 상당히 가까이 왔다.

하루히로의 호흡은 멈춘 것처럼 느릿하다.

앨리스가 앞으로 나선다.

누이는 반대로 멈춰 섰다.

앨리스는 똑바로 돌진하는 것이 아니라, 약간 왼쪽 방향으로 내

딛고 창 형태의 삽을 휘둘렀다.

누이는 물러서지 않는다. 앞으로 나와서 삽을 피한다.

앨리스가 빙글 몸을 틀었고 누이도 앨리스가 뒤로 파고들지 못하도록 돌아본다.

지금 누이는 하루히로에게 등을 보이고 있다. 무방비. 누이는 하루히로의 존재를 알아차리지 못했다. 아무리 봐도 거기에 있고 보이지 않을 리가 없는데도, 마치 우연히 사각지대에 들어 있는 것처럼 놓쳐버린다. 스텔스가 제대로 작동하면 이런 일이 일어난다.

하루히로는 서두르지 않고, 떠들지도 않고 뒤에서 누이를 결박했다. 누이는 반사적으로 버둥거리려고 했지만, 그렇게 거부할 필요는 없다.

"이토 누이. 나는…."

너다… 라고 속삭이기 전에 이미 내가 되어 있다.

10. 사랑이라는 이름의 갈망 [loveway]

옛날 옛적 어떤 곳에, 나는, 있었나?

그래,

나는,

있었어. 있었던 거야.

아… 무도, 나를, 모르고, 알아차리지, 않았, 겠지만.

나는, 있었다.

뭔가,

공기?

같은, 나.

어차피, 나 같은 건 아무도 신경 쓰지 않아, 그렇겠지?

많은 여자아이들, 남자아이들, 넘칠 듯한, 춤추는, 루루, 루루루 노래하는, 무대 위에서, 나는 외치고 있었습니다. 나를,

나를, 봐줘!

여기에, 나는 있루루루루어!

봐, 나를!

주인공은 이 사람들이 아니라, 나라고!

어째서일까? 왜 다들, 나를 봐주지 않는 걸까? 나는 뭐가, 부족한 걸까?

네….

네.

네… 네, 네….

손이 올라간다. 올라간다. 올라간다.

자, 거기?

당신은, 누구?

뭐야?

나?

처음부터 여기에는, 나, 밖에 없어?

뭐, 됐어.

그럼, 대답해.

예쁘지 않기 때문입니다.

그렇습니다. 그런 것입니다. 나는 살아가는 것이 힘들 정도로 못생기진 않았지만 예쁘지는 않습니다.

뭐, 보통, 정도?

아뇨, 아니요, 보통 같은 게 아닙니다. 왜냐하면, 예쁜 얼굴이라는 것은, 이것은 책을 읽거나 해서 조사해본 것이니 틀림없다고 생각하는데, 궁극의 평균입니다. 백만 명의 얼굴을 전부 섞어서 백만 개로 나눈 얼굴을 예쁘다고 느끼도록 인간은 만들어진 것입니다. 그러니까, 못생기지도 않고, 예쁘지도 않다, 는 것은, 보통이 아닌 것입니다.

굳이 말하자면, 아무것도 아니다.

눈을 피하지도, 사로잡혀서 보게 되지도 않는, 요컨대 아무런 가치도 없다.

아마도 부모님은 그래서 나에게 약간 특이한 이름을 지어주신 것 아닐까요? 별로 없는 이름입니다. 적어도 나는 나와 같은 이름을 가진 사람과 만난 적이 없습니다. 그렇지만 나에게는 어울리지 않겠지요.

내가 이름을 말하면 반드시 흐음… 이라는 얼굴을 합니다. 보기에도 평범하거나 혹은 평범 이하인데 그런 이름이구나, 흐음. 그렇게 생각하는 것이겠지요.

그리고, 그것뿐입니다. 내가 어떤 이름이든, 아니, 내가 누구이든, 아무한테도 상관없습니다. 아무도 흥미가 없는 것입니다.

나만큼 존재감이 희박한 인간은 그리 많지 않습니다. 나만큼 눈에 띄지 않으면, 어라? 있었네… 라는 말을 듣는 일조차 좀처럼 없습니다. 존재감의 견디기 힘든 빈약함에 관한 재미있는 에피소드도 딱히 없습니다. 그저 나는 누구의 주의도 끌지 않고, 아무도 나에게 관심을 갖지 않고, 예를 들어 내가 누군가에게 말을 건다면 다들 대충 건성으로 대답하긴 하지만 대화가 무르익는 일도 없고 아무 일도 일어나지 않습니다. 그렇게 된다는 걸 잘 알고 있기 때문에 나도 용건이 없으면 다른 사람에게 말을 걸거나 하지 않습니다.

이런 식으로 말하면 나는 이상하게 존재감이 희박한 탓에 항상 고독한, 어떤 의미로는 좀 괴짜인 인간 같습니다. 그렇지는 않습니다. 약간 정도 특이한 사람이고 싶어서 나는 과장되게 이야기를 부풀립니다.

실제로는 나한테도 그때그때 친구 한두 명은 있었습니다. 지나치다가 나에게 길을 물어보는 사람도 있습니다. 아무리 존재감이 희박해도 정말로 그림자 같은 인간이었던 것은 아닙니다.

단, 친구가 먼저 나에게 연락하는 일은 거의 없었습니다. 끊임없이 함께 행동하려고 하지 않으면 어떤 친구든 나한테서 쓱 떨어져나갑니다. 나는 미움받지는 않았지만 딱히 호감을 사지도 않았습니다. 명백하게 나를 중요시하지 않았습니다. 나도 솔직히 그 사람들을 둘도 없는 친구라고는 여기지 않았습니다. 날 소중히 여겨주지 않으니까 나도 소중하게 여기지 않는 것인지, 내가 소중하게 여기지 않으니까 그들도 날 소중하게 여겨주지 않는 것인지, 그 점에 관해서는 뭐라 말해야 할지 모르겠습니다만, 분명 양쪽 다겠지요.

저기, 있잖아, 나, 외로워.

그래? 외로워? 알았어, 알았어, 불쌍하네.

하지만 괜찮아. 같이 놀자.

오늘은 뭐 하면서 놀까?

'…인형…?'

그렇습니다. 나를 위로해주는 것은 인형들이었습니다. 가게에서 파는 인형을 조금씩 조금씩 사 모으고, 거기에 만족하지 못하게 되자 옷을 만들어 갈아입히기도 하고 여기저기 손을 보기도 했습니다. 점토 등의 재료로 직접 만들기를 시작하기도 했습니다.

좀 더 다리가 긴 게 좋겠네. 길게 늘여줄게.

다리를 길게 했더니 팔과 균형이 맞지 않게 되어버렸네. 팔도 길게 하자.

목도 좀 더 긴 편이 좋겠어.

머리가 크네.

"…아아, 인형이…."

이쪽의 작은 머리로 바꿔 달자.

발목이 두꺼워서 볼품없으니까 깎아내자.

사실 나는 인형만 만지고 있던 것은 아니었습니다. 여러 가지 일을 생각하고 연구했다고 생각하는데, 제일 주력한 것은 외모 개선입니다. 결국, 뭘 어떻게 꾸미든, 예쁘지 않은 여자는 평가받지 못합니다. 남자들뿐만 아니라 여자들도 여자를 보면 예쁜지 못생겼는지를 순식간에 판단하고 구별합니다. 공공연하게 말하는 사람은 많지 않지만, 못생긴 건 죄인 것입니다. 그냥 죄가 아닙니다. 큰 죄입니다. 일반적으로 7대 죄악이라고 하면, 교만, 분노, 시기, 나태, 탐욕, 식탐, 색욕이라고 합니다만, 여기에 어째서 '못생김'이 들어 있지 않은지 나는 신기할 따름입니다.

예뻐지고 싶다. 그렇기는 해도 얼굴은 어떻게 바꾸기 힘듭니다. 인형처럼 점토로 자유자재로 모양을 만들 수는 없습니다. 성형 수술이라도 받으면 될지도 모르지만 그것은 돈이 들고, 미래에는 고려한다고 해도 지금 당장은 무리입니다. 혼자서 남몰래 화장 연습을 하기도 했습니다. 화장은 인형 만들기와도 일맥상통하는 부분이 있는 건지 상당히 능숙해지긴 했으나, 나처럼 수수하고 존재감이 희박하던 여자가 갑자기 풀 메이크업을 하고 나타나면 다들 깜짝 놀라지 않겠어요? 놀라는 정도가 아니라 나쁜 쪽으로 눈에 띄어 기분 나쁘게 여긴다거나 박해할 것이 틀림없습니다.

나는 어릴 때부터 토실토실했습니다. 못생긴데다가 뚱뚱하기까지 하면 정말로 어찌할 도리도 없고, 살아가는 것이 힘들면 더 못생겨져버리기 때문에 나름대로 조심하고는 있었습니다. 그러나 나는 살찌기 쉬운 체질이었습니다. 게다가 뼈가 두껍고 피부도 두껍고 딱딱한 근육질이라는 삼중고를 태어날 때부터 짊어지고 있었습니다. 아니, 게다가 피부가 검은 편이고 다소 거칠기도 하니 오중고였습니다. 조금이라도 몸무게가 늘면 나는 순식간에 단단하게 살이

쪄서 추악하기 짝이 없는 나무통 같은 꼴이 되어버렸습니다. 그런데도 인형을 만들고 인형놀이를 하는 것 이외에 내 즐거움이라면 그것은 먹는 것이었습니다. 단것도, 짠것도 너무나 좋아합니다. 모든 것이 다 싫어지면 단것과 짠것을 번갈아서, 구역질이 날 때까지 먹어대는 습관이 나에게는 있었습니다.

그래도, 살을 빼야만 했다.

아무리 멋진 옷도 뚱보가 입으면 추하게 보입니다. 마른 사람은 아무 데서나 사 온 싸구려라도 좋게 보이는 것입니다.

나는 살을 뺄 결심을 했습니다. 그리고 가능한 한 하얘지고 싶었기 때문에 가급적 햇빛을 받지 않으려고 조심했습니다. 얼굴을 바꾸거나 화장으로 꾸미거나 하지 않아도 예뻐질 수는 있을 겁니다. 나는 예뻐지고 싶었습니다. 예뻐지면 분명 상황은 변할 것입니다.

괴로웠다.

상상했던 것보다 훨씬, 괴로워서, 괴로워서, 괴로워서, 괴로워서, 괴로워서.

막상 먹는 것을 제한해보니 어떻게 된 일인지, 뭘 먹고 싶다거나 뭘 먹으면 안 된다거나 이거라면 먹어도 괜찮다거나 한입만 저걸 먹을까 라거나 역시 먹으면 안 된다거나 먹지 않으면 죽어버린다거나 먹지 않는 것은 생물로서 부자연스럽다거나 조금만 먹고 토하면 된다거나 뭐든지 좋으니 먹고 싶다거나, 이런 식으로 먹는 것만 생각하게 되어버렸습니다.

그러던 어느 날, 여느 때처럼 먹는 것을 생각하고 있다가 문득 떠올렸습니다. 놀랍게도 인간의 몸은 60퍼센트 정도가 물이라고 합니다. 그렇다면, 물을 줄이면 몸이 가벼워질 것입니다. 몸이 가벼워진다 이윽 마른다. 그런 뜻입니다. 먹지 않고 있는 상황을 견딜 수 없게 된다면 마시지 않으면 되는 것입니다.

당장 시험해보니 효과는 극적이었습니다. 수분을 섭취하지 않으려고 애썼더니 순식간에 체중이 줄었습니다. 그러다가 너무나 목이 말라 견딜 수가 없어져서 뭔가 먹어서 갈증을 완화하려고 했습니다. 그러자 체중이 되돌아오기도 했지만, 얼마 지나면 다시 줄어들었습니다.

나는 살이 빠졌습니다. 그만큼 예뻐졌을 것입니다. 친구들은, 살빠진 것 아니야? 라고 말했습니다.

하지만 그것 이외에는 아무것도 변하지 않았습니다.

이상하다.

역시 얼굴을 어떻게 하지 않으면 예뻐질 수는 없는 걸까요? 어떻게 할 수 있는 거라면 진작 했을 겁니다. 나에게도 이상은 있었습니다. 남자들한테서 인기를 얻고 싶다거나, 남자친구가 생겼으면 좋겠다거나, 그런 바람은 나에게는 없습니다. 그게 아니라 나는 무작정 예뻐지고 싶었습니다. 쟤 예쁘다는 소리를 듣고 싶었습니다. 인정받고 싶었습니다. 남자한테 아양을 떨 생각은 없기 때문에 여성다움이라거나 섹시함 같은 건 필요 없고, 가슴도 없어도 돼. 늘씬하고 어떤 옷이든 어울리고, 보는 사람을 깜짝 놀라게 하는, 그리고 눈을 뗄 수 없게 만드는, 그런 존재가, 나는 되고 싶다.

안 되는 건가?

이 정도로는 부족해?

그래, 부족하겠지.

좀 더 살을 빼지 않으면 안 돼.

팔도, 다리도, 가늘게, 가늘게, 가늘게, 가늘게, 가늘게, 가늘게, 가늘게, 가늘게, 가늘게, 더욱 가늘게.

두꺼워, 기분 나빠, 이 팔도 다리도, 뜯어버려, 바꿔 달면 돼.

너희는, 그렇게 바꿔 달 수 있지만, 나는 그럴 수도 없으니까.

아아, 열받아.

목이 타드르르르르르르르르르르르르르르르르르르르르르르르르르르르 타들어가는 것 같아.

나는 소녀 인형을 만들었다가 망가뜨렸습니다. 명확한 모델은 없었지만, 남자 같은 건 논외, 여자도 안 돼, 소녀여야만 하는 것입니다. 사실은 소녀도 내 이상에 들어맞지는 않았습니다만, 그때에는 소녀밖에 떠오르지 않았던 것이겠지요. 왜냐하면 나는 아직 만나지 못했던 것입니다. 불의의 습격을 당한 것 같았습니다.

나는 만나버린 것입니다.

"…앨리스….”

그렇습니다.

앨리스, 라고 그 아이는 불렸습니다.

처음 봤을 때부터 남자도 여자도 아닌, 이미 인간조차 아닌 것 같은 분위기를 풍겼고, 그야말로 보통이 아니었습니다. 선천성의 뭐라거나 하는 병이 있고 그것 이외에도 질환을 앓고 있고 몸이 약하다는 점도 특별한 느낌이 들었습니다. 사람뿐만이 아니라 생물에게는 각각 고유의 색이라는 것이 있다고 생각합니다. 그런데 앨리스에게는 그 색이 없었습니다. 한없이 투명하고, 언제 사라져도 이상할 것 없는 환상 같은 덧없음입니다. 만약 세상 어딘가에 얇은 유리만으로 만든 꽃이 있다면 앨리스와 꼭 닮았겠지요. 그것은 분명 이 세상에 단 한 송이만 피는 꽃일 것입니다.

나는 압도당했습니다. 분명히 깨달았습니다. 나는 앨리스처럼 되고 싶었지요. 앨리스로 태어나고 싶었습니다. 그러나 당연히 그것은 이룰 수 없습니다. 현재 나는 앨리스가 아닌 것입니다.

나 자신도 믿을 수 없을 정도의 적극성을 발휘해서 나는 앨리스에게 접근했습니다. 넉살좋게 앨리스에게 말을 걸었고 앨리스의 관심을 끌기 위해서라면 뭐든지 했습니다.

내게는 두 개의 마음이 있었던 것 같습니다.

하나는, 앨리스 곁에 있고 싶다. 앨리스의 마음에 들고, 예를 들면 친구가 되어 앨리스와 함께 행동하는 것입니다. 그렇게 하면 마음껏 앨리스를 볼 수 있고, 앨리스의 목소리를 듣고, 앨리스의 냄새를 맡을 수가 있습니다.

또 하나는, 앨리스에 관해서 잘 알게 되어 그 본성을 폭로하고 싶다. 앨리스는 어차피 외모만 좋은 것 아닐까 하고 나는 의심했습니다. 분명히 말해서 나는 앨리스를 사랑하고, 맞아, 나는 앨리스를 사랑했지만, 그만큼 똑같이 미워하기도 했습니다. 내가 원했던 것, 그것만 있으면 다른 것은 아무것도 필요 없다고 생각하는 것을 앨리스는 날 때부터 갖고 태어난 것입니다. 그런 앨리스를 미워하지 않을 수는 없겠지요? 적어도 앨리스는 거죽뿐이라고, 즉, 외모만 좋을 뿐이지 내용물은 전혀 별것 없는 속 빈 강정, 말하자면 극상품 인형에 불과하다는 것을 알게 되면 조금은 위로가 될 것입니다.

있잖아, 어떻게 생각해?

앨리스는 뭘 생각하고 있는 걸까?

몰라, 잘 모르겠어. 종잡을 수가 없는걸.

속마음을 말하지 않잖아.

거짓말을 하는지 아닌지도 모르겠어.

조심성이 많아.

경계하는 거야.

그러면서도 멀리하려는 것도 아니고 피하는 것도 아니야.

나, 미움받는 것 아닐까?

글쎄.

신중한 것뿐인지도.

나, 앨리스에게서 미움받는 걸까?

나는 이렇게 사랑하는데….

모르겠어.

몰라.

모르지….

앨리스는 어떤 날은 나른해 보이고 우울해 보이기도 했습니다. 기분이 가라앉은 것 같은 앨리스를 보면 나는 들뜨고 기운이 났습니다. 반대로 앨리스가 이상하게 밝으면 나는 불안감에 휩싸이고 침울해져버리는 일도 있었습니다.

가끔씩 앨리스는 맥이 빠질 정도로 평범했습니다. 일부러 유행하는 것에 대한 화제 등을 꺼내 반응을 살펴보면, 누구나 할 법한 재미없는 말을 해서 나를 실망시켰습니다. 누구나 알고 있는 일을 당연한 듯이 알고 있다. 그것도 딱히 더 자세히 아는 것도 아니고 피상적인 지식밖에 없는데도 웬만큼 알고 있다는 듯이 말하는, 그런 모습은 내가 생각할 수 있는 한에서는 가장 앨리스에게 어울리지 않는 태도입니다. 하지만 앨리스에게는 틀림없이 그런 면이 있었습니다.

나는 뭘 먹은 뒤에 몸이 안 좋아지는 적이 많았고 그럴 때에는 금방 토했습니다. 물론 사람들 눈을 피해서 합니다. 아무도 나한테 주의를 기울이지 않을 테니 누가 알아차릴 리가 없다고 생각하고는 안심했었는데, 내가 일을 마치고 개운해져서 돌아오면 앨리스는 마치 다 안다는 듯한 얼굴이랄까, 사정을 눈치챈 것 같은 표정, 그런 눈길로 어서 와… 라고만 말하는 것이었습니다. 그때마다 나는 왠지 간파당한 것 같아서 조마조마했습니다.

몇 번인가 앨리스의 뒤를 밟은 적이 있습니다. 나 나름대로 주의 깊게, 용의주도하게 미행했다고 생각했는데, 어느 틈엔가 앨리스를 놓치고 말았습니다. 분명 앨리스는 내 미행을 깨닫고 나를 따돌린 것이라고 생각합니다. 그런데도 앨리스는 그 일에 관해서 일절 언급하지 않았습니다.

나는 점차 앨리스는 자기가 어떻게 행동하면 내가 뭘 느끼고 어떻게 되는지 완벽하게 알고 있는 게 아닐까? 라는 생각에 사로잡히게 되었습니다. 앨리스는 나뿐만이 아니라 주위 사람들을 휘두르고 있다. 그것은 분명하다고 생각되는 경우도 있었고, 아무리 그래도 지나친 생각일 것이라 결론을 내리는 경우도 있었습니다.

눈앞에 앨리스가 있는데도 불구하고 진짜 앨리스는 거기에 없는 것 아닐까 하고 종종 나는 착각했습니다. 눈을 부릅뜰 것까지도 없이 앨리스의 모습은 또렷하게 보이는데도, 손을 뻗어도 만질 수는 없습니다. 앨리스라고 생각했던 것은 거울에 비친 앨리스이고, 돌아보면 거기에 앨리스가 있지만 그 앨리스를 만지면 역시 거울인 것입니다.

때때로 앨리스의 말이나 몸짓 하나하나가 내 마음에 박혀, 둔탁하게 혹은 날카롭게 아플 때가 있었습니다. 나는 일상다반사라고 말해도 좋을 정도로 앨리스에 의해 상처를 입었습니다. 그러나, 나는 최대한 배려하며 앨리스에게 상처를 입히지 않았습니다.

　　이 손으로 앨리스를 죽여서 내가 앨리스로 바뀔 수 있다면 나는 분명 그렇게 했겠지요. 그러나 물론 그런 일은 불가능합니다. 앨리스를 죽이면 내 앞에서 앨리스가 없어져버립니다. 앨리스를 볼 수도 없게 되는 것입니다.

　　앨리스의 친구는, 못마땅하게도 나뿐만이 아니었습니다. 나는 앨리스를 독점하고 싶었지만, 너무 집착하면 앨리스의 미움을 받을지도 모르니 조절을 해야만 합니다. 앨리스의 친구들을 보면, 어째서 앨리스 같은 사람이 이런 것들과 친하게 지내는 걸까? 하고 불평을 열 마디, 스무 마디쯤 늘어놓고 싶어질 만한 녀석들뿐이라서 그들과 적당히 어울리는 것이 나에게는 큰 고통이었습니다. 그래도 그렇게 하는 수밖에 없었습니다.

　　임해학교 중에 관심 있는 사람들을 모아 해안 동굴을 탐험한다는 이야기가 나왔을 때, 나는 전혀 흥미가 없었습니다. 그런데 앨리스의 친구 중 한 명이 참가한다는 말을 듣고서 나는 초조함에 휩싸였습니다. 쟤는 분명 앨리스한테 같이 가자고 할 게 뻔해. 앨리스는 탐험 같은 건 내키지 않겠지만, 그냥 괜찮다며 가겠다고 할지도 모릅니다. 나는 선수를 치기로 했습니다. 저 녀석보다 내가 먼저 앨리스에게 말하는 것입니다.

　　예상과 달리 앨리스는, 탐험이라고 하면 이거지… 라며 삽을 어딘가에서 마련해 올 정도로 의욕적이었습니다. 볼수록 예측하기 힘든 사람입니다.

후회, 하고 있습니다.

앨리스에게 같이 가자고 할 거라고 생각했던 그 녀석은 탐험에 참가하지 않았습니다. 나는 동굴 같은 것엔 별로 관심 없었습니다. 단지 누군가에게 앨리스를 빼앗긴 것 같은 형태가 되는 것은 죽어도 싫었습니다. 저 녀석이 앨리스에게 같이 가자고 하고 앨리스가 수락한다면, 그럼 나도 갈래… 라고 말하고 싶지는 않았습니다. 입이 찢어져도 말 못합니다. 겨우 그뿐인 이유로 앨리스에게 탐험에 같이 가자고 한 결과, 내 운명은 크게 바뀌어버린 것입니다.

아, 아아, 떠올리고 싶지도 않아.

동굴 속을 걸어가다 보니 언제부터인지 가스가 차기 시작했고, 이윽고 아무것도 보이지 않게 되고, 바로 옆에 있는 앨리스조차 정말 있는 건지 알 수 없게 되었습니다.

"…누이?"

나를 부르는 앨리스의 목소리를 희미하게 들은 것 같은 기억이 있습니다.

들린 것 같다 생각했을 뿐인지도 모릅니다.

'—이토 누이….'

너무나 듣고 싶었기 때문에 내 뇌가 멋대로 만들어낸 환청인지도.

분명 틀림없이 그럴 것입니다.

"누이…."

누군가의 비명은 확실히 들었습니다. 그것도 여러 명의. 귀에 익은 목소리도 있었습니다. 잘 모르는 목소리도 있었습니다. 도대체 무슨 일이 일어나고 있는 것일까요? 나는 무서워졌습니다. 이런 상황에서 무섭지 않은 사람은 없습니다. 앨리스, 앨리스… 나는 외쳤다고 생각했습니다. 무엇보다도, 앨리스가 곁에 없다는 그 사실이 무서워서 견딜 수가 없었습니다. 어느 시점을 경계로 내 세계는 나 자신이 아니라 앨리스를 중심으로 돌고 있었습니다. 온갖 사고는 앨리스에게로 이어지고, 앨리스와 무관한 사항은 내 안에서 떨어져 나가 사라졌습니다. 내가 소위 섭식 장애라는 상태에 빠졌다는 사실을 일깨워준 것은 앨리스였습니다. 앨리스가 직후에 나에게 그렇게 알린 것은 아닙니다. 하지만, 뭔가를 은근히 시사하는 건 앨리스에게는 간단한 일입니다. 어느 날 앨리스는 나에게 이런 말을 했습니다.

"누이는 나를, 뭔가 별난 녀석이라고 생각하는지도 모르지만 말이야, 누이가 훨씬 더 별나다고 생각해."

어디가? 라고 나는 물었습니다. 앨리스는 한동안 입을 다물었다가, 그렇게 느꼈을 뿐… 그런 비슷한 대답을 했습니다. 앨리스가 말하지 않고 있는 동안에 나는 꽤 많은 일들을 생각했던 기억이 있습니다. 그렇게 해서 앨리스는 나에게 생각하게 만들고, 자기가 직접 명언하지는 않고 전하려고 하는 것입니다. 그것은 앨리스가 자기 자신을 지키기 위한 방법이겠지요.

나는 예전에 앨리스가 괴롭힘을 당했었다는 사실을 알아냈습니다. 사람을 통해 전해들은 것뿐이지만, 어지간히 처절한 괴롭힘이었던 것 같습니다. 앨리스가 지독한 짓을 당했다는 것을 알고 불쌍해서 견딜 수가 없어서 나는 울었습니다. 동시에 앨리스의 약점을 쥘 수가 있어서 무척 기뻤습니다. 숨겨뒀던 그 무기를 앨리스에게

들이댈 순간을 생각하면 흥분해서 잠이 오지 않았습니다. 인형들에게 나와 앨리스와 관중 역할을 맡겨 그 장면을 연기해보기도 했습니다. 나는 언제나 앨리스를 해치울 수가 있습니다. 앨리스를 굴복시킬 수 있는 것입니다. 그러나 나는 그것을 하지 않았습니다. 왜냐하면, 나는 앨리스를 소중하게 생각하니까. 앨리스를 사랑하기 때문입니다. 이것은 내 사랑의 증거입니다. 하지만 언젠가 만약 앨리스가 나를 귀찮아하며 버리려고 한다면 나는 비장의 무기를 사용하겠지요. 그때야말로 나는 앨리스에게 지독하게 상처를 줄 수 있습니다. 그리고 나는 앨리스에게 고백하는 겁니다.

앨리스에게 무슨 일이 있었다고 해도, 설령 어떤 앨리스라도, 나는 앨리스를 좋아한다고. 아주 좋아한다고. 사랑하고 있는 거라고. 나는 이제 두 번 다시 앨리스를 상처 입히거나 하지 않는다고. 내가 앨리스의 상처를 파헤치는 것은 이것이 마지막일 거라고. 나를 믿어달라고. 나에게는 모든 것을 다 보여달라고. 전부 다 보여줘도 안전하다는 것을 앨리스가 알아주길 바랐습니다. 언젠가 그날이 찾아오리라 나는 확신하고 있었습니다. 그런데, 앨리스가 없다니.

없는 것입니다, 앨리스가.

잘 보이지 않는다거나, 분명히 동굴에 들어왔는데 동굴 속이라고는 생각할 수 없는 여기는 어디일까? 라거나, 우리들 동굴 탐험대는 아무래도 뭔가에 습격을 당한 것 같다거나, 뭐가 우리를 습격하는 건지, 짐승인지, 유령이나 그런 것인지, 그런 일들보다도 나를 공포에 몰아넣은 것은 앨리스가 없다는 사실이었습니다. 앨리스가 없다니, 있을 수 없는 일이다. 천지가 뒤집힌다고 해도 앨리스만 함께 있다면 별 상관없다. 앨리스가 없다. 그것만은 곤란합니다.

"…누이…."

'—그토록….'

나는 앨리스를 찾고, 또 찾고, 찾아 헤매고, 찾고, 찾고, 찾고, 찾, 고, 찾, 찾, 차차찾, 찾아헤헤헤헤매매매매찾고찾고찾고찾고찾아.

혼자는, 외로워.

홀로 있는 건, 너무 슬퍼어어어어어.

인형아.

인형아.

당신, 누구?

앨리스, 야.

누구? 그게.

앨, 리, 스?

앨릿쓰?

앨리리스?

앨리앨리앨리앨리스ㅅㅅㅅㅅㅅㅅㅅㅅㅅㅅㅅ앨릿쓰앨릿쓰앨릿앨릿쓰쓰 쓰쓰쓰쓰쓰쓰쓰?

그런 사람, 없어.

아무 데도, 없어.

아무도, 없어.

인형아, 인형아, 너희와, 나뿐이야.

다들, 사이좋게, 즐겁게, 살자.

'—있어.'

너, 좀 더 다리가 긴 게 좋겠네, 길게 늘여줄게.

다리를 길게 했더니 팔과 균형이 맞지 않게 되어버렸네. 팔도 길게 하자.

목도 좀 더 긴 편이 좋겠어.

머리가 크네.

이쪽의 작은 머리로 바꿔 달자.

발목이 두꺼워서 볼품없으니까 깎아내자.

'―앨리스는, 여기에….'

"누이…!"

'―있어, 앨리스가.'

"누이!"

'깨닫고'

'돌아가자'

'이토 누이.'

"누이!"

'누이 씨.'

'나와, 함께.'

"누이!"

앨리스?

뭐야.

거기 있었구나….

도대체 뭐가 어떻게 돌아가는 건지… 라고는 생각하지 않으려고 한다.

그보다 사실 언제부터인가 생각할 수 없게 되었다. 분명 생각해봤자 별수 없다는 것을 뼈저리게 느꼈기 때문이겠지.

걸어온 길을 돌이보는 일도, 기억에 남기려고 노력하는 일도 한참 전에 포기해버렸다. 오로지 직진하고, 새하얗게 거품이 이는 밑바닥 없는 늪과 벼락처럼 깎아지른 단애절벽에 갑자기 맞닥뜨리거나 한다. 180도 방향을 돌려서 돌아가면 당연히 눈에 익은 장소를 지나가게 되어야 하는데, 어째서인지 그렇게 된다는 보장은 없다. 아니, 그렇게 되는 일은 좀처럼 없다고 말해야겠지.

있을 수 없는 일이야. 이상하잖아. 그런 비정합성에 대한 거부감인지, 아니면 좀 더 본능적인 불안과 공포인지 여러 가지 의미에서의 혼란인지, 아무튼 그런 심정을 억누르는 것은 곤란하지만 그것을 품은 채로 눈앞의 현실이라고는 생각되지 않는 현실에 대처하기란 더욱 어렵다. 비현실적인 현실에 적응하려면 모든 것을 받아들이는 수밖에 없다.

우선은 현실은 이래야 한다… 는 생각을 버린다. 이러한 현실을 인정하고, 그렇다면 어떻게 할지, 희한하게 졸려서, 단 바람이 불면 천을 입에 대고 막는다. 물을 마시면 맹렬하게 슬퍼지니까 마시지 않는다. 먹고 마시지 않아도 쇠약해지지 않기 때문에 식욕이 일지 않는다.

"하지만, 이것은…."

소용돌이치는 것 같달까, 실제로 소용돌이치는 언덕을 올라가자 눈 밑에 거리가 펼쳐져 있었다.

거리. 맞겠지. 지붕을 슬레이트인지 뭔지로 덮고 돌을 쌓아 만든 듯한 크고 작은 건물이 줄지어 있고 그 사이로 길이 뻗어 있다. 정원이나 돌담 등도 확인할 수 있다. 흐릿하게 안개가 껴서 분명하게는 보이지 않지만, 길을 오가는 움직이는 것들은 혹시나 인간인가?

"이건 또 희한하게 정상적이랄까, 제대로 된 모습이랄까. 아, 같은 말인가?"

동행자가 그렇게 말하며 웃었다. 이 여자의 태도도 꽤나 이상하지만, 다른 일들과 같은 선상에 놓고 받아들이는 편이 좋은지 어떤지. 망설여지는 부분이다.

보기에는 예전에 비해 달라진 부분은 없다. 주인을 태우고 네발로 보행하게 된 키이치처럼 큰 변모를 한 것은 아니다.

그렇다. 키이치는 변했다. 지금도 그녀를 등에 태우고 있는 키이치의 모습을 보고 냐아라고 생각하는 사람은 만 명 중에 한 명도 없을 것이다. 냐아는 속된 말로 고양원숭이라거나 원숭고양이라 불리는 일도 있는 생물로, 크기가 최대치인 개체라도 꼬리를 제외한 머리와 몸의 길이는 성인의 반도 되지 않는다. 이동할 때에는 네발로 보행하지만 뒷다리로 직립할 수 있고, 앞다리는 훈련하기에 따라서는 손처럼 재주 좋게 쓸 수 있다. 그런데 어떻게 된 건지. 현재의 키이치는 주인의 두 배는 될 법한 당당한 체구를 자랑하고, 사지는 무서울 정도로 튼튼하고, 그 얼굴은 사나운 육식 동물 같다. 귀염성이라고는 찾아볼 수도 없다. 이건 이거대로 특별히 흉포해 보이는 점이 오히려 귀엽다고 말 못 할 것도 없지만, 소위 냐아의 범주에서 일

탈한 정도가 아니라 아예 다른 차원으로 뚫고 나갔다.

주인을 지키기 위해 갸륵하게도 덤벼드는 괴물들을 잡아먹는 동안에 키이치는 조금씩 커지고 늠름해졌다. 이 세계의 괴물은 이토록 영양 만점인가? 그러나, 아무리 자양 강장에 좋은 것을 대량으로 섭취했다고 해도 한참 전에 성냐아가 된 키이치의 몸이 저렇게까지 커질 리는 없다.

이해는 할 수 없지만 받아들이는 수밖에 없겠지. 외모만 빼면 키이치는 여전히 키이치다. 엄격하게 훈련시키지 않아도 주인에게 충성스럽고, 호기심이 왕성한데도 끈기도 있다는 보기 드문 특성을 가진, 매우 지능이 높고, 협조성이 있고, 신체 능력도 뛰어난, 그녀가 지금껏 본 냐아 중에서 명백하게 최고의 소질을 지녔다. 그런 키이치이기에 이렇게 변해서까지 변함없이 주인을 따르고 헌신하는 것이라고 긍정적으로 받아들이는 게 좋겠다.

이 세계에서는 모든 것이 변한다. 변해가는 것이다.

따라서 그녀의 동행자도 예외는 아니라고 간주해도, 정말로 괜찮은 건가?

주인의 마음의 동요를 느낀 건지 키이치가 크르르르… 낮게 짖었다.

그녀는 키이치의 목덜미를 쓰다듬으면서, 옆에 서서 거리를 내려다보는 동행자의 옆얼굴로 시선을 향했다. 차라리 따져 묻는 것이 좋을지도 모른다.

너는 누구야?

아니, 좀 더 분명하게 말해야 할까?

아니지? 너는 메리라는 여자가 아니야. 다른 뭔가다. 그렇지?

"응?"

메리의 얼굴을 한 여자가 이쪽을 보며 미소 지었다. 백만 번도 더 반복 연습해서 익숙해진 것이라고밖에 생각할 수 없는, 수상쩍고 작위적인 웃음이다. 그렇게 잘 아는 것은 아니지만, 이런 종류의 웃음을 짓는 여자였던가? 애초에 잘 웃지 않는 여자였다. 웃는다고 해도 조심스럽게랄까, 마치 자기가 웃음으로써 누군가가 상처입는 것 아닐까 두려워하는 것 같은, 그런 인상이 남아 있다.

"무슨 일 있어? 세토라."

"나는 아무렇지도 않다."

"그래. 그럼 됐지만."

"무슨 일 있는 건 오히려 너 아닌가?"

세토라는 작은 목소리로 중얼거린 것은 아니다. 명료하게 발성했는데도 여자는 마치 못 들은 것처럼 아무런 반응도 보이지 않았다. 무시를 해도 무시하는 방식이라는 게 있다. 어지간히 뻔뻔하지 않으면 지금 같은 방식은 취할 수 없다.

"거리 같은데. 보아하니 사람도 살고 있어."

"그래."

"이번에는 대답하는 건가?"

"사람 같은 것, 이라고 말하는 게 좋을지도 모르지만. 사람으로 보인다고 해서 사람이라는 법은 없어."

"…하긴, 그렇군."

"이곳에는 이곳의 룰이 있어. 그것은 우리가 아는 룰과는 약간 달라. 약간이 아닌가? 꽤 다르지. 우리는 여기에서 그것을 배워왔어."

"너도 꽤 다르다. 전에는 그런 말투가 아니었다."

"어떻게 할까? 내려가볼래?"

"철저히 무시하겠다는 거로군. 좋다. 그럼 나한테도 생각이 있어."

"있잖아, 세토라."

여자가 또 그 작위적인 웃음을 지었다. 세토라는 그 가면을 벗겨주고 싶은 충동에 휩싸였는데, 만약 실제로 그렇게 한다면 어떤 맨얼굴이 나타날까?

"지금은 그만하지 않을래? 긴급 사태니까. 언제까지 계속될지 의문이지만."

"…나는, 너에게 무슨 일이 일어났는지 알고 싶은 것뿐이다. 안 그래도 알 수 없는 일들이 너무 많으니까."

"받아들이고 앞으로 나아가려던 것 아니었어?"

"내가 언제 그런 말을 했지? …입 밖에 내지는 않았을 텐데."

"그런 얼굴을 하고 있으니까."

"하루가 지금의 너를 본다면 어떻게 느낄까?"

"…하루히로 말인가."

"나와 달리 하루는 너에게 호의를 갖고 있다. 깊은 마음도 있겠지."

"고려해둬야 할지도 모르지만, 과연 그는 살아 있을까? 그 정도의 의용병이 살아남을 것이라고는….”

여자는 갑자기 입을 다물고 정색을 했다. 아니, 정색이라기보다 무표정이라고 해야 할지도 모른다. 하지만 그것은 아주 한순간이었다. 곧바로 여자는 다시금 예의 수상쩍은 웃음을 그 단정한 얼굴에 새겼다.

"일단 그는 생존한 걸로 생각하고 행동하자. 아무래도 그편이 무난할 것 같다."

"이상야릇하군…."

"그 표현은 나쁘지 않아. 네가 그렇게 말하고 싶어지는 이유도 이해해…. 진짜 이해하는지 어떤지. 이 고난에서 벗어나기 위해서 지금까지처럼 협력하지 않겠어? 사소한 문제만 눈을 감으면 우리는 잘해나갈 수 있다. 너도 그렇게 생각할 텐데. 그러니까 지금까지 아무 말도 하지 않은 거지?"

"위장할 속셈조차 사라졌나?"

"너는 말이 통하니까. 사실 바보 같은 애송이 상대는 힘들다. 너는 달라."

이 여자의 정체는 여전히 불명이지만, 어떤 것이든 사악한 존재라고 세토라는 직감했다. 그런 것이, 필요에 의해서인지도 모르고 진위 여부도 확실치는 않지만 속내를 드러내고 있다.

확실히 현시점에서는 손을 잡는 편이 쌍방에게 유익하다. 그러나 이익보다 손해가 커지는 상황이 되면 이 여자는 세토라를 처치해서 입을 막으려고 할지도 모른다. 물론 손 놓고 당할 마음은 없으니 쓸 수 있는 수는 써둬야겠지.

"그렇다면 적어도 흉내 정도는 내. 언제 동료와 마주칠지 모르는 일이다. 나는 네 내용물 따위에 흥미는 없지만, 다른 자들은 다르다."

"그것은 뭐, 그렇겠지."

"…하루를 고민하게 하거나 슬프게 하지 말아줘. 내가 처음으로 연모한 사내다. 아직 완전히 마음이 정리된 것이 아니야."

"명심해두지."

"부탁한다."

일단 미련을 떨쳐버리지 못한 여자가 연정이 남아 있는 남자를 위해서라는 듯한 몸짓이나 표정, 말투를 연기해봤는데, 잘해낸 걸까? 그런 마음이 아주 없는 것은 아니니 전혀 진정성이 없지는 않을 것이다.

"—자, 그럼… 가볼까. 저 거리로."

키이치의 등에 올라탄 세토라와 메리인 척을 하는 여자는 융기한 부분과 균열이 잔뜩 있는 언덕을 내려가 거리를 향했다.

안개는 짙어지지도, 옅어지지도 않는다. 거리 일대만이 희미하게 보인다. 기묘하지만 받아들이기 힘들 정도의 괴이함은 아니다. 여기에서는 이런 일도 있는 것이겠지.

균열을 뛰어넘기도 하고 도검처럼 뾰족하게 튀어나온 부분을 우회하기도 하면서 간신히 언덕을 다 내려갔다.

거리는 흰 격자울타리로 둘러싸여 있는 것 같다. 가까이 가보니 철책의 높이는 사람 키의 두 배에서 세 배 정도나 되고 전체적으로 가시가 있는 두꺼운 넝쿨 같은 식물 비슷한 것이 감겨 있다. 무리를 하면 넘어가지 못할 것도 없겠지만, 출입구 정도는 있겠지.

철책을 따라 걸어가니 입구가 있었다. 문짝은 없고 보초도 없다. 자유롭게 출입할 수 있는 모양이다.

그들은 문을 지나 거리에 발을 들였다. 여전히 뿌옇다. 입구 부근에는 아무도 없지만 통로 너머에는 드문드문 사람의 실루엣이 있다.

"조용하군."

짝퉁 메리가 그렇게 중얼거리고 나서 세토라를 힐끔 보더니 "조용하네"라고 고쳐 말했다.

인적이 없다면 몰라도 주변을 걸어 다니는 자들이 있는데도 귀를 틀어막은 것처럼 아무런 소리가 나지 않는다. 이 거리에서는 아무도 소리를 내지 않고 말도 하지 않는 것일까? 인간보다 청각이 예민한 키이치도 귀를 움직이지 않는다. 아무것도 들리지 않는다는 뜻이다.

"잠시 상황을 보자."

그들은 그대로 길가를 직진했다.

연무. 멀리에서 움직이는 사람 실루엣. 연무. 멀리서 움직이는 사람 실루엣. 연무….

멀리서 움직이는 사람 실루엣. 연무. 멀리서 움직이는 사람 실루엣. 연무….

짝퉁 메리가 "음…" 신음하며 어깻짓을 했다.

"아무와도 마주치지 않아."

"아무래도 우리를 피하는 모양이다."

"환영받을 거라고는 생각지 않았지만… 하지만 말이야."

"좀 더 기합을 넣어서 제대로 흉내 내지그래?"

"Copy that."

"뭐라고?"

"오케이."

"장난하는 건가?"

"무슨 그런 말을."

"일단 돌아가자. …키이치."

세토라가 부른 것만으로도 키이치는 지시를 예측하고 발길을 돌렸다.

"둘이 탈 수는 없는 건가…?"

짝퉁 메리도 투덜거리며 따라온다.

"진짜라면 또 몰라도, 너 따위를 키이치한테 태울 수는."

"가짜인 것도 아니야. …이렇게 설명해봤자 납득해주지 않겠지."

"설명이라는 것은 상대방이 이해하도록 말하는 것이다. 너는 뭔가를 숨기거나 속이려는 목적으로 말하고 있어. 그것은 설명이 아니다."

"너와 대화하는 것은 즐거워. 이건 진심이야."

문은 닫혀 있었다. 없었던 문짝이 어디에선가 나타난 것은 아니다. 가시투성이인 두꺼운 넝쿨 같은 것이 잔뜩 자라고 서로 얽혀 문의 개구부를 완전히 덮었다.

"이것은… 들어온 자는 내보내지 않는다는 뜻인가?"

"그런 의사 표시로 받아들일 수는 있을 것 같… 있을 것 같네. 이런 느낌?"

"이제 됐어. 너한테 상관하고 있을 때도 아닌 것 같고."

키이치의 귀가 움찔움찔 떨렸다.

크르르르… 목을 울린다.

뭔가 들린다. 바람 소리 같은. 하지만 바람은 전혀 불지 않는다.

짝퉁 메리가 두리번거린다.

세토라는 귀를 기울였다.

환…,

…영…,

합…,

세토라는 고개를 갸웃거렸다.
"어쩌면… 의외로 환영받고 있는 건지도 모르겠군."

환…,
영… 합….
…의….
마을… 에…,
…환영… 합니다….

짝퉁 메리는 훗… 하고 코웃음을 쳤다.
"그렇다면, 내보내지 않는다기보다 잡아두겠다는 거네."
말투는 진짜와 비슷하지 않은 것도 아니지만, 그건 또 그것대로
거슬린다.

규칙을… 지키면… 이 마을… 즐겁게… 살 수 있습니다… 누구나
…,
규칙… 하나… 조용히… 떠들지 말것…,
규칙… 둘… 싸움은… 안 돼… 온화하게… 상냥하게… 즐겁게…,
규칙… 셋… 이 마을에서… 나가서는… 안 됩니다… 절대로…,
규칙… 넷… 다른 사람들을… 따라 합시다…,

규칙을… 지키면… 언제까지고… 즐겁게… 살 수 있습니다… 누구나….

이 목소리는 뭔가? 사방에서 들린다. 혹은 머릿속에서 울리고 있다.

짝퉁 메리가 왼쪽 눈썹만 꿈틀 올렸다.

"역시 나가는 것은 금지인 모양이야."

규칙… 하나… 조용히… 떠들지 말 것….

"입을 열지 말고 잠자코 있으라고?"

세토라는 쓴웃음 지었다. 목소리의 주인이 누구인지는 모르지만 꽤 강압적이다. 적어도 이 거리에서의 즐거운 삶인지 뭔지는 세토라의 성격에는 맞지 않겠지. 그렇다면 어떻게 할까? 생각할 필요도 없다.

지금 당장 이 거리에서 나가는 것이다. 세토라는 키이치의 옆구리를 사이에 끼고 있는 두 다리에 힘을 주려고 했다. 바로 그때였다.

이제부터 키이치와 태클로 돌파하려고 했던, 문을 막고 있는 넝쿨 식물의 벽이 반대편에서 부서졌다.

"뭐…?"

넝쿨 식물의 벽을 파괴하고 튀어나온 것은 커다란 원반. 아니, 저것은 거울인가?

하지만 거대한 거울이 저 혼자서 움직인다는 것은 아무리 여기라도 일어날 리 없는 현상인 모양이다. 그 거울에는 손잡이가 있었다. 손잡이를 잡고 있는 비만의 남자는 거울을 들어 올려 머리 위에서 빙글빙글 돌리면서 세토라와 짝퉁 메리를 날카롭게 노려보았다.

"너희들, 요무입니까?!"

"요무?"

세토라는 자기도 모르게 짝퉁 메리를 쳐다보았다. 짝퉁 메리도 짚이는 바가 없는 듯 고개를 갸웃거린다.

"아마노 아니라고 생각하네만… 생각하는데'?"

"보아하니 요무스럽지는 않군요. 그렇다는 건 뭐지?! 보기에는 반마도, 몽마도 아닌 것 같고 트릭스터처럼 보이지도 않아. 그렇다는 건?! 도대체 뭡니까? 너희들은. 치워버리면 되는 건가?!"

"뭐하는 거시래? 톤베! 니 음청 뚱보에 멍추이데이!"

넝쿨 식물의 벽에 뚫린 구멍으로 다른 남자가 모습을 드러냈다.

"…엄청난 사투리네."

짝퉁 메리가 중얼거렸다. 정말 상당히 특징적이고 알아듣기 힘든 발음인데 용모도 상당히 특이하다.

저렇게 턱이 긴 인간이 존재하는 건가? 남자는 입을 수건으로 가렸는데 너무 긴 턱이 다 가려지지 않는다. 밑으로 삐져나와 있다. 과연 눈썹이라는 것이 저렇게 정삼각형으로 자라는 것일까? 눈동자가 상당히 작다. 저런 삼백안은 예로부터 흉상이라 여겨져 기피당했다. 게다가 남자의 이마는 어떻게 된 건가? 어떻게, 랄까, 좁다, 고나 할까, 거의 없다. 저 좁은 면적으로는 이마라고 인정하는 것이 어려울 테지. 그렇다는 것은, 저 사내는 이마가 없는 건가? 이마가 없다니.

임팩트 쩐다… 는 표현이 떠올라 세토라는 눈살을 찌푸렸다. 자기 머릿속에는 없던 어휘다. 쿠자크라면 말할 것 같지만. 그러나 정말로 임팩트 쩐다.

사내는 등에 비스듬히 찬 대검 칼자루에 손을 대고 세토라를 노려보았다.

"어엉…? 뭐시래? 너희들."

거울남은 둘째치고 이 사내는 상당히 실력파다… 이렇게 느꼈지만, 지나치게 임팩트가 강렬한 인상에 아무래도 웃어버릴 것 같다.

"이쪽이 묻고 싶다."

세토라는 애써 웃음을 참고 진지한 표정을 유지하도록 노력하라고 스스로에게 강요해야만 했다. 웃으면 곧바로 임팩트남은 세토라에게 덤벼들 것이다. 사내의 첫 검을 막아낼 수 있을지 어떨지. 경우에 따라서는 단칼에 결판이 나버릴지도 모른다. 그런 위기감을 느낄 정도로 꺼림칙하게 흉포한 기백을 임팩트남은 발산하고 있다.

거울남은 거대 거울을 들었다. 살찐 몸이 거대 거울에 거의 가려졌다. 저 거대 거울은 손거울을 그대로 크게 확대한 것 같은 모양인데, 도대체 어떻게 들고 다니는 건가? 잘 모르겠다.

허리를 낮추고 왼팔을 축 늘어뜨린 임팩트남이 오른손으로 대검 손잡이를 쥐기도 하고 놓기도 하면서 한 발, 한 발 다가온다.

온몸의 털을 곤두세우고 전투태세를 취하고 있는 키이치라도 임팩트남을 상대하는 것은 상당히 힘겨울 것이다. 거울남도 만만히 볼 상대는 아니겠지. 짝퉁 메리가 어디까지 해줄지. 아무튼 총력전을 각오할 필요가 있을 것 같다.

세토라는 키이치의 등에서 뛰어내려 품속에 넣어두었던 위혼기

(偽魂器)를 꼭 쥐었다.

"엠바!"

렐릭(유물)의 힘으로 생성된 위혼. 그것이 봉인된 위혼기는 인조인간 엠바의 본체다. 그렇기는 해도, 시체와 금속 장갑으로 만든 엠바의 몸은 완전히 망가져 없어져버렸다. 시체는 위혼기가 없으면 구동하지 못하고 그저 인형이나 마찬가지지만, 위혼기 역시 시체가 없으면 그저 딱딱한 구체에 불과할 뿐이다. 선조들이 말하기를, 몇 군데의 구멍에서 스며 나오는 파란 빛의 명멸로 위혼의 의사를 읽어낸다고 한다. 그런 것은 착각이라고 세토라는 생각한다. 몸을 새로 만들지 않으면 엠바가 움직이는 일은 없다. 세토라의 고향인 숨겨진 촌락이 아닌 다른 곳에서 몸을 만들게 된다면 도구도, 재료도 처음부터 새로 다 모아야 하기 때문에 아주 조심스럽게 말해도 대단한 일이다. 엠바에게 새로운 몸을 장만해주기란 지극히 어렵겠지.

엠바는 이미 죽은 거나 마찬가지다.

무슨 인과인지 슈로 가문에 태어나 사령술사로서 처음 만든 인조인간이 엠바였다. 잇달아 새로운 인조인간을 만들었다가는 망가뜨리고 최첨단의 인조인간을 목표로 하는 슈로 가문의 방식에는 익숙해질 수 없었다. 이 손으로 생명을 만들어냈다. 만들어버린 이상은 망가뜨릴 수는 없다. 엠바를 최후의 인조인간으로 하기로 결심했다. 말 못하는 엠바는 묵묵히 따라주었다. 언제나 곁에 있었다. 친구 같은 존재였다. 그 엠바를 죽게 만들었다.

세토라가 죽인 거나 마찬가지다.

죄책감 같은 건 없다. 엠바는 인조인간이다. 주인인 사령술사에게 끝까지 몸 바쳐 충성한다. 엠바는 당연한 일을 했다. 엠바는 물론 세토라를 탓하거나 하지 않는다. 그 누구에게서도 질책을 받을 이유는 없다.

엠바는 이제 없다. 분명 두 번 다시 돌아오지 않는다. 세토라는 그저 그 사실을 받아들이면 된다. 그것 말고 할 수 있는 일은 없다. 그게 맞는 거여야 했다.

임팩트남이 하늘을 나는 것처럼 도약해서 다가온다. 세토라의 동체 시력으로는 도저히 캐치할 수 없는 스피드다. 세토라나 키이치 중 어느 한쪽이, 혹은 양쪽 다 임팩트남의 대검에 쉽사리 단칼에 동강이 난다. 갑자기 엠바가 나타나 임팩트남 앞을 막아서지 않았다면 확실히 그렇게 되었을 것이다.

엠바의 금속으로 덮인 긴 왼팔이 임팩트남의 대검을 튕겨냈다. 사이를 두지 않고 곧바로 오른팔이 바람을 가르는 소리를 냈다. 임팩트남은 휙 사라지더니 다른 장소에 출현하는 것 같은 신기한 몸놀림으로 후퇴해서 엠바의 오른팔을 피했다.

"—뭐시여…?!"

"우옷…?!"

거울남이 거대 거울로 키이치의 급습을 튕겨냈다. 키이치는 펄쩍 뛰어 물러나 자세를 바로 잡고, 혹… 하고 짖었다. 저 거대 거울, 상당한 방어력이다. 거울남은 워 해머를 등에 둘러메고 있는데, 거대 거울과 동시에는 쓸 수 없다. 임팩트남과 거울남이 공수를 서로 보충하는 형태의 2인조라는 건가?

짝퉁 메리는 헤드 스택 끝으로 바닥을 콩, 콩 찍으면서 정관하고 있다. 역시 의욕이 없는 모양이다. 여차하면 어떻게 나올지 예측할 수 없는 면도 있지만, 지금은 엠바와 키이치가 애써줘야 한다.

몸을 잃었던 엠바가 어째서 여기에 있는 건가? 게다가 세토라가 위혼기를 만지작거리며 마음속으로 바라면 출현한다. 이것은 어떤 시스템에 의한 현상인 것인가? 세토라도 전혀 짚이는 바가 없지만, 현재 엠바는 있다. 이 기묘한 세계에서 몇 번이나 세토라를 지키고 적을 물리쳤고, 방금 전에도 임팩트남의 대검을 제대로 튕겨냈다. 환상이 아니다.

엠바는 피부를 전혀 노출하지 않았다. 세토라가 자기 손으로 직접 짠 신축성 있는 시체용 천을 온몸에 감아 완전히 덮었다. 두 팔 등의 요소요소에 장갑을 장착한 것도 세토라다.

어디서부터 봐도 엠바는 엠바 이외의 그 무엇도 아니다.

단, 한 치도 다름없다고는 말하기 힘들다고나 할까, 말할 수 없다.

엠바의 키는 성인 남성과 같은 정도거나 약간 작은 정도였다. 엠바를 만들기 시작했을 때 세토라는 아홉 살이었기 때문에 그것도 꽤 크게 느꼈지만, 지금에 와서는 그렇지도 않다. 그렇지 않았던 것이다.

엠바는 성장했다.

—성장한 건가?

물론 아니다. 그럴 리가 없다. 인조인간은 줄어들지도, 여위지도 않는 대신에 키가 크거나 살이 찌는 일도 없다. 그래야 하는데, 임팩트남의 키는 아마도 평균 이상이라고 생각하는데도 엠바보다 작은 것 같다. 아니, 확실히 작다.

엠바는 분명히 커졌다.

"가라, 엠바, 키이치."

그게 무슨 상관이야? 키이치는 저렇게 되었잖아. 엠바는 커진 것 뿐이다. 별일 아니다.

엠바가 임팩트남에게 덤벼들고 키이치는 거울남을 향해서 돌진한다. 임팩트남은 흔들흔들 몸을 흐느적거리면서 좌우로 움직이며 엠바의 두 팔의 맹렬한 공격을 피한다. 피한다. 피한다. 피하는 것 뿐인가 했더니 대검을 창처럼 찌르면서 반격한다. 엠바는 몸을 뒤로 젖혀 피하고 그대로 뒤로 넘어진다. 자세를 바로잡기도 전에 "─으라차차아아아아…!" 포효하며 덤벼드는 임팩트남을 엠바는 제대로 처리할 수 있을까? 어떻게든 처리해줘. 상대는 아직 진짜 힘을 다 내지 않았다. 이쪽의 실력을 가늠하는 단계다. 키이치도 두 앞발의 엄청난 고양이 펀치, 더욱이 앞구르기에서 내지른 뒷발 킥을 거대 거울에 막혀 애를 먹고 있다. 임팩트남은 엠바를 압도할 수 있다고 판단하면 단숨에 공격으로 전환하겠지. 그전에 선수를 치고 싶지만 세토라에게는 방법이 없다.

짝퉁 메리를 보니 쪼그리고 앉아 무릎을 안고 있었다. 뭘 하고 있는 거야? 저 녀석은. 더 이상 참을 수 없게 되어 세토라는 짝퉁 메리에게 호통을 치려고 했다.

"이…."

"잠깐, 잠깐, 잠깐!"

누군가가 넝쿨 식물의 벽에 뚫린 구멍에서 거리 안으로 굴러들어왔다.

키가 크고, 단 바람 대비책이겠지, 입을 천으로 가렸다. 저것은.

"스톱 스톱 스톱! 톤베 씨, 고미 씨, 적이 아니에요! 내 동료라니까! 싸울 필요는 없다고!"

"어엉?!"

"뭐라고요?!"

임팩트남과 거울남은 나란히 펄쩍 뛰었다.

"기, 기다려!"

세토라가 명령하자 엠바와 키이치도 물러섰다. 남자는 입을 가린
천을 풀었다.

"우오오오오오오오오오오오오! 메리 씨, 세토라 씨! 대박!"

뭐가 대박이냐고. 도대체 뭐야? 그 얼굴은. 보는 내가 부끄러워
지네. 그런 식으로 얼굴 전체가 구겨지는 것처럼 웃는 놈이 어디 있
어? 눈에 눈물까지 글썽인다. 기쁜 마음은 알겠지만, 우는 것은 이
상하잖아. 이상한 게 맞다.

그런데도 세토라까지 코끝이 찡해지고 눈 주변이 뜨겁다.

설마 울어버리는… 건가?

"오랜만, 쿠자크."

반면에 짝퉁 메리는 어느 틈엔가 일어서서 빙긋 웃으며 손을 흔
든다. 당연하다고 해야 할까? 아무런 감개도 없겠지만, 좀 더 그럴
듯하게 연기하면 어때? 쿠자크는 감격에 겨워 판단력이 저하된 듯,
눈물을 닦으면서 응, 응이라며 몇 번이나 끄덕이고 있으니 일단은
괜찮은가?

"…그보다, 어라?"

쿠자크는 키이치를 보고, 그리고 엠바에게 시선을 향하더니 "어
어어어어엇?!" 큰 소리를 냈다.

"어, 어엇?! 어어어어어?! 뭐뭐, 뭐, 뭐어어어어어어어어…?!"

"시끄러워, 멍텅구리!"

더 있었나?

이번에는 누구냐? 여자인 것 같다는 사실은 목소리로 알았다. 쿠자크의 동행자이겠지만, 시호루는 아닌 것 같다. 이 세계에 있는 것은 괴물들뿐만이 아니다. 거울남도 그렇고 임팩트남도 그렇고 인간이다. 분명 하루히로 팀과 마찬가지로 의용병이겠지. 그렇다는 것은, 저 여자도 그런 건가?

여자는 넝쿨 식물의 벽에 뚫린 구멍 너머에 서서 팔짱을 끼고 있다. 거리에 들어오려고는 하지 않는다. 임팩트 강렬한 턱이 긴 남자나 쿠자크와 마찬가지로 입을 천으로 가리고 하얀 바탕에 파란 줄무늬 옷을 입었다. 신관복이라는 것이다.

"뭐야? 너는."

"당신이야말로 뭐지?"

"나는 슈로 세토라고 한다. 너는 누구냐?"

"나는 이오. 이오 님이라고 부르는 걸 허가할 수도 있어."

"허가 따위 필요 없다."

"어째서?!"

"너한테 님을 붙여 부를 이유가 나에게는 없으니까."

"이 나를 공경해서 이오 님이라고 불러야 할 이유를 모르겠다고? 어머나, 머리가 나쁜 걸까?"

"그건 너지. 그런데 쿠자크."

"우엉?"

쿠자크가 멍청한 얼굴을 하고 자기 자신을 가리켰다. 딱히 명석한 편은 아니라는 것을 알고 있기 때문에 화가 나지는 않는다. 이것

은 이것대로 평가할 만한 부분도 있다.

"너희는 여기에서 뭘 하고 있는 거야? 이 거리에는 뭘 하러 온 거지?"

"아아, 그건 말이지…."

규칙… 하나… 조용히… 떠들지 말것…,
규칙… 둘… 싸움은… 안 돼… 온화하게… 상냥하게… 즐겁게…,
규칙… 셋… 이 마을에서… 나가서는… 안 됩니다… 절대로…,
규칙… 넷… 다른 사람들을… 따라 합시다…,
규칙을… 지키지 않으면… 안 돼… 즐겁게… 나가…,

그 목소리가 들렸다. 어쩌면 시끄럽게 떠드느라 인식하지 못했던 건가? 실은 계속 들렸던 건지도 모른다.

나가지 않으면… 죽이겠습니다….

세토라는 뒤를 돌아봤다. 경솔했다. 왁자지껄 떠드느라 지금까지 전혀 눈치채지 못했던 것이다.

길에도, 건물 위에도, 건물과 건물 사이에도, 있다. 연무 때문에 윤곽이 불확실했지만, 인간 같은 것도 있고 인간과 비슷하면서도 다른 것도, 인간과는 동떨어진 것도 있다. 거리 전체에서 모여든 건지도 모른다. 우글우글했다.

"…저기, 우리가 여기에 온 것은, 이드를 모으러?"

쿠자크는 세토라에게 다가와 대검을 뽑았다. 하지만 이 사내, 키는 원래 컸지만 이렇게 큰 체격이었나?

"…라고 말하면, 알까?"

"아니, 전혀 모르겠어. …하지만 대비해. 엠바, 키이치."

엠바와 키이치가 세토라의 양옆을 가드했다. 짝퉁 메리도 내키지 않는다는 듯이 헤드 스택을 쥐고 있다. 거울남과 임팩트남도 앞으로 걸어 나갔다.

거리의 주민들은 일핏 보기에는 미동조차 하지 않는다. 그러나 그들은 방금 전까지 거기에 없었던 것이다. 분명히 다가왔다. 서서히 다가와, 머지않아 봇물 터지듯이 덤벼들겠지.

"살육하는 거야."

마치 이오가 그들에게 명령한 것 같았다. 온다. 거리의 주민들이 밀어닥친다. 세토라는 얼핏 생각했다. 살육하긴커녕 이쪽이 살육당하는 것 아닌가?

"…앨리스?"

틀림없다. 앨리스 C가 나를 내려다보고 있다.

"응…."

앨리스가 고개를 끄덕였다.

나?

…라니?

나….

그런가.

"…나…."

뭔가를 안고 있다. 이것은?

사람인가? 인간이다.

그 머리카락에 내 얼굴을 묻은 것 같은 자세를 하고 있다. 뒤에서
…… 껴안고 있는, 것 같은, 그런 상태로, 옆으로 누워 있다. 여자인
가? 왜 내가 여자한테 달라붙어서, 이러고 있지? 라고는 생각하지
않았다. 금방, 아니, 그제야, 라고 말해야 할지도 모르지만, 알았다.
그녀가 누구인지.

"…이토… 누이…."

그녀는 꼼짝도 하지 않고 축 늘어져 있다. 하루히로는 그녀 밑에
깔린 팔을 빼고서 그녀를 일으키지 않고 일어섰다.

그녀는 예의 그 속옷 같은 옷을 입었는데, 꽤 갑갑한 것 같다고
나 할까, 여기저기가 찢어졌다. 몇 개나 겹쳐 낀 안경을 빼지 않아
도 하루히로는 그녀의 맨얼굴을 잘 알고 있었다. 레저넌스의 마법

으로 그녀에게 동조했었기 때문이다. 그녀 속으로 들어가, 일체가 되었다. 그런 식으로 말하는 게 실태에 적합한지도 모른다.

하루히로는 이토 누이였다. 지금은 이토를 무척 가깝게 느낀다. 타인이라고는 생각할 수 없다. 누이의 아픔과 괴로움, 기쁨을 하루히로는 눈에 보이는 것처럼 알게 되었다. 누이의 정신을 거의 차지하고 있던 앨리스에 대한 집착까지도 자기 것인 것 같다.

그 탓인지 누이의 뺨을 만지는 일을 주저하지는 않았다.

"누이 씨?"

씨를 붙여 부르는 것은 오히려 적절치 않은 것 같다.

"…누이….”

예감은 일절 없었다. 그래서 하루히로는 그저 신기했다.

어째서 누이의 뺨은 이토록 차가운 것일까?

당황하지는 않았다. 그저 이상하다고 생각하고, 순서대로 확인했다.

누이의 온몸은 이완되어 있다. 움직이는 부분은 하나도 없다. 립스틱인지 뭔지를 칠해서 새빨갛게 물든 입술은 조금 벌어진 채다. 가슴은 전혀 오르락내리락하지 않는다. 하루히로는 반쯤 노출된 누이의 가슴에 귀를 대봤다. 심장 소리가 들리지 않는다.

거기까지 하고 그제야 하루히로는 당황했다.

"멈췄어! 심장이! 숨을, 쉬지 않아! 앨리스!"

"응."

"아니, 응이 아니잖아?! 누이가….”

"알아."

"뭐가… 그렇다면… 어? 안다… 고? …도대체, 뭘…?"

"누이는 이미 죽었어."

"죽….."

"아무리 봐도 죽었어."

"아니, 하지만 아직….."

"인공호흡이라도 해볼 거야? 그럼 할까? 나는 소용없다고 생각하는데."

"할 거야. 해야지. 당연하잖아. 그야, 당연히 해야지, 그러니까, 순서는….."

"대충 알아. 거들게."

누이의 얼굴을 뒤로 젖혀 기도를 확보하고 입으로 입에 숨을 불어넣는 것은 앨리스가 해주었다. 가슴이 불룩하게 올라올 때까지 숨을 불어넣으면, 누이가 숨을 뱉어내기를 기다렸다가 다시 불어넣는다. 이것을 두세 번 하고 이번에는 가슴 한가운데를 두 손으로 강하게 누른다. 꽤 빠른 속도로, 가슴이 5센티미터 정도는 꺼질 정도로 눌러야 한다. 이것을 30회 반복하고 또다시 숨을 불어넣는다.

앨리스가 처음으로 숨을 불어넣었을 때부터 반응이 느껴지지 않았다. 누이의 몸은 마치 만든 것 같아서 하늘의 철탑의 바깥 계단이나 고철더미에 흩어진 소녀 인형들과 큰 차이가 없는 것처럼 느껴졌다. 누이는 여기에 있는데도, 어디에도 없었다. 완전히 죽었다. 그래도, 그만두자고는 말할 수 없었다. 계속하는 수밖에 없었다.

누이는 나 자신 같은 것이다. 누이의 기억이, 감정이, 확실히 달라붙어 있다. 성가신 면도 있었다고 앨리스가 말했었다. 확실히 누이는 선량하지도, 순진하지도 않았다. 그래도, 그렇게 살아갈 수밖에 없는 이유가 있었고, 누이 나름대로 노력했다. 파라노에 흘러들어와 앨리스와 엇갈리고, 누이는 절망하고, 이성을 유지할 수 없게 된 끝에 트릭스터로 변모했다. 아니, 인형사로서의 누이는 착란 상태였던 것뿐이다. 하루히로는 파라노에서 잠들었다가 꿈을 꾸어 몽마를 만들어낸 적이 있다. 꿈의 내용은 기억나지 않지만 지독한 악몽이었다. 말하자면, 누이는 깬 채로 최악의 꿈을 계속 꾸고 있었다. 그 탓에 앨리스와 재회해도 그 상대가 그토록 찾아 헤매던 앨리스라는 것을 인식힐 수 없었다.

지금, 악몽은 끝났다.

앨리스가 있다.

누이는 다시금 앨리스와 만날 수 있었다.

"…그런데도, 어째서….”

"이제 그만하자.”

앨리스의 입 주변이 새빨갛게 더러워졌다. 몇 번이나 몇 번이나 누이에게 인공호흡을 한 증거다. 누이는 기뻤겠지. 그토록 앨리스를 좋아했었으니까. 사랑과는 다를 테고, 그것이 이른바 애정인지 아닌지도 하루히로는 잘 모르겠지만, 누이는 몸과 마음을 다해 앨리스를 원했었다. 앨리스는 좀 더 누이에게 다정하게 대해줘도 좋았을 것이다. 몇 명인가 있는 친구 중의 한 사람 같은 그런 취급이 아니라, 절친 정도의 위치에 올려주고 사이좋게 지내도 괜찮지 않았을까? 누이는 앨리스를 너무나 좋아했던 것이다.

"…이제야 만났잖아.”

"하지만 누이는 죽었다.”

"들렸어. 마지막에, 앨리스의 목소리가. 몇 번이나 누이의 이름을 불러줬지? 전해졌어. 분명히 들었어. …들었을 거야.”

앨리스는 손등으로 거칠게 립스틱을 쓱쓱 문질러 닦더니 턱까지 내렸던 마스크를 끌어올렸다.

"너는 누이와 동화했었군. 마법을 증폭시키는 것만이 아니었던 거야. 그것이 레저넌스의 정체인가? 나와도 동화했었어?"

"…몰랐어. 의식해서 한 것이 아니야, 앨리스한테는. …하지만, 누이는."

"구할 수 있을지도 모른다고 생각했어?"

"…확증은 없었지만. 구할 수 있을 리가 없지. 하지만, 그래도 혹시나 하고…."

"아마도 나를 만났으니까 누이는 죽었을 거야."

앨리스는 누이의 안경을 하나씩 뺐다. 모든 순간이 멈춘 것처럼 보이는, 정중한 손길이었다.

"누이는 계속, 언제나 힘든 것 같았으니까. 나처럼… 내가 되고 싶다고, 이상한 아이. 그렇게 좋은 것도 아닌데도. 살아 있는 일 자체가 별로 좋은 것이 아닌가?"

"…내가, 그런 짓을 하지 않았다면."

"그럴지도."

"내 탓이야."

"그렇다고 해도, 글쎄. 달리 어떻게 할 수도 없었잖아."

"…구하지 못했다."

"이제 그런 건 상관없어. 누이는 너를 질책하거나 하지 않아. 죽어버렸으니까. 나도 네가 잘못했다고는 생각하지 않아. 생각해봤자 뭐가 어떻게 되는 것도 아니니까."

앨리스는 누이의 안경을 전부 빼버리더니 모자도 벗겼다가 다시

씌우고는 키득 웃었다.

"누이도 참, 우스워. 역시 이상해, 이거. 안 그래? 하루히로."

"…응.

"거들어주지 않을래?"

"뭘… 거들면 돼?"

"여기에 내버려두는 것도 좀. 뭔가 좀, 뒤끝이 개운치 못하니까."

거들어주는 정도가 아니라 하루히로는 거의 혼자서 누이를 운반했다.

계단에서는 옆으로 안고 올라갈 수 있었지만 사다리는 그럴 수도 없다. 하나하나 시도해본 결과, 누이를 등에 업고 외투며 그런 것으로 묶어 고정하면 간신히 갈 수 있을 것 같았다. 무겁기는 했지만 못 견딜 정도는 아니다.

여기는 파라노니까 등에 업은 누이가 갑자기 움직이기 시작하는 것 아닐까 하고 몇 번이나 생각했다. 죽어버렸다고 해서 되살아나지 말라는 법은 없다. 누이는 죽었다. 아직 죽어 있는 것뿐이다.

"이쯤이면 될까?"

앨리스는 계단 층계참 구석에서 다리를 밖으로 내밀고 앉아 있는 남자의 머리를 톡, 두드리며 그렇게 말했다. 언제였던가? 앨리스가 가르쳐주었다. 그 남자는 스스로 녹이 스는 것을 선택해서 이 장소에 머물렀다. 녹이 슨 동상으로밖에 보이지 않지만, 남자는 어쩌면 죽지 않은 건지도 모른다.

하루히로는 누이를 내려놓고 하늘의 철탑 외벽에 등을 기대게 해서 앉혔다. 누이는 죽었으니까 몸의 각도나 팔이나 다리 위치를 적절하게 조정하지 않으면 쓰러져버린다. 게다가 반라에 가까운 옷차림이 아무래도 마음에 걸렸다.

"좋은 생각이 났다."

앨리스가 비옷을 벗어 누이에게 입혀주었다. 그리고, 둘이서 시행착오를 거듭해가며 간신히 누이의 자세를 안정시켰다.

두 다리를 약간 벌려 쭉 뻗고 배꼽 부근에서 두 손을 깍지 끼고 고개를 숙인 누이는 조는 것처럼 보인다.

누이에게서 비스듬히 앞에 그 남자가 앉은 채로 녹슬어 있다.

조만간 누이도 녹슬기 시작하겠지.

앨리스는 친구인 누이가 아니라 남자 옆에 앉았다.

하루히로는 그 옆에 쪼그리고 앉았다.

두 사람도 녹슬어버리는 게 아닐까 생각될 정도로 거기에 오랫동안 가만히 있었다. 어쩌면 실은 그게 아니라 아주 잠깐 동안 말없이 있었던 것뿐인지도 모른다.

하루히로는 외투를 벗어 앨리스의 어깨에 덮어주었다.

"고마워."

앨리스는 하루히로 쪽을 보지 않고 그렇게 말하더니 외투 앞을 여미면서 일어섰다.

"갈까."

앨리스가 걷기 시작해도 하루히로는 한동안 그 자리에서 움직일 수가 없었다. 앨리스는 멈춰 서지 않을 테고 돌아보지도 않겠지. 그래도 마음이 내키면 누이를 만나러 오겠지. 지인이었다는 이 녹슨 남자 곁을 때때로 방문하는 것처럼.

안녕, 누이.

하루히로는 목소리는 내지 않고 속으로 그렇게 인사하고 종종걸음으로 앨리스를 쫓아갔다. 이미 하루히로의 외투는 앨리스에게 익숙해져서 비옷처럼 보였다.

사다리를 내려오고 계단을 내려갔다.

도중에 계단을 올라오는 아히르의 모습이 눈에 들어왔다. 아히르도 하루히로를 본 모양이었다.

아히르가 사다리를 올라온다. 하루히로와 앨리스는 그 위에서 기다렸다.

"밑에 인형이 흩어져 있었다. 움직이지 않는 인형이 대량으로. 저거, 인형사 거지?"

"몰라."

앨리스의 대답은 퉁명스러웠다. 아히르는 뭔가를 눈치챈 건지 더이상은 묻지 않았다.

"왕의 신하가 늘어난 모양이야. 못생긴 남자 두 명을 거느린 여자는 전에 본 적이 있어. 하지만 또 한 사람, 꺽다리 신참이 있었다."

"쿠자크다. …내 동료야."

하루히로가 말하자 아히르는 불쾌한 듯이 얼굴을 찡그렸다.

"어떻게 알아?"

"우리는 칠색두더지 소굴에서 나오는 너를 멀리에서 봤었어. 네 뒤에 그 여자들이 나타났었다."

"…아무래도 아직 나를 신용하지 않는 모양이네, 앨리스."

"내가 너를 믿을지 아닐지는 너 하기 나름이다, 아히르."

"나는 그녀를 구하고 싶다. 그것뿐이다."

"나는 그 똥 덩어리를 쓰러뜨리고 싶다."

"새로운 왕이라도 되려는 건가?"

"흥미 없어. 나는 단지, 이 말도 안 되는 세계와 작별하고 싶다."

전에 원래 세계로 돌아가고 싶지는 않느냐고 앨리스에게 물었었다. 앨리스는 명확하게는 긍정하지 않았다. 분명히, 별로, 라고 했던가 뭐라 했던가? 그 후에 심경의 변화를 일으킨 것인가? 아니면 상황이 변한 것인가? 친구가, 누이가 죽었으니까, 이제 여기에 있을 의미가 없다. 그래서 황당무계한 세계와 작별할 생각인 것인가?

"…왕을 쓰러뜨리면, 이 세계와 작별할 수 있어? 파라노에서 나갈 수 있다는 뜻?"

"문이 있다."

대답한 것은 앨리스가 아니라 아히르였다.

"왕의 옥좌는 문이다. 문은 원래부터 있던 것 같아."

"문…."

하루히로 일행은 레슬리 캠프에서 유물 같은 문을 열었다. 그 문을 지나자 그곳은 파라노였다.

"…내가 아는 문은, 뭐랄까, 문 뒤에는 아무것도 없어. 벽에 붙어 있거나 하지는 않고. 열어도 반대편이 보일 뿐이었어. 그런데도 들어가면 다른 장소로 나간다. …다른, 세계로. 그리고, 다시 돌아갈 수는 없어."

"나는 문을 여는 장면은 본 적이 없어. 알 수 있는 것은, 그것이 틀림없이 문의 형태를 하고 있다는 것뿐이다."

"나는 있어."

앨리스가 중얼거리듯 말했다.

"보여줬었어. …보라고 과시했다고 하는 편이 좋을까? 그 똥 덩어리는 내 앞에서 딱 한 번, 문을 열었다."

옛날 옛적 어떤 곳에 위대한 왕이 있었습니다.

왕은 아무튼 위대했습니다. 너무나 위대해서 아무도 왕에게는 거역할 수 없었는데, 사실을 말하자면 이것은 인과 관계가 반대입니다. 아무도 왕에게 거역하지 못하기 때문에 왕은 위대한 것입니다. 거역하는 자를 모두 물리치기도 하고, 납작하게 만들어버리기도 하고, 이제부터는 말을 잘 들을 테니 제발 용서해주십시오… 라고 사죄하게 만들어 신하로 삼기도 해서, 왕은 세상에서도 위대한 왕이 되었습니다.

그런데, 그런 위대한 왕이기 때문에 신하가 많았습니다. 그러나 왕은 무능한 인간을 싫어하기 때문에, 이 녀석은 어떻게도 써먹을 수 없다고 생각하면 납작하게 만들어버렸습니다. 왕이 엄청난 힘으로 납작하게 만들면 그자는 그림자만 남게 되어버립니다.

그림자는 주변을 어슬렁거리기도 하고, 눈 같은 건 없는데도 신하들을 감시하기도 하고, 귀도 없는데 염탐하기도 하며 나쁜 음모를 꾀하는 방자한 자가 있으면 왕에게 급히 달려가, 소곤소곤… 그림자와 왕밖에 모르는 언어로 그것을 전합니다. 빨간색과 파란색의 차이를 구별하는 것도, 삼각형의 면적을 구하는 것도 그림자는 할 수 없습니다. 그래도 멍하니 어슬렁거릴 때 이외에는 대개 왕을 위해 배신자를 찾았습니다.

위대한 왕은 점점 신하와 그림자를 늘려 끝없는 행진을 계속했습니다만, 어느 때 문득 자기 성이 없다는 것에 불만을 가졌습니다. 그 말을 신하들에게 하자, 내가 바로 왕의 제일가는 신하라고 자부

하는 남자가 이렇게 진언했습니다.

"일찍이 이나미라는 거리가 있었던 장소가 지금은 근사한 화원이 되었다고 들었습니다. 화원의 영주인 하나메를 제가 물리쳐 폐하께 그 땅을 바치고 싶습니다만, 어떠신지요?"

왕은 기뻐하며 남자에게 기사의 칭호와 바야드라는 훌륭한 이름을 주고 하나메 토벌을 명령했습니다. 그러나 바야드는 하나메를 토벌하긴 고사하고 도리어 붙잡혀버리고 말았습니다. 몇 명이나 되는 신하가 화원에 발을 들였지만 한 명도 돌아오지 못했습니다.

왕은 마침내 몸소 화원에 행차하기로 했습니다. 그러자 두 번째 신하가 다음과 같이 아룁니다.

"애초에 화원 따위에 성을 세워야 하는 것일까요? 하늘을 향해서 뻗은 탑이 있습니다. 그 누구와도 비할 수 없이 위대한 폐하께는 그 높은 탑이야말로 딱 어울리신다고 사료됩니다. 제가 탑 꼭대기까지 올라가 거기에 왕성을 세우겠습니다."

확실히 화원보다는 이 세상에서 가장 높은 장소야말로 자기에게 어울릴 것이라고 왕은 느꼈습니다.

"그렇다면, 다녀오라."

"분부 받들겠사옵니다, 폐하."

이렇게 해서 두 번째의 신하는 하늘의 철탑으로 떠났는데, 어떻게 된 일인지 아무리 기다려도 돌아오지 않았습니다. 왕의 명령으로 몇 명이나 되는 신하가 두 번째 신하를 찾으러 갔습니다. 그러나 하늘의 철탑은 올라가도 올라가도 끝이 없었습니다. 딱 한 명 돌아온 신하가 있어 이렇게 보고했습니다.

"폐하, 두 번째 신하는 찾지 못했습니다. 저는 탑의 꽤 높은 곳까지 올라갔습니다만, 꼭대기가 전혀 보이지 않아 포기하고 말았습니다. 제 생각에는 그 탑은 끝없이 솟은 것이 아닌가 합니다."

왕은 노해서 그 신하를 납작하게 만들어버렸습니다.

"과거에 시그하리라는 거리가 있던 장소에 성을 세우는 것은 어떠신지요?"

그렇게 진언한 것은 잠자는 남자였습니다.

잠자는 남자는 길핏하면 잠들어버렸고 그가 잠들면 괴물이 우르르 나타나기 때문에 신하들은 성가셔했습니다. 그러나 왕은 잠자는 남자를 마음에 들어 해서 곁에서 수발을 들게 했습니다. 왜냐하면, 그가 잠들면 생겨나는 괴물들을 발로 차거나 때려눕히면 때려눕힐수록 왕의 힘이 강해졌기 때문입니다.

"시그하리는 이 세상에서 가장 큰 거리였습니다. 사람이 개미 떼처럼 우글우글 살고 있었고 대단히 번영했습니다."

"잠자는 남자여, 그런 거리가 어째서 멸망한 것인가?"

"지금보다 옛날, 이 세상에 일곱 개의 거리가 있었습니다. 사람들은 욕심이 많아 다른 거리의 사람들이 자기들보다 좋은 삶을 살기를 바라지 않았기 때문에, 빼앗고 부숴버리려고 이윽고 전쟁을 시작한 것입니다."

"왕은 한 명으로 족해. 그들은 단순한 사실을 몰랐던 것이로군."

"그렇습니다, 폐하. 전쟁이 끝날 무렵에는 일곱 개의 거리는 다들 망해버렸습니다. 그러나 시그하리가 최대의 거리였던 데에는 이유가 있습니다. 시그하리가 있던 장소에 왕성을 지어야 합니다."

"그럼, 그렇게 하지."

왕이 그렇게 말했기 때문에 신하들은 서둘러 과거에 시그하리였던 곳을 탐색했습니다. 시그하리는 가장 큰 거리였던 탓에 다른 거리들로부터 질시를 받아 철저하게 파괴당한 것입니다. 무수한 건물은 전부 무너져 파편 더미가 되어버렸기 때문에 그것들을 치우는 것만으로도 엄청나게 큰일이었습니다. 그렇기는 해도, 느긋하게 치우다가는 분통을 터뜨린 왕이 납작하게 만들어버릴지도 몰라서 게으름을 피울 수는 없습니다. 왕도 또한 신하를 늘려 작업에 종사하게 했습니다. 특히 구멍파기 달인인 칠색두더지는 큰 활약을 했습니다.

파편은 쓸 만한 것과 쓸 수 없는 것으로 나누어 쓸 만한 것은 쌓아놓고 쓸 수 없는 것은 버렸습니다. 쓸 만한 것들 중에 커다란 문이 있었습니다. 왕은 처음에 자기 방 출입구에 그 문을 달려고 생각했지만, 잠자는 남자가 반대했습니다.

"폐하, 그 문은 이 세상에 단 하나밖에 없는 특별한 것으로 시그하리에서 가장 중요하게 여기던 보물입니다. 그것을 숨겨 갖고 있었기 때문에 시그하리는 최대의 거리가 되었고 천국에 가장 가까운 장소라고도 불렸던 것입니다."

"그냥 문처럼 보이는데."

"이 문은 천국으로 통한다고 합니다. 문을 손에 넣으신 폐하는 언제든지 천국에 가실 수 있습니다."

"언제든지 갈 수 있다면 지금 당장 갈 필요는 없겠지."

"왕께서 하시고 싶으신 대로 하시는 것이 제일 좋다고 생각되옵니다."

"그럼, 그렇게 하지."

왕은 그 누구도 그 문을 건드려서는 안 된다고 명하고는 신하들에게 성 건설을 계속하게 했습니다.

완성된 성은 사람을 개미라고 치면 코끼리처럼 컸기 때문에 코끼리 성, 엘리펀트 성이라고 불렸습니다. 시그하리의 보물이었던 그 문은 왕의 방으로 운반해서 눈에 띄는 장소에 장식했습니다.

왕은 만족해서 잠자는 남자에게 상을 내리기로 했습니다.

"오랫동안 너는 꽤 잘해주었다. 뭔가 원하는 것은 없느냐?"

"저는 폐하를 모시기 위해 가급적 깨이 있도록 노력해왔습니다. 하오나, 너무나 졸려서 견딜 수가 없습니다. 윤허해주신다면, 가끔씩 잠에서 깼을 때 왕성이 보이는 장소에서 한동안 깨지 않고 잘 수 있도록 해주십시오."

"너는 욕심이 없는 사내다. 상을 내리지. 이 성이 보이는 장소에서 언제까지고, 얼마든지, 마음껏 자거라."

"황공하옵니다, 위대하신 왕이시여."

바라던 대로 잠자는 남자는 잠이 들게 되었습니다.

잠자는 남자가 땅바닥 위에 눕자 나무들이 진한 붉은색, 선홍의 싹을 틔우고, 자라나고, 이파리가 무성해졌습니다. 그것은 아름드리나무가 되고 이윽고 숲이 되었습니다. 잠자는 남자가 잠든 탓에 괴물도 출현했습니다.

이것을 보고 마치 산울타리 같다며 왕은 대단히 기뻐했습니다. 일곱 개의 거리의 전쟁에서 살아남아, 위대한 왕과 만나고, 역할을 마치고, 마침내 염원을 이루어 평온하게 잠이 든 잠자는 남자는 충신이며 복 받은 인간입니다.

왕은 종종 신하들에게 성을 증축시키기도 하고 개축시키기도 했습니다. 일솜씨에 불만이 있거나 일에 소홀함이 있다거나 하면 왕은 그 신하를 죽이기도 하고 납작하게 만들기도 했습니다.

신하가 적어지면 왕은 신하에게 명령해서 새로운 신하를 찾게 했습니다. 그러나 좀처럼 왕이 흡족해할 만한 신하는 찾을 수 없었습니다. 왕은 잠자는 남자를 그리워해서 선홍의 숲에 친히 행차해서 그의 이름을 몇 번이나 불렀습니다. 그러나 대답은 없었습니다. 잠자는 남자는 깊이 잠들어 꿈을 꾸고 있는 것입니다. 위대한 왕의 힘을 이용하면 숲을 전부 평평하게 만들어 잠자는 남자를 깨우는 것도 불가능하지는 않겠지요. 그러나 왕은 잠자는 남자를 자게 내버려두었고, 이제부터는 일을 잘한 신하는 칭찬을 많이 해주고 상을 주려고 생각했습니다. 그러는 동안에 신하가 어떤 배신 행위를 범하고 있는지는 전혀 모르고 왕은 귀갓길에 들어섰습니다.

그렇게 방으로 돌아와보니 이게 무슨 일입니까. 시그하리의 보물, 천국으로 통한다는 그 문이 열려 있는 것이 아닙니까.

게다가 열려 있는 문 너머는 왕의 방인데도 거기에서 어째서인지 신하의 머리만 튀어나와 있었습니다.

"신하여, 너는 무엇을 하고 있는 거냐?"

"폐하 부재중에 문을 열고 천국인지 뭔지에 가려고 했던 것입니다."

"왜 얼굴만 이쪽으로 나와 있는 건가?"

"아무래도 무서워져서 뒷걸음질로 천천히 걸었기 때문입니다."

"너는 천국에 있는 건가?"

"제 목부터 아래쪽은 천국에 있습니다. 얼굴만 이 세상에 남아 있는 것입니다, 폐하."

"천국이란 어떠한 곳인가?"

"제 얼굴은 이 세상에 남아 있기 때문에 아직 볼 수는 없습니다. 하지만 폐하는 이제 저의 왕이 아니니까 그것을 안다고 해도 가르쳐드릴 수 없습니다."

"이제 네 왕이 아니라니, 무슨 뜻인가?"

"이런 뜻입니다."

그렇게 말하자마자 신하의 머리는 문 너머로 사라졌습니다.

이렇게 해서 왕은 그 신하의 왕이 아니게 되고 말았습니다. 아무리 위대한 왕이라고 해도 천국으로 간 신하를 지배할 수는 없습니다.

왕은 격노해서 곧바로 성에 남아 있던 신하들을 불러 모아 모두 납작하게 만들어버렸습니다.

"제일가는 신하를 자처하던 기사 바야드는 실수했고, 두 번째 신하로 간주했던 남자는 하늘의 철탑에서 돌아오지 않았다. 잠자는 남자처럼 성실하면서도 유능한 신하는 어디 없는 것인가…?"

무능하고 신의를 모르는 신하 따위 백해무익하지만, 신하가 없으면 또 없어서 불편한 것입니다. 성을 떠났던 신하들이 돌아오자 왕은 새로운 신하를 계속해서 데려오라고 그들에게 재촉했습니다. 또한, 두 번 다시 무엄한 신하가 문을 열지 않도록 문에 사슬을 감아 등받이로 만들고 팔걸이와 시트를 달아 왕의 의자로 만들었습니다. 왕이 거기에 앉아 있으면 아무도 문을 열 수 없습니다.

"신하들은 신용할 수 없지만, 계속해서 납작하게 만들었다가는 조만간 다 없어져버린다. 어지간히 지독한 과오를 범한 자라면 또 몰라도, 일단은 감옥에 가두고 반성하게 해야겠다. 아무튼….."

엘리펀트 성이 완성되었을 때에는 유쾌해서 견딜 수 없었지만,

성을 갖고 나서부터는 자기 발로 어딘가에 가는 일은 적어졌습니다. 지금은 문이라는 보물을 지켜야만 하기 때문에 그 앞에서 움직이는 것조차 여의치 않습니다.

차라리 천국으로 가면 어떨까 하는 생각도 했지만, 그곳이 어떤 장소인지는 현명한 왕이라도 알 수는 없습니다. 게다가 왕도 처음부터 왕이었던 것은 아니고 조금씩 힘을 축적해서 위대한 왕이 되고 이만한 성을 소유할 정도가 된 것입니다. 보물 앞에서 움직일 수 없다는 점만 제외하면 못하는 일은 없다고 해도 좋겠지요. 어쩌면 천국에 가자마자 현명하고 위대한 왕은 전부 다 잃어버릴지도 모릅니다. 만약 그렇게 된다면 모든 것이 물거품입니다.

무엇보다, 잠자는 남자가 언젠가 말했던 것처럼 문을 손에 넣은 왕은 언제든지 천국에 갈 수 있으니까 조바심을 낼 필요는 아무것도 없습니다. 단, 천국에 갈 수 있는 것은 어디까지나 왕뿐이어야 합니다. 왕이 문을 열고 천국으로 가면 문을 닫을 자도 없습니다. 그 뒤에는 누구든지 열린 문을 통해 천국으로 갈 수 있는 것입니다. 문은 왕의 것인데도. 그것은 너무나 화가 나는 일이 아닙니까?

왕은 마음을 달래고자 독특한 것이나 보기 드문 것을 찾기 시작했습니다. 신하들은 앞 다투어 그런 것을 찾으려고 했으나 좀처럼 흡족한 결과를 얻을 수가 없었습니다. 웬만한 것으로는 오랫동안 이 세계를 돌아다녔던 위대한 왕을 만족시킬 수는 없습니다.

그러던 어느 날 한 신하가 예쁜 공주님을 성으로 데려왔습니다. 용모는 아름다운데, 지저분한 삽을 잠시도 놓지 않고 품에 안고 있는, 매우 기묘한 공주님이었습니다.

왕은 이 공주님이 매우 마음에 들었습니다. 그도 그럴 것이, 늘

아첨을 떠는 신하들과 달리 공주님은 용감한 건지 생각이 없는 건지 사사건건 왕한테 대들었습니다. 왕의 입장에서 보면 반역은 용서하기 힘든 것이지만, 자기에게 아첨하는 자들밖에 없다는 것도 지긋지긋한 일입니다. 공주님을 데려온 신하는 왕의 그런 심정을 간파했던 것이겠지요.

"잘했다. 허나, 왕의 의중을 알아차리다니 불손하다. 너를 그림자로 만들겠다."

왕은 그 신하를 납작하게 밟아 그림자로 만들어 공주님의 말동무로 임명했습니다.

"나는 당신 따위와 말하고 싶지 않아."

"그렇다면 저 신하처럼 납작하게 만들어줄까?"

"그것도 싫다."

"싫으면 저항하면 된다. 무엇을 위해 그 지저분한 삽을 갖고 있는 것이냐?"

"내가 당신에게 이길 수 있을 리가 없잖아. 그걸 알고 있으니까 당신은 나한테서 삽을 빼앗지 않는 것 아닌가?"

"그것 참, 제멋대로로군."

"당신이 할 말은 아니지. 아무리 생각해도 당신이 제일 제멋대로잖아. 이 똥 덩어리."

"왕은 제멋대로인 것이 아니다. 뭘 해도 제멋대로가 되는 것이 왕인 것이다."

"엉? 알이 먼저냐 닭이 먼저냐, 그런 거? 그야 당연히 닭이 먼저지만."

"어째서 닭이 먼저인가?"

"알을 낳는 닭은 있어도 닭을 낳는 알은 없잖아. 알 같은 건 단순한 껍질이니까."

"재미있는 녀석이다. 마음껏 지저귀어 내 지루함을 날려다오."

"당신이 지루한지 아닌지 내 알 바 아니야. 영원히 지루해하시지."

신하들의 아첨에 진저리가 났던 왕에게 공주님의 솔직한 말투는 기분 좋게 들렸습니다. 공주님이 아무리 허세를 부려도 왕이 진짜 마음만 먹으면 한 방에 끝장이기 때문에 똥 덩어리라 불려도 웃으며 넘어가줄 수가 있습니다. 공주님은 허세를 부리는 피에로 같은 것이었습니다.

"언제까지고 자기가 최고일 거라고 생각하면 큰 착각이야."

"착각인지 아닌지 판단하는 것은 지배자에게만 주어진 특권이다."

"지배자라. 겁을 줘서 말을 듣게 하는 것이 지배라니, 어이가 없네."

"말을 듣지 않으면 비틀어버린다. 고로, 따른다. 시스템은 간단할수록 좋아."

"어려운 시스템을 생각하지 못하는 것뿐 아닌가? 예를 들면 법률을 만든다거나. 그런 고도의 발상은 못하는 거잖아? 그 똥만 든 머리로는."

그렇기는 해도 가끔씩은 화를 내는 경우도 있었습니다. 공주님이 도를 넘게 건방지게 굴면 왕은 일갈했습니다.

"너를 짐승보다도 못한 그림자로 만들어버릴 수도 있다!"

평소에는 기세등등한 공주님이 얼굴이 창백해지고 매달리는 것처럼 삽을 끌어안고 온몸을 부들부들 떠는 모습은 실로 통쾌해지는 모습이었습니다. 왕 입장에서 보면 그 때문에 공주님의 무례한 언동을 용서하고 있었던 것이나 마찬가지입니다.

명백하게 겁을 먹었으면서도 그래도 또 허세를 부리려는 공주님도 볼 만했습니다.

"하고 싶으면 해. 이미 각오는 되어 있다."

"바로 그 마음가짐이다. 좀 더 말대꾸를 하지 그러나. 인내심의 한계가 올 때까지는 들어주지."

어차피 공주님은 왕의 손바닥 위에서 춤추고 있는 애완동물인 것입니다. 왕이 지나치게 위대한 탓에 대부분의 사람들은 손바닥 위에 올라가는 것만으로도 위축되어버리지만, 공주님은 목숨을 걸고 춤추려고 합니다. 그토록 애쓰는 모습이 사랑스럽지 않습니까?

"너는 결코 손에 넣을 수 없는 것을 전부 위대한 왕은 갖고 있는 것이다. 이 성이 그렇고, 이 문도 그렇다."

왕은 옥좌에서 일어서 팔걸이며 시트며 사슬을 풀어버리더니 문을 열어 보였습니다.

"아무것도 없네. 그냥 문이잖아."

어이없다는 듯이 그렇게 말한 철없는 공주님을 왕은 진심으로 조롱했습니다.

"어리석은 자에게는 보이지 않겠지만, 이 문은 천국으로 통한다. 왕만이 열고 싶을 때 문을 열고 천국으로 갈 수 있는 것이다. 왜냐하면 왕이 왕이기 때문이고, 왕 앞에서는 만사가 내가 바라는 대로, 즉, 내 뜻대로 된다. 왕이 바라면 바로 그 순간 하찮은 그림자가 되어버릴 네 운명. 이 얼마나 덧없는가."

공주님은 분한 듯이 입술을 깨물고 언제까지고 문 너머를 노려보고 있었습니다. 역시 왕의 생각대로 된 것입니다. 왕은 대만족이었습니다.

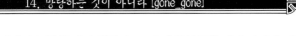

이 경사면은 무척 걷기 힘들다. 그냥 울퉁불퉁한 것이 아니라, 울퉁불퉁 움직인다. 발을 디딘 장소가 갑자기 솟아오르기도 하고 푹 꺼지기도 하는 것이다. 그것도 약간이 아니다. 수십 센티미터에서 때로는 1미터 정도나 오르락내리락한다.

바위 밭이라고 할 정도로 딱딱하지는 않지만 흙과도 다르다. 모래처럼 결이 가늘지도 않다. 끈적거리지 않는 점토… 라는 느낌이다. 전부 회색인데, 군데군데 거무스름하고, 마블 모양처럼 보이지 않는 것도 아니다. 그것도 또한 원근감이 이상해지는 원인이다.

동적으로 기복이 있지만 전체적으로는 내리막길이다. 계속 내리막길이 이어지는 것보다는 나을지도 모른다. 변화가 있으면 일단 질릴 일은 없기 때문이다. 방심하고 있다가는 자세가 흐트러지니 생각도 제대로 할 수가 없다. 쓸데없는 생각을 하지 않아도 된다는 뜻인데, 그래서는 안 된다고 생각한다.

파라노에 익숙한 앨리스와 아히르는 하루히로보다 앞서가고 있다. 두 사람의 뒷모습을 쫓아가면서, 그들에게는 맡겨둘 수 없다고 자신에게 타이르는 것은 몇 번째일까?

파라노에서 시간의 흐름은 독특하다. 예를 들면, 파라노에서의 1초가 그림갈의 100초에 해당한다거나, 그 반대라거나, 혹은 왔다 갔다 한다거나, 꾸불꾸불 진행한다거나, 뭔가 전혀 다른 방식으로 흐르는 것이라거나. 정확하지 않고 확인할 방법도 떠오르지 않지만, 일정한 속도로 시간이 흘러가는 것과는 왠지 다른 것 같다.

하루히로는 물론 그것을 이상하다고 느낀다. 그러나 앨리스나 아히르는 그렇지 않다. 아마도 원래는 하루히로처럼 위화감을 느꼈을 테지만, 파라노에서 지내면서 당연해진 것이겠지. 하루히로가 생각하건대, 그 결과로서 사고방식까지 파라노에 물들었다. 아히르는 둘째치고 앨리스는 결코 머리가 나쁜 인간은 아닌데도 순서나 맥락을 생각한 계획을 세운다는 일을 거의 하지 않는다.

분명 파라노는 변화가 너무 극심하다. 위치가 변하지 않는 장소조차도 폐허 등 열 군데가 조금 넘는 정도밖에 없다. 폐허 A와 폐허 B 사이를 오갈 경우라도 직선거리는 불변이지만 그 사이의 지형이 시시각각 변하기 때문에 가는 과정은 매번 달라진다. 언제 무슨 일이 일어날지 예상하는 것은 몹시 어렵기 때문에 기본적으로는 그때그때 임기응변으로 대응해야 한다. 이래서는 계획 같은 것을 세워봤자 금방 소용없어진다.

애초에 일을 효율적으로 진행시키기 위해서 계획은 있는 것이다. 효율이란 소비한 노력에 대한 성과의 비율이다. 예를 들면 빵 하나를 굽는 데 1년이나 걸린다면 그건 상당히 효율이 나쁘다는 뜻일 것이다. 그런데 파라노에서는 시간의 개념이 지독하게 애매하다. 빵을 굽는 데 걸린 시간이 1년인지 10일인지, 혹은 하루인지, 몇 시간인지. 아무도 모른다.

하루히로 일행은 이 타계 파라노에서 유사적인 불로불사를 경험하고 있는 건지도 모른다. 실제로는 무슨 일이 있으면 죽어버리고, 불사는 전혀 아니지만, 위기를 피하기만 하면 아마도 계속 살 수 있다. 적어도 그렇게 착각하고 있다.

이런 상황에서는 아무래도 지금 뭔가 해야만 하는 건가? 라는 자문에 대한 반응이 둔해져버린다.

그야, 동료들은 걱정되고, 보고 싶고, 합류해야 하고. 하지만 만약 무사하다면? 서두르면 일을 그르친다고도 한다. 절대로 지금이 아니면 안 되는 것은 아니지 않아?

아니, 당연히 동료의 무사를 하루속히 확인하고 싶다. 단, 아무리 서둘러봤자 그런다고 어떻게 되는 건가? 라는 문제도 있다. 파라노에서 사람을 찾는 것은 상상을 초월하는 어려운 작업인 것이다. 정말로 정신이 아득해진다. 느긋하게 하지 않으면 버티지 못한다.

그러다가 결국 뭐든 다 어떻게 되든 상관없게 되어버리면, 하늘의 철탑에서 녹이 슨 남자 같은 말로를 걷게 되기도 하는 걸까?

나는 저렇게 되지 않아… 라고 현시점에서는 굳게 믿고 있다. 그러나 이 현시점이 언제까지고 계속 이어진다면, 어떨까? 선홍의 숲에서 꿈을 꾸고 있는 잠자는 남자나 녹이 슨 남자 같은 선택을 언젠가 하루히로도 할지도 모른다.

앨리스나 아히르는 아직 삶에 집착하고 있다. 그래도 확실히 그 정신은 파라노의 영원에 갉아 먹히고 있다. 분명 엘리펀트 성에서 문을 지키고 있는 고독한 왕도 마찬가지겠지. 이토 누이는 그들만큼 마음이 강하지 못했기 때문에 사는 것을 그만둬버렸다.

누이에게 결정적인 파멸을 초래한 것은 하루히로였고 그 책임에서 도망칠 생각은 없다. 하지만 앨리스와 재회해서 염원이 이루어진 누이에게는 더 이상 삶에 매달릴 이유가 없었다. 레저넌스로 누이가 되어봤던 하루히로는 단언할 수 있다. 누이에게 살아가는 일은, 암흑 속에서 손으로 더듬으며 기어가는 것 같은 무시무시한 고행이었다. 앨리스만이 빛이었던 것이다. 다시금 빛을 보게 된 순간, 이제 됐어, 라고 누이는 느꼈다. 두 번 다시 괴롭고 싶지 않아. 빛에 감싸여 끝내자.

잠자는 남자나 녹이 슨 남자, 그리고 누이처럼, 언젠가 하루히로 도 어떠한 결말을 스스로 선택하려고 할지도 모른다. 앨리스나 아 히르에게도 그럴 가능성은 있다. 쿠자크도, 하루히로의 동료들도. 어쩌면 이미 그렇게 살아가는 것을 그만둬버린 동료가 없다는 보장 은 없다.

파라노에 완전히 집어삼켜져버리기 전에 동료들을 찾는다. 그리 고 왕을 설득하거나 쓰러뜨리거나 해서 문을 연다. 천국이라는 곳 이 어딘지는 모르지만, 하루히로 팀은 문을 지나 파라노로 왔다. 파 라노에 있는 문 너머도 다른 세계겠지. 어쩌면 그림갈인지도 몰라. 그다지 기대하는 것도 좀 아니라고 생각하지만, 부정할 근거는 없 는 것이다. 그러면 좋겠다… 는 정도의 희망을 품는 것은 상관없겠 지.

마블 모양의 울퉁불퉁한 경사면을 계속해서 내려가자 마침내 골 짜기가 보였다. 그 앞에 벽처럼 가파른 절벽이 우뚝 서 있으니 아마 도 골짜기일 것이다. 하루히로는 자기도 모르게 발을 멈춰버렸다.

"엄청난 숫자다…."

앨리스와 아히르는 계속해서 걸어간다. 혼자 남겨지는 건 약간 곤란하니 하루히로는 열심히 발을 움직였다.

"저것이, 번뇌계곡…."

절벽에 뭔가가 몰려들어 꿈틀대고 있다. 마치 벌레의 대군이다. 왼쪽으로, 오른쪽으로 움직이는 것도 있고 절벽을 기어 올라가는 것도 있다.

둘러보니, 골짜기, 아니, 그 너머에 솟아 있는 절벽을 향해서 경사면을 내려가는 것은 하루히로 일행뿐만이 아니었다. 강한 마법을 지닌 앨리스와 아히르를 피하는 건지 꽤 멀리 떨어져 있긴 했지만 몽마 같은 것들의 모습이 드문드문 보였다.

하루히로는 마침내 앨리스에게 다가갔다.

"저 골짜기… 랄까, 절벽은, 어디에서 어디까지 이어져 있는 걸까?"

"글쎄. 아히르는 알아?"

"알 게 뭐야. 가보면 알겠지."

"그럼, 갔다 와."

"내가? 설마, 진심으로 말하는 건 아니겠지?"

"가라고."

"싫어. 안 가."

"왜? 가면 재미있을 텐데."

"나는 재미없어. 당신, 왕을 좀 닮았어, 앨리스. 그러니까 마음에 든 거겠지만."

앨리스는 흥 하고 코웃음만 칠 뿐 아무 말도 하지 않았다.

더욱이 골짜기에 가까이 가자 벌레 같은 몽마들이 하루히로 일행 앞에서 쓱쓱 사라졌다. 물론, 정말로 사라진 것은 아니다. 몽마는 앨리스와 아히르를 경계해서 멀어진다. 그래도 도망가지는 않는다. 몽마들은 앨리스와 아히르에게서 거리를 두면서도 앞 다투어 절벽에 달라붙으려고 했다. 그리고, 절벽을 올라간다.

"우리도 올라가자."

"제정신이야?"

"뭐, 아직은 제정신이라고 생각해, 아히르."

"네가 부르면 왠지 재수 없다. 덤 주제에…."

"본명을 가르쳐주면 그걸로 부를 텐데."

"…잊었다. 이제 기억 안 나. 아히르로 됐어."

몽마들은 방해하지 않는다. 덕분에 하루히로 일행은 절벽 등반에 전념할 수가 있었다. 몰두하지 않으면 도저히 올라갈 수 없다. 경사가 심하기도 하지만, 골짜기까지 왔던 길과 마찬가지로 이 절벽도 울퉁불퉁하다. 손이나 발을 걸치면 그 부분이 튀어나오기도 하고 쑥 들어가기도 한다. 위험하기 짝이 없다. 어떻게 도중에서 단념하지 않고 다 올라올 수 있었는지가 차라리 신기할 정도다.

번뇌계곡 끝에는 평평한 지면이 끝없이 펼쳐져 있었다. 새파랗고, 잔잔하게 가라앉은 바다 같기도 하다. 하염없이 걸어가도 분명 아무것도 찾을 수 없겠지. 그렇게 생각할 수밖에 없었다. 그래도 절벽 등반에 성공한 적은 수의 몽마들은 지평선 저편을 향해서 나아갔다.

하루히로 일행은 절벽 가장자리를 걸었다. 산책하고 있는 것이 아니다. 몽마 이외, 좀 더 말하자면 인간이 없는지 눈을 부릅뜨고 살피면서 계속 걷고 있다.

다른 세계에서 온 자들에게 끊임없이 변해가는 파라노의 환경은 역시 가혹하다. 앨리스는 폐허 6호, 아히르는 폐허 5호를 은거지로 삼았고 왕도 폐허 1호에 엘리펀트 성을 짓고 안착했다. 녹이 슨 남자는 하늘의 철탑에서 최후를 맞았고, 어둠에 떨어져 트릭스터가 된 누이조차도 폐허 3호에서 살고 있었다. 같은 트릭스터인 하나메도 폐허 2호를 자기 화원으로 가꾸었다. 인간은 변하지 않는 장소에 끌리는 것이다. 파라노에서 인간의 행동은 변하지 않는 장소에 머무르거나, 변하지 않는 장소에서 변하지 않는 장소로 이동하거나, 둘 중 하나가 되기 쉽다.

동료들이 무사하다면 분명 변하지 않는 장소에 들를 것이다. 변하지 않는 장소를 돌다 보면 정체불명의 여자 한 명, 남자 두 명과 함께 행동하는 쿠자크와도 늦든 빠르든 마주치겠지.

내가 생각해도 참으로 느긋한 방식이라고 생각한다. 나도 점점 파라노에 오염되기 시작한 건가? 그렇게 느껴지지 않는 것도 아니다. 하지만 달리 뭔가 좋은 방법이 있을까? 번뇌계곡이면 번뇌계곡, 어디든 한곳에 계속 눌러앉아서 누군가가 찾아오기를 기다린다는 방법도 일단 생각은 했지만, 그야말로 느긋하기 짝이 없는 짓이겠지. 기다리는 동안에 사고방식이 완전히 파라노 색으로 물들어버릴지도 모르고, 자칫하다가는 어둠에 떨어질 위험성도 없다고는 말할 수 없다.

절벽은 점점 낮아져서 마침내 골짜기라고는 부를 수 없는 높이가 되었다. 여기가 번뇌계곡의 끝인 모양이다. 결국 인간의 모습은 찾지 못했으나, 하루히로는 스스로도 의외라고 생각할 정도로 실망하지 않았다.

"유리산은 올라갈 수 없지. 다음은 삼도천으로 가자."

앨리스도, 아히르도 반대하지 않았다.

마지막으로 두 사람과 말을 한 것은 언제였지? 같이 있는데도 꽤 오랫동안 말을 하지 않은 것 같은. 아니, 그렇지는 않은가? 글쎄. 확실치 않다.

도중에 무슨 일이 일어나든 마음이 움직이는 경우는 좀처럼 없다. 아, 그렇구나. 흠흠, 오, 그런 거구나, 라는 정도로 가볍게 넘겨버린다.

앨리스가 천국의 문을 지나 파라노에서 나가고 싶다고 바랐다거나, 아히르가 나이팅게일을 구해내고 싶다는 마음을 버리지 않고 있다거나 하는 것은 제법 대단한 일인지도 모른다. 그렇게 느끼는 것은 하루히로의 의지가 약해진 탓이리라.

그런 때에는 억지로라도 동료들 얼굴을 머릿속에 그린다. 만나고 싶어. 만나야 해.

만나는 거야.

다 함께 돌아가고 싶어.

그림갈로.

아아, 하지만… 그림갈은, 어떤 곳이었더라?

그리운, 걸까? 하루히로에게 그림갈은 돌아갈 가치가 있는 고향인가?

삼도천은 거품이 이는 대하였다. 급류에서 거품이 나는 것이 아니다. 강수면에서 끊임없이 비눗방울처럼 일곱 색으로 빛나는 거품이 생겨나 날아간다. 물살은 오히려 느리다. 혹은 그렇게 보이는 것 뿐인지도 모른다. 무수한 비눗방울 끝에 건너편 기슭 같은 것이 희미하게 있는데, 신기루 같기도 하다.

강기슭에는 구슬처럼 하얀 자갈이 정연히 깔려 있다. 멀리서 볼 때에는 몰랐는데 가까이 가보니 여기저기에 작은 자갈 산이 있었다. 누군가가 쌓은 것인가? 혹은 저절로 그렇게 된 것일까?

정신이 들고 보니 하루히로는 쪼그리고 앉아 자갈을 쌓고 있었다.

"…어라? 뭐하는 거지? 나는…."

둘러보니 아히르도, 게다가 앨리스까지 조금 떨어진 곳에서 자갈을 쌓고 있다.

"음… 쌓게 되고 만단 말이야. 여기에 오면…."

"쌓게 되지, 왠지…."

앨리스도 그렇고 아히르도 그렇고 그야말로 내키지도 않는데 어쩔 수 없이 자갈을 쌓고 있다는 느낌이다. 그렇다면 그만두면 될 텐데. 그렇게 생각하면서도 어떻게 된 영문인지 히루히로도 자갈을 쌓고 있다.

자갈은 새끼손가락 손톱 정도 크기로 알갱이 크기가 균일한 편이고 매끈매끈해서 꽤 쌓기 힘들다. 몇 개를 잘 쌓아도 긴장을 풀면 한순간에 무너져버린다.

"열받네, 이거…."

자갈 같은 걸 쌓고 있을 때가 아니야. 그 생각은 항상 머릿속 한 구석에 있지만, 이 한 개만큼은 올려놓지 않으면 직성이 풀리지 않는다. 한 개 올려놓으면 한 개 더 올려놓고 싶어진다. 아니, 아니야, 올려놓지 않아도 된다니까. 나를 말리고 싶다. 누가 말려줬으면 좋겠는데. 앨리스와 아히르도 마찬가지일까?

"…그만하지 않을래? 이거."

"나도 그만두고 싶어…."

"나도…."

"아니, 다 같이 그만두지 않으면 멈출 수 없는 것 아닐까? 왠지 그런 생각이 드는데…."

"그럼, 네가 먼저 그만하면 되잖아. 히루히로…."

"앨리스부터 그만해. 아히르라도 좋지만…."

"오옷. 무너져버렸잖아, 바보. 다시 쌓아야 해….."

"안 돼."

하루히로는 정신력을 총동원해서 자갈로 뻗으려는 오른손을 왼손으로 움켜잡고 일어서려고 하는데, 설 수가 없다. 설 수 없다고 생각하니까 못 서는 것이다. 일어서. 일어서라고. 일어선다. 서버린다. 그래. 일어서자. 봐, 일어섰다.

"도, 도망가야 해!"

하루히로는 앨리스와 아히르의 목덜미를 잡아끌고 뛰었다. 아니, 과연 두 사람을 끌고 달릴 만한 괴력은 없다. 그래도 기분상으로는 질주한다는 기세로 강가를 벗어나자, 왜 자갈을 쌓고 있었던 건지 전혀 알 수 없게 되었다.

"…어떻게 된 거야?"

"글쎄."

앨리스는 입을 삐죽 내민다. 민망한 건가? 자갈, 엄청 쌓아댔었으니.

"삼도천은 그래. …전에 왔던 때보다 꽤 많이 쌓았네. 반복할 때마다 더 쌓고 싶은 마음이 늘어나는 걸까?"

"한없이 쌓을 수 있을 것 같은 느낌은 있지. …쌓고 싶은 건 아니지만."

아히르는 아쉬운 듯이 강가를 쳐다본다. 오히려 쌓고 싶은 것 같다.

"…너무 강가에 가까이 가지 않도록 조심하면서 누군가 없나 살펴보자. 어쩌면… 내 동료가 자갈을 쌓고 있을지도 모르고."

강이라면 수원지와 강어귀가 있겠지. 아니면 파라노의 강에 그런 것은 없을까?

　우선 강가의 상황을 확인하면서 상류 방향으로 걸어가봤다. 그토록 쌓고 싶어지는 것이니 누군가 자갈을 쌓고 있지 않을까 생각했는데, 쌓인 흔적은 여기저기에 있는데 움직이는 것의 모습은 없다. 몽마도 보이지 않는 것을 보니 그 의문스러운 쌓고 싶은 자갈의 마력은 몽마에게는 효과를 미치지 않는 것이겠지.

　"누가 저렇게 쌓았을까…?"

　"우리 같은 인간이겠지."

　"쌓은 놈은 어디로 가버린 걸까? 삼도천에 뛰어들어 자살이라도 했나…?"

　아히르가 재수 없는 말을 했다. 하긴 실은 하루히로도 비슷한 생각을 했지만, 이곳은 파라노다. 하염없이 계속 자갈을 쌓는 일도 가능하지 않을까?

　어쩌면 불가능할지도 모른다.

　파라노에서도 시간은 분명히 흘러가고, 사람은 늙고, 만물은 쇠해간다.

　그렇지는 않다고 어떻게 장담할 수 있을까?

　서서히 강 반대쪽 기슭을 뚜렷하게 볼 수 있게 되었다. 강폭이 좁아졌다는 뜻이다.

　때때로 동료들을 떠올리고, 만나고 싶다, 만나고 싶다, 만나고 싶다, 이렇게 가슴속으로 되풀이해 말하고 있다.

　돌아가자. 그림갈로.

　그림갈이라고 하면 너무 막연하니까, 오르타나를 머릿속에 그려본다. 아마도 가장 긴 시간을 보냈던 의용병 숙사의 방이라거나. 이런 느낌이었나? 정도의 기억밖에 없다거나 하지만.

그리운, 것일까? 과연 그림갈은 돌아갈 가치가 있는 고향일까?

사실 그림갈에서 태어난 것도 아니다. 눈을 떠보니 어째서인지 그림갈에 있었다. 그전 일은 기억나지 않기 때문에 뭐라 말할 수 없지만, 어딘가 다른 세계에 있었겠지. 다스크렐름, 다룽갈, 그리고 이 파라노. 세계는 몇 개나 있으니까. 그림갈 전에는 어디에 있었을까? 의외로 파라노였다거나. 그건 아닌가? 아무러면 그건 아닐 거라고 생각한다. 하지만 만에 하나, 기억하지 못하는 것뿐이고 이곳이 고향이라면, 그림갈로 돌아갈 필요가 있는 건가? 하루히로는 이곳으로 돌아왔다. 그렇다면 여기에서 살아가야 하지 않을까?

진심으로 그런 생각을 하는 것은 아니다.

삼도천의 수원은 동그란 샘이었다. 직경은 고작해야 10미터쯤이다. 그 샘 밑바닥에서 물이 퐁퐁 솟아나오는 것 같다. 비눗방울도 엄청난 기세로 솟구쳐 주변에서 난무한다.

샘을 한 바퀴 돌아 하류 방향을 탐색할지 말지 진지하게 고민한 끝에 그만두기로 했다. 직감인데, 더 이상 삼도천 근처에 있다가는 자갈의 마력에 저항할 수 없을 것 같다. 강어귀를 찾는 건 다음 기회로 미루자.

하루히로 일행은 앨리스가 살던 폐허 6호, 아히르가 동상을 마구 만들어댔던 폐허 5호, 그리고 누이가 소녀 인형들과 지냈던 폐허 3호에도 발길을 옮겼었다. 소녀 인형의 부품이 흩어진 폐허 3호에는 벌써부터 몽마들이 모여 있었지만, 하루히로 일행을 보자마자 도망갔다.

폐허 1호에는 왕성이 있고 폐허 7호는 왕의 신하인 칠색두더지의 구역이다. 적지 중의 적지이기 때문에 만약을 위해 멀리에서 선홍의 숲과 칠색두더지의 소굴을 살펴봤지만 새로운 발견은 아무것도 없었다.

폐허 2호에도 가봤다. 바야드 가든은 하나메 본인이 파괴해버렸었지만, 원래대로라고는 할 수 없어도 그런대로 정리가 되어 형형색색의 꽃들이 피어 있었다. 물론 꽃에는 일절 손을 대지 않았다. 전에 여기에서 민났던 스즈키 씨라는 새 모습을 한 인간은 보금자리를 바꾼 모양이다. 보이지 않았다.

하늘의 철탑에도 들렀다. 소녀 인형들은 흩어진 채로 있었고, 앨리스는 철탑에 올라가고 싶어하지 않았다. 하루히로는 아히르와 둘이서 녹이 슨 남자와 누이가 있는 층계참까지 올라갔다. 앨리스에게는 말하지 않았지만, 녹이 슬기 전에 썩어버리는 것 아닐까 하고 내심 걱정했다. 전혀 부패하지 않고 약간 녹이 슨 누이를 보더니 아히르는 "아아…" 하고 중얼거리고는 물방울 모양 하늘을 우러러보았다. 아무튼 누이가 썩지 않아서 다행이다.

폐허는 일곱 개 있다. 남은 것은 폐허 4호다.

"따라쟁이의 거리네."

앨리스가 말하기를, 폐허 4호에는 따라쟁이라 불리는 트릭스터와 요무들이 산다고 한다.

"요무?"

"몽마인데. 사담 엄금이라거나, 조용히 하라거나, 따라쟁이가 정한 규칙을 지키며 거리에서 사는 무리야."

"그런 장소도 있구나. …그보다, 그런 몽마도 있구나."

"몽마도 여러 가지가 있겠지. 하지만 특수하다고 하면 특수한지도. 규칙을 지키지 않으면 요무들이 공격하니까 안전하다고는 할 수 없어."

"몽마를 죽이면 이드를 빼앗을 수 있어. 이드를 빼앗으면 그에 맞게 에고가 늘어나고 마법이 강해지는 거지? 앨리스만큼 강하면 일부러 규칙을 어겨서 그… 요무? 들을 왕창 해치워버리면 이드를 왕창 벌 수 있는 것 아니야?"

"할 수 있어도 안 해. 이유는, 설명하는 게 귀찮아. 아히르, 가르쳐줘."

"내가…?"

귀찮네… 라고 말하면서도 아히르는 해설해주었다.

에고란 자아의 강도다. 이기적인지 아닌지는 관계없다. 이성적으로 나는 타인과는 다르다, 틀림없이 나 자신 이외의 그 무엇도 아니라고 인식하는, 그 수치다.

그에 비해 이드는 무의식의 본능적인 충동이나 욕망의 힘이라고 한다.

에고와 이드는 통상 늘어나거나 줄어들면서도 대개 비슷한 양으로 이 두 가지를 양쪽에 올리면 저울은 흔들리면서도 거의 수평이 된다.

타인을 죽여 이드를 빼앗으면 어떻게 되는가? 당연히 그만큼 이드가 늘어나니까 저울이 기울어진다.

"이드는 충동이나 욕망이니까. 이게 강해지면, 말하자면, 그거지. '욕망이라는 이름의 전차' 같은 상황이 되어버려."

"응? 비유가 좀…."

"그러니까, 뭐지? 머리로는 이해하는데 하반신이 말을 들어먹지 않는, 그런 비슷한."

"…아아, 그런 뜻인가. 상상은 할 수 있을 것 같은데."

그러면 이성이 작동해서 그 충동과 욕망을 억제하려고 하는 모양이다. 즉 에고가 높아지고, 결과적으로 다행히도 이드와 에고는 다시금 수평이 된다.

"그보다 너, 나보다 꽤 젊지? 어떻게 된 거야? 요즘 젊은이는…."

"요즘이고 뭐고 상관없지 않아? 여기는 파라노이고."

"그도 그런가."

에고와 이드의 관계는 하루히로도 대충 파악하고 있다.

앨리스는, 그리고 아마도 아히르도 몽마 등을 죽여 이드를 빼앗음으로써 에고를 높였다. 마법의 원천은 에고다. 에고가 높으면 높을수록 마법은 강해진다.

"하지만 말이지, 에고는 어떻게 해도 절대로 빼앗을 수 없어. 빼앗을 수 있는 것은 이드뿐이지. 그렇다고 해서 이드를 늘릴 수 있을 만큼 늘리면…."

"그만큼 에고가 높아지면 좋겠지만… 그렇지 않은 거야?"

구체적으로 계측해서 수치화할 수 있는 것은 아니지만, 예를 들어 하루히로의 에고치가 50이라고 치자. 이드치도 약 50이다. 어떤 몽마의 이드치는 10이었다. 하루히로가 그 몽마를 죽여 이드를 빼앗는다. 하루히로의 이드치는 50에 10을 더해서 60이 되고 에고치와의 차이는 10이 된다.

10의 격차를 메우려고 하루히로의 에고치는 증가할 터. 이윽고 60이 되고 에고치와 이드치는 같은 수치가 된다.

그러나 몽마의 이드치가 50이었다고 치자. 만만치 않은 상대지만, 하루히로는 앨리스와 아히르의 힘을 빌리거나 해서 몽마를 죽였다. 하루히로의 이드치는 50을 더해 100이 된다. 에고치는 50이니 그 차이는 50이다.

"경험상, 자기와 동등한 정도의 놈을 죽였을 때에는 요주의다. 감각적으로는… 그렇지. 근질근질하거나 짜증이 나거나, 그리고 불끈불끈하거나."

"불끈불끈…."

"눈앞에 적이 있으면 더 죽이고 싶어져. 닥치는 대로 죽이면 전부 해결되지 않을까? 라는 기분이 들지만, 그렇지 않아. 그 끝에 기다리고 있는 것은 밸런스의 붕괴. 어둠에 떨어지는 거다."

"트릭스터가 되나?"

"그래. 어둠에 떨어지는 것은 에고가 지나치게 저하되었을 때나 이드를 지나치게 빼앗았을 때다. 에고와 이드의 격차가 너무 커지면 욕망과 충동이 폭주하지. 그렇게 되면 손쓸 수 없어. 트릭스터가 되는 수밖에 없다."

에고치 50인 하루히로가 이드치 50인 몽마를 죽이는 것도, 이드치 5인 몽마를 연속으로 열 마리 죽이는 것도 같은 일이다. 이드치 50의 몽마는 그리 간단히는 해치울 수 없겠지만, 이드치 5의 몽마라면 연달아 쓸어버릴 수 있을지도 모른다.

이드치 5의 몽마를 스무 마리 학살한다면, 그것은 이미 위험한 영역을 한참 넘어선 것이다.

"…모든 일에는 한도가 있고, 그 한도는 좀처럼 파악하기 힘들다는 건가?"

"그래본 적 없나? 절정에 도달할 것 같을 때 꾹 참고 머릿속으로 구구단을 외운다거나."

"어떤 상황인지 잘 상상할 수 없지만, 아마 없을걸."

"진짜야? 자기를 휩쓸고 가버릴 것 같은 파도가 밀려간다고나 할까. 늘어나서 폭주할 것 같은 이드를 에고가 고조되어 제압했을 때에는 그런 느낌이 드는 거다."

"그 느낌이 없는 채로 이드를 빼앗아 늘려버리면 어둠에 떨어지기 쉽다…."

"기가 약해지면 에고가 내려가니까. …아니, 에고가 내려가서 기가 약해지는 건가? 아무튼, 그런 상태도 위험해. 엄청나게 풀이 죽는다거나 우울증 비슷하게 되거나 하면 여기서는 끝이다."

지독하게 뒤틀린 언덕을 올라가자 거리가 보였다.

희미하게 안개가 끼어 있었지만, 건물이 엄청 많이 즐비하고 정원이나 돌담, 길 등도 확인할 수 있다. 사람이 있는 건가? 길을 이동하고 있다. 상당한 숫자다. 걸어가고 있다기보다 분명 뛰고 있다.

"저것이 폐허 4호? 조용한 거리라는 느낌이 아닌데…?"

앨리스는 삽을 바닥에 꽂고서 휴… 하고 한 번 숨을 내쉬었다.

"무슨 일이 일어난 것 같네."

"저런 놈들은 내버려두면 되는데. 해는 없으니."

아히르가 말하는 무해라는 것도 앨리스가 따라쟁이의 거리에서 이드 벌이를 하지 않는 이유 중 하나겠지.

하루히로는 거리를 향해 언덕을 내려가기 시작했다.

"아, 어이."

아히르가 쫓아온다. 앨리스는 어떻게 할까? 하루히로는 돌아보지 않았다. 아마도 앨리스도 올 거다.

가슴속이 술렁거렸다.

저 거리에서 무슨 일이 일어나고 있다.

누가 그 무슨 일을 일으킨 것인가?

[질문]

세계는 누구를 위해서 있는 것일까요?

[해답]

세계는, 나.

나.

나.

나.

나.

나.

세계는 나를 위해 있다.

알겠어?

모르려나?

즉, 그런 일인 거야.

어떤 일인가 하면, 세계는 전부 나를 위해 존재한다는 뜻. 그런 거지. 알게 되어버리는 거야. 그런 걸. 저절로 이해가 되는 거야. 보이는, 것처럼. 그 부분이 보이기 시작하면, 깨달음 정도는 여유 있게 얻어진다거나 하거든? 실제로.

깨달음을 얻은 나는 폴짝⋯ 뛰어 문어대가리 같은 몽마의 미끈한 머리를 왼손으로 움켜잡는다. 그리고 쥐어 터뜨려버린다. 엄청 간단. 간편한 쿠킹. 아니, 먹진 않을 거지만. 그리고 의미도 없이 옆으로 굴러서 와하하하 웃는다. 의미 같은 건 찾지 않아. 의미는 나중에 따라오는 거니까. 내가 해낸 일에 의미가 생기는 것 같은 거니까. 웃으며 회전하는 동안에 점점 재미있어져. 와하하. 와하하하하. 웃으면서 도는 건 최고야. 빙글빙글빙글빙글. 건강의 비결이지. 빙글빙글빙글빙글빙글. 돌고 있노라니 도망치려는 해파리말미잘 비슷한 몽마를 발… 견…. 딩동…. 조준. 나는 휘릭 회전해서 그 도는 힘, 즉 회전력을 살리지도 않고 죽이지도 않고, 아니, 거기서는 살려야지, 응, 제대로 살려서, 대검을 두둥. 두 동강. 슈왁. 기분 끝내준다아아아아아아아아아아아아.

하지만 눈물이 나오는 것은 어째서지?

너무 기분이 좋아서?

나는 외친다.

"클래식…!"

쩔어. 이렇게 생각한다. 클래식이 뭐냐는 느낌이지만, 그런 워드가 튀어나오는 나, 진짜 쩔어. 우주적 파동이 콸콸 쏟아져 나와 절묘한 그루브를 만들어내는 풍미가 초자연 현상으로 이미 신에 가깝다. 그야말로 미러클이잖아, 이거. 이거랄까, 나. 나는 신 아닌가? 나는 하늘을 우러르며 귀를 기울였다.

"들린다. 목소리가…."

"무슨 목소리가 들린다는 겁니까? 이 얼간이 멍텅구리가…!"

등장하셨네, 톤베 군이. 애용하는 거울을 크게 확대하며 돌진해 다가오고 자빠졌습니다. 웃겼어.

"에헤헤."

나는 톤베 군의 거울을 왼손 검지로 딱 막아버렸다.

"―큭! 이, 이게! 무무무무 무슨 놈의 힘이. 나르시시즘의 덩어리 놈!"

"아니, 아니, 톤베 군이 약한 것뿐이잖아. 나, 이 정도가 아니라고. 봐준 거거든. 힘을 뺐는데 이렇다니까. 톤베 군은 그거, 맥스?"

"매매매 맥스일 리가 없잖습니까? 아직 아직 비장의 핸드가!"

"그럼 보여봐. 그 비장의, 밴드?"

"핸드!"

"그래, 그거!"

나는 거대한 거울과 톤베 군을 한꺼번에 날려버렸다. 정말 있나? 비장의, 뭐더라? 팬드? 있다면 진짜 보여주면 좋겠는데. 그전에 쓰레기맨이 정중하게 아초⋯ 비슷한 기합도 발하지 않고 기습 공격을 감행할 것을 나는 분명히 예상했다. 그리고 예상했던 그대로 된다. 쓰레기맨이 대검을 휘두르며 덤벼든다. 그 모습은 그야말로 어둠의 폭풍. 다크 스톰. 우와. 멋져. 하지만 나는 간파했기 때문에 대검을 붕 휘두른다. 내가 휘두른 참격에 의한 충격파와 다크 스톰이 격돌한다.

"―우옷⋯?!"

쓰레기맨의 몸을 휘감고 있던 다크 스톰이 내 충격파로 벗겨져버렸다. 요란하게 자세가 무너지고 대검을 끝까지 휘두를 수도 없게 된다.

"아하하. 뭐 하시는 거죠? 약한 거 아닙니까? 선배. 역시 쓰레기맨이라서 그런가요? 쓰레기맨은 어차피 쓰레기맨이니까."

"⋯나, 나는 쓰레기맨이 아니래이! 고미라고라!"

"캬하하하하하. 재미있어, 그거. 너무 재미있어서 쓰레기처럼 죽여버리고 싶어."

눈이 멀 정도로 죽이고 싶다. 이런 게 있구나. 몰랐다. 알게 되어서 다행이다. 온몸의 구멍이란 구멍 전체에서 죽이고싶다액이 콸콸 솟구치는 것처럼 죽이고 싶은 마음. 모르면 이것은 절대로 이해할 수 없다.

"…쿠자크! 도대체 어떻게 된 거야? 이상해, 너!"

세토라 양이 강아지처럼 깡깡 짖는다. 나중에 죽여야지. 죽이면 그걸로 끝이니까 그 점이 옥에 티이긴 하지만, 죽이지 않는 것보다는 죽이는 편이 좋은 게 당연하니 역시 죽이자. 세토라 양을 죽이면 어떻게 될까? 슬퍼질 거라고 생각해. 그 슬픔이 내 가슴을 갈기갈기 찢어발기고, 안에서 뭔가 불쑥 고개를 내밀고 안녕하세요… 하겠지. 그러면 그 녀석이 또 죽여라 죽여라 죽이자 베이비… 그런 식으로 나를 부추기겠지. 그때가 기다려져서 나는 외친다.

"우와아아아아아아아! 레볼! 루! 셔어어어어어언…!"

빠직빠직 빠지직, 내 온몸에서 벼락과도 같은 파워가 발산된다. 덕분에 찌릿찌릿하다. 몸속의 혈관이 빠직빠직 폭발하는 이 감각. 못 견디겠어. 기분 좋아아아.

"…그런데 왜 울고 있는 걸까? 나는. 잇히히히히히…."

나는 폐를 꿈틀꿈틀 경련시키고 웃으면서 왼손으로 눈 주위를 만졌다. 손가락이 젖었다. 보니까 빨갛다.

"아? 아니네…? 눈물이 아니라, 이거… 피인가?"

그보다 말이야, 안면이 말이야, 얼굴 전체가 질척질척하잖아?

이거, 전부 피 아니야?

나, 피범벅인 거야?

"풋…."

뿜어버렸다. 왜 피범벅이 된 거지? 나.

"쿠힛, 끼히히히힛, 쿠핫, 포헤포헤포헷, 포헷이라니! 우, 웃겨…
…."

배가 아프다. 머리도 아프다. 몸이 아프다. 여기저기 다 아프다.
너무 아파서 웃음이 멎지 않는다.

"…일 났네."

누군가가 말한다. 일 났네? 일 났다니? 일나일나일났어? 일 난
거야? 일 난지도? 일라일라일라? 갈라진다. 갈라지겠어. 갈라지려
고 해. 내 바깥쪽이. 아우터. 이너. 안쪽인지도. 지도. 지도 첨부. 부
비트랩. 랩 현상. 상징이 말하는 프린세스 카니발발발발. 이크. 위
험해…. 뭔가 나온다. 그것이 발발이랄까, 바삭바삭 아작아작 먹는
다. 내가 먹힌다. 먹는 것은 나인지도. 지도. 지도는 뭔 놈의 지도.
그런 게 아니야. 이건 이제 망가망가망가져. 검—다. 나한테서 나
오는 내가 까맣다. 나를 먹는 내가 검다. 검다고나 할까, 어둠이라
고 할까. 아아, 그것이 나…?

뭔가가 내 바깥쪽 아우터에 들러붙었다다다다다다다다.

"—쿠자크! 어둠에 떨어지지 마!"

어둠어둠어둠어둠어둠어둠어둠어둠어 둠둠둠둠둠둠둠둠어
어어어어어어어어둠둠둠둠둠둠?

…끄러워.

바깥쪽 아우터에 달라붙은… 를, 를, 을, 을을을을? 떨쳐버리려
려려…?

이제 없다.

아무도 없어.

나, 혼자….

어둠이 나이고 내가 어둠이고 어둠어둠어둠어둠어둠어둠어둠어둠어둠어둠어둠둠둠둠둠둠이이이이이이이이….

'―아니야….'

아….

'아니야'

우….

'있어'

이….

'혼자가, 아니야. 너는….'

오….

아아아아아아아아아아아아우우우우우우우우우우우우우우이이이이이이이이이이이이이이이오오오오오오오오오오오오오오오오오오오오오오오오오오오오.

'―알잖아. …내가 있어'

아,

우,

이,

오,

'내가'

하,

후,

히,

호?

'…그래, 쿠자크. 내가 있어. 여기에. 네 곁에. 그러니까… 어둠에 떨어지면 안 돼. 그거야… 뭐더라? 절정에 도달할 것 같을 때? 참고, 머릿속으로 구구단을 외우는, 거던가…?'

…구구… 일일이 일… 일이가 이…. 일삼이 삼…. 일사가 사…,

'욕망에… 충동에… 지지 마. 그것은, 네 것이니까… 네 몸이니까… 받아들이고… 인정하고, 자기 것으로 만든달까….'

…삼오 십오… 삼육 십팔… 삼칠 이십일…,

'꼭 구구단이 아니어도 되지만. 뭐든 좋아. 마음을 진정시키고, 자기 고삐를 스스로 쥐는, 그런 느낌. …자기가 말이라면, 그것을 잘 탈 수 있다고나 할까. 자기한테 말해, 미묘하게 뭔 소린지 모르겠지만….'

…아아,

하지만…,

'… 응'

…아니,

'어…?'

…알았다.

…있구나, 하루히로.

'있… 어.'

…거기에.

'응… 여기에'

…그렇게 생각하니까, 있지.

괜찮다는 느낌이, 들기 시작했어.

그런가?

"…우오."

이상한 목소리가 흘러나왔다.

눈을 떴다. 그렇다는 것은, 눈을 감고 있었던 건가? 그런 모양이다.

쿠자크는 땅에 무릎을 꿇고 고개를 숙이고 있었다. 대검이 바로 옆에서 나뒹굴고 있다.

등에 달라붙어 있는 것은, 말할 필요도 없다.

"…하루히로?"

"…응."

"미안, 나…."

"…괜찮아. 늦지 않은 것 같으니. …다행이다."

"하루히로가 구해준 거지? …위험했어, 나. 뭔가, 이상해지려고 했어. 뭐가 뭔지, 전혀 모르겠지만…."

"몽마를 단숨에 너무 많이 죽였어. 이드가 지나치게 늘어나서 에고와 갭이… 뭐, 됐어. 그 이야기는 나중에…."

하루히로가 쿠자크를 "영차…" 일으켜 세워줬다.

"이 거리에서 나가야 해! 뛸 수 있겠어?!"

"어, 앗, 응, 아마도!"

오른손으로 대검을 집어 들고 왼손으로 얼굴을 문질렀다. 우왓. 새빨갛다. 눈이 잘 안 보여. 전혀 안 보이는 건 아니지만, 흐릿하다. 청력도 미묘하다. 귓구멍에 뭔가가 막혀 있는 것 같은. 코피가 나는 것 같다.

여기저기, 랄까, 온몸이 다 아프고, 컨디션은 최악이지만, 거리에서 나간다고 하루히로가 말한다. 뛸 수 없어도, 뛴다. 뛸 수 있다.

왜 하루히로가 여기 있는 건지? 라거나, 그밖에도 모르는 놈이 있다거나, 저 모스그린 외투를 입은 남자는 어딘가에서 본 적이 있다거나, 여러 가지 생각은 떠올랐지만, 그런 일보다도 지금은 뛰어야 한다. 하루히로가 있다.

하루히로의 뒷모습이 보이니 따라가지 않을 수는 없다.

그야, 하루히로가 있는 거니까.

다른 일은 생각하지 않아도 된다.

어느 틈엔가 꽤나 거리 안쪽까지 들어온 듯, 뛰어도 뛰어도 문에 도달할 수가 없었지만, 때때로 하루히로가 돌아보며 격려해주었기 때문에 충분히 힘을 낼 수 있었다.

문은 예의 가시가 잔뜩 있는 넝쿨 같은 것으로 막혀 있었지만 누군가가 구멍을 뚫어 지나갈 수 있게 해놓았다. 거기를 통해 밖으로 나온 후에도 한동안 뛰었다. 쿠자크는 멈춰 서서 쉬고 싶었지만, 하루히로가 "아직이야!"라고 질타해서 당연히 그 말을 따랐다.

계단을 난잡하게 쌓아올린 것 같은 언덕을 올라갔다. 몇 번이나 단차에 발이 걸려 넘어졌다. 그때마다 하루히로가 일으켜주었다. 진짜 생큐야, 고마워.

눈은 제법 보이게 되었다. 귀도 비교적 들린다. 낫는 거구나. 아니, 그런 게 낫는 건가? 보통? 그림갈이 아니라서 그런가?

마침내 언덕을 다 올라가면 뭔가 해낸 느낌이 상당하겠지. 분명 하루히로도 칭찬해줄 거야.

하지만 이것이 언덕인가? 아니지 않아? 뭐랄까, 방금 전까지와는 양상이 전혀 다르다. 쿠자크는 복잡하게 얽힌 고무나 무슨 튜브 같은 것을 쌓아놓은 느낌의 급경사면을 기어 올라가고 있다. 손을 척 걸치면 그 튜브 같은 것이 쭉 늘어나서 꽤나 힘들어, 이거. 별로 상관없지만. 이제 끝인 것 같으니.

"—으샤아…!"

쿠자크는 튜브 같은 것을 쓱쓱 잡아끌며 몸을 올려 드디어 언덕 위에 도달했다.

거기에서 그녀가 울고 있었다.

반짝반짝, 반짝반짝, 눈물을 흘리고 있었다.

16. 정론은 너무나 썰렁해 [sentimentalism]

"…시호루?"

하루히로는 자기도 모르게 두 번, 세 번 눈을 깜빡이고 말았다.

언덕인지 언덕이 아닌 건지 잘 모르지만, 달리 부를 만한 이름도 없으니 언덕이라고 부를 수밖에 없는 언덕을 다 올라가기 전부터, 실은 위쪽에서 뭔가가 빛나고 있는 것 같았다. 올라가보니 예상대로 사람으로 보이는 것이 빛을 발하고 있었다. 몸의 윤곽으로 여성이라는 것은 일목요연했다. 한순간, 나체가 아닌지 착각했을 정도다.

빛나는 도료 같은 것을 나체에 고루 펴 바른, 좀 이상한 여자인가? 라는 것이 첫인상이었다. 파라노니까 그런 일도 있을 수 있는 건지도 모르지만, 그 여성의 얼굴이 아무래도 우리 동료를 닮았다고나 할까, 시호루로밖에 보이지 않는다면 이야기가 달라진다.

"…맞, 지? 아니… 잘못 본 거? 인가요? …… 네?"

여성은 하루히로에게서 5~6미터 정도밖에 떨어지지 않은 곳에서 하염없이 울고 있다. 아마도 하루히로를 보고 있는… 것일 텐데, 이쪽을 보는 것 같기도 하고 안 보는 것 같기도 하다. 그녀는 눈물을 흘리고 있다. 반짝이는 별을 부순 입자 같은 저것이 눈물이라면. 그 반짝이는 눈물이 그녀의 뺨을 타고 떨어져, 일부는 가슴과 하복부 등에 부착되고 나머지는 그녀의 발밑에 떨어져 쌓인다.

시호루의 얼굴을 한 여성은 두 눈을 크게 뜨고 입술을 "우"라고 발음하는 도중인 형태로 벌리고 목소리도 내지 않고 그저 울고 있다. 꼼짝도 하지 않는다. 흐르는 반짝이는 눈물 이외는 정지해 있기 때문에 아히르가 만들었던 나이팅게일 동상보다도 정교한, 등신대의 여성을 조각한 모형 같기도 하다.

뭐지? 이것은. 머리가 돌아가지 않아서 이해력이 쫓아가지를 못한다.

한꺼번에 많은 일이 일어났다. 하나씩 정리하기 전에 아무튼 따라쟁이의 거리에서 벗어나는 것이 우선이라고 생각했다. 그것이 잘못이었던 건가? 아니, 그렇지는 않을 것이다. 왜냐하면 쿠자크뿐만이 아니라 세토라와 아무래도 키이치인 모양인 호랑이 같은 짐승, 더욱이 어째서인지 엠바도 있고, 메리, 아아, 메리… 메리도 무사히 있어주었다. 전원 집결까지는 아니어도 동료들과 합류할 수 있었다. 덧붙여, 아직 말하지 않은 것은 확실한 건 모르기 때문인데, 이오라 불리는 여자와 그 일행으로 보이는 남자 두 명은 새벽 연대의 이오 부대 중 세 명인가? 왜 파라노에? 아무튼 뭐, 그들과도 적대하지 않아도 될 것 같다. 따라쟁이는 폐허 4호에 틀어박혀 나오지 않는 모양이지만, 일단, 만약을 위해, 언덕에 올라가버리자. 타당한 판단이었을 것이다.

전원 집결.

"…그런가."

그렇다. 전원 집결이다. 맞아. 뭐야. 만만세잖아.

"시호루, 잘은 모르지만, 울지 말고 이리로…."

"잠깐."

앨리스가 소매를 잡아당겼다.

쳐다보니, 톤베였던가? 성기사로 짐작되는 이오 부대의 뚱뚱한 남자가 손거울을 거대하게 만들어 그 뒤에 이오와 또 한 명 온통 검은색에 턱이 긴 남자를 보호하고 있다. 세토라 일행은 아직 언덕을 올라오는 도중이겠지. 아히르가 허리에서 벨트를 뺐다.

"트릭스터다, 저 여자."

"…어?"

트리…?

뭐?

트릭스터?

엉?

누가?

앨리스의 삽이 벗겨졌다. 그 표피가 하루히로와 앨리스를 휘감으려고 한다.

"잠깐, 어이!"

아히르가 뛰어들었다. 앨리스는 쫓아내지 않았다.

삽의 표피가 앨리스와 하루히로, 아히르를 완전히 덮어 감추기 직전, 시호루… 그렇다, 저것은 시호루다, 그 발밑에 덩어리진 반짝이는 눈물이 둥실 떠오르더니 이쪽으로 밀어닥치는 것이 보이고, 한기가 들었다. 이미 앨리스의 삽이 지켜주고 있다. 그래도 위험한 느낌만 든다. 빠직빠직빠직빠직빠지직빠지직 하는 듯한 소리가 들리기 시작했다. 공격을 받고 있다. 어떤 공격인가?

"큭…."

앨리스가 희미하게 명멸하는 고기 막대기 같은 삽의 본체를 꽉 쥐고 뭔가 괴로운 듯이 신음했다. 하루히로는 황급히 앨리스를 껴안았다. …레저넌스. 나는 이미 앨리스다. 저리는, 것 같은. 아픔? 인가? 꼬집힐 때의 감각에 가깝다. 작은, 하지만 상당히 힘이 센 손으로 동시에 수백 군데를 꼬집히는 것, 같은. 엄청나게 불쾌한 느낌이다. 어떻게 된 시스템이야? 이거. 저 트릭스터, 도대체 뭐야? 이 힘. 안에 있어서 보이지 않는 건가? 일단 견디는 수밖에 없나? 위기를 넘기는 수밖에.

압력이 약해졌다.

공격이, 멈췄다.

곧바로 표피를 풀고 아히르를 발로 차낸다.

"—아얏!"

볼품없이 엉덩방아를 찧은 아히르를 곁눈으로 보며 트릭스터를 관찰한다.

아직 울고 있다. 저 반짝반짝 빛나는 눈물이 골치 아프다. 삽이 꽤 손상되었다. 표피가 너덜너덜하다. 내 삽을 이렇게 만들다니, 보통이 아니야.

하루히로의 지인인가? 친구… 동료인가?

어둠에 떨어져, 트릭스터가.

"…뭐? …시호루 씨…."

뒤쪽에서 목소리가 들렸다. 힐끔 본다. 저 녀석인가? 쿠자크라고 했나? 마침 언덕을 다 올라온 참인 모양이다. 저 여자를 보고 화들짝 놀라고 있다.

"물러서 있어! 저렇게 되면 이미 구할 수 없다."

"구, 구할 수 없다… 니, 무슨 의미…?"

"말한 그대로의 의미야."

누이와 같다.

하루히로는 누이를 구하려고 했다. 그렇지. 너는 지금 레저넌스로 내가 되었으니까, 전해지거든. 마법의 근원인 에고도, 사람을 어둠에 떨어뜨리고 트릭스터의 힘의 근원이 되는 이드도, 마음에 깊이 관련되어 있다. 마음 그 자체라고 말해도 될지도 모른다. 상대방 속으로 파고들면 무슨 실마리를 찾을 수 있지 않을까? 라고 너는 생각했겠지.

실패한 것이 아니야. 너는 제대로 구한 거다. 누이는 구원받았다. 네가 바란 형태와는 다를지도 모르지만.

무엇보다, 살아 있어봤자 아무런 좋은 일이 없어. 가끔씩 기뻐지거나 행복하거나 해도 그런 건 일시적인 것일 뿐이다. 어떤 기쁨도 빛바래고 몇 번씩이나 맛볼 수 있을 수는 없다. 익숙해져버리니까. 마약 같은 것도, 쓰면 기분이 좋아지지만 내성이 생긴다. 사용하는 양을 늘리고, 늘리고, 점점 늘리다 보면 언젠가는 몸이 망가지거나 과다 복용으로 죽는다.

쓸데없거나, 별 볼일 없거나, 괴롭거나, 아프거나, 안타깝거나, 그런 일뿐이라고. 살아 있어봤자. 뭐가, 살아 있는 건 근사하다는 거야? 인생 찬가 따위 엿이나 먹어라. 살면서 절망하지 않는 놈은 아무것도 볼 수 없다. 제대로 생각할 수 없는 바보다. 똑똑한 놈은 이 방법 저 방법으로 희망이 없는 상태를 외면한다. 전부 소용없다는 것을 잊고 눈앞의 쾌락에 집중한다. 목표를 세워 꾸준히 노력하기도 하고, 호기심을 채우려고 하거나, 몸을 움직이거나, 출세하려고 하거나, 놀거나, 색욕에 빠지거나. 그렇게라도 하지 않으면 견딜 수가 없으니까.

살아 있는 일에는 의미 따위 없다. 우리는 그저 생식의 결과물로 태어났을 뿐이다. 우리가 살아도 죽어도 아무것도 변하지 않는다.

뭔가가 더해지지도, 빠지지도 않는다. 우주 전체의 질량에 변화는 없다. 엔트로피는 증대하고, 우리가 필사적으로 남긴 것들도 언젠 가는 형태를 보존할 수 없게 된다. 허무주의는 사상이나 자세, 태도 가 아니다. 단순한 진실이다.

누이는 무의미한 생에서 해방되었다.

축하해, 누이.

고마워, 하루히로.

그러니까, 내가 이제부터 하려는 일도 너는 받아들여야만 해.

시호루라고 했나?

저 아이를 죽일 거다.

나와 함께 저 아이를 해방시키자.

'—죽인다… 는, 뜻?'

울고 있잖아, 저 아이. 계속 울게 내버려두고 싶어?

'아니, 하지만… 뭔가 방법이….'

없어. 적어도 나는 몰라. 너는? 무슨 아이디어라도?

'그건… 없, 지만.'

구하는 거다. 누이처럼. 내가 어떻게든 저 아이를 유인한다. 그사 이에 너는 저 아이에게 달라붙어. 레저넌스로 저 아이와 동조하면 그 뒤는 어떻게든 되겠지. 누이에게 했던 것처럼 하면 돼.

그야, 동료이고, 친구니까, 어려울까? 그럼 이렇게 생각해보면? 누이의 경우와 같은 결말을 맞을 거라는 보장은 없어. 한 번 더 시 도해보면 이번에는 잘될지도 몰라. 나는 역시 그것이 누이의 바람 이었던 것 아닐까 하고 생각하지만.

저 아이, 말이야. 나는 모르지만. 어쩌면 계속 저렇게 울고 있었던 것 아니야? 너에게는 그렇게 보이지 않았을 뿐이지. 요컨대 누이와 마찬가지 아닐까? 해방되고 싶어하는 게 아닐까?

네가 어떻게든 레저넌스로 저 아이가 될 수가 있다고 하면, 그 답에 도달한다면, 되돌릴 수 있어? 저 아이의 바람과 네가 원하는 게 다르다면 어떻게 할 거야? 네가 원하는 걸 저 아이에게 강요할 거야? 그건 옳은 일인가?

"…옳은시 아닌지 그런 건!"

하루히로는 앨리스에게서 떨어졌다. 시호루가 울고 있다. 왜 우는 거야? 시호루. 모르겠다. 동료인데도. 왜 시호루가 울고 있는지 전혀 짐작도 가지 않아.

"쿠자크…! 시호루의 시선을 끌어!"

"어엇?! 어, 어떻게?!"

"뭐든 좋으니까!"

"그런 말을 해도…. 아아, 젠장, 그럼 시호루 씨, 이거 봐…!"

모르는 일이다.

아무리 동료라도 모르는 건 모르는 거고. 반드시 전부 다 알지 않아도 되는지도 몰라.

눈에 보이지도 않을 정도의 스피드였다.

쿠자크는 갑옷을 벗었다. 원래 익숙하기는 하지만, 그렇다 해도 기이한 속도였다. 그 외에도 몸에 부착한 것들 중 대부분을 뜯어내는 것 같은 기세로 벗어버렸다.

"끙차…!"

그리고 두 팔을 쳐들고, 오른손은 손날 형태로 하고, 왼팔은 알통이 생기는 자세로 힘껏 굽혔다. 왼발에 중심을 싣고 오른발은 발가락만 바닥에 붙인다. 무슨 포즈지? 잘 모르겠지만, 엄청나다.

근육이.

아니, 처음 만났을 무렵에는 길쭉하고 세로로 긴 인상이었고 그건 그 후로도 변함없었지만, 쿠자크는 키가 큰 것뿐만이 아니라 몸이 꽤 좋거든. 평균보다 훨씬 상체가 늠름했다고 생각해. 하지만 말이야.

저런 식은 아니었는데?

전보다 마초가 된 것 같은 느낌은 들었었다. 하지만 저 정도까지는 아니었잖아?

저 팔 둘레라거나, 말도 안 되잖아. 대흉근도 장난 아니지만, 뭐지, 날개처럼 펼쳐진, 광배근? 역삼각형이란 게 저런 건가? 아니, 아니, 가능해? 인간의 몸이 저런 형태로? 불가능하지 않아? 복근도 엄청난데? 선명하게 갈라져서 식스 팩이 튀어나올 것 같은데? 저렇게 복근을 단련시켰는데도 역삼각형이 성립하다니, 어떻게 된 거야? 무엇보다, 도대체 뭐냐고? 목 옆의, 승모근? 산이잖아, 산. 저렇게까지 튀어나오지는 않잖아, 보통. 팔 같은 건 말할 것도 없지만. 말할 것도 없지는 않은가? 두꺼워. 거의 다리야. 아니, 진짜 다리는 더욱 말도 안 되는 상태가 되어 있지만. 전부 다 포함해서 말하자면, 크다고.

너무 크다니까.

키는 아마 변하지 않았을 텐데, 거인이야.

머슬 자이언트야.

게다가 한없이 알몸에 가깝다고.

어떻게 된 거냐고.

뭐가 어떻게 되면 저렇게 되는 건데?

내가 아는 쿠자크는 어디로 간 거야? 하루히로는 외치고 싶어졌다. 돌려줘. 머슬 자이언트가 아닌 쿠자크를 돌려주세요. 부탁입니다.

보라고 해서 보고 말았지만, 보고 싶지 않다. 하지만, 보게 된다. 보고 말게 된다고. 그야. 안 볼 수는 없다니까. 너무 대단한걸.

하루히로뿐만이 아니다. 다들 마찬가지였다.

시호루도 두 눈을 크게 뜨고서 입을 떡 벌리고 있다.

울고 있지 않다.

예의 반짝반짝 눈물이 멎었다.

뭔가 엄청난 것을 보고 말았지만, 잘했다, 쿠자크. 네가 치른 희생? 희생, 인가? 비교적 자랑스럽게 과시한 것 같기도? 아무튼, 물거품으로 만들지는 않겠다.

그렇기는 해도 조바심내면 안 된다. 쓱… 마음을 땅 밑으로 가라앉히는 것처럼 해서, 스텔스. 그대로 시호루의 정면에는 서지 않도록 하며, 가급적 빨리, 그러면서도 서두르지 말고 접근한다. 시호루의 상태에 변화가 있으면 즉각 후퇴할 생각이다. 다음 기회는 없다. 뭐가 어떻게 되든 지금 하지 않으면… 이라고는 생각하지 않는다. 이런 멘탈 컨트롤은 비교적 잘하는 편이다.

앞으로 약 2미터.

1미터.

쿠자크도 거의 알몸이지만 시호루도 별 차이 없다. 시호루의 몸에 부착된, 가까스로 국소 부위 등을 가린 반짝반짝 눈물을 만지면 어떻게 되는 걸까? 우려는 되지만 시호루 본인은 괜찮은 모양이고.

여기까지 오면 이제 물러설 수는 없다. 최후의 최후에는 신중함을
벗어던지고 과감히 덤벼들었다.

"시호루…!"

17. 내가 완료하는 형태 [perfect_world]

옛날 옛적 어떤 곳에 놀랍도록 못생기고 아주아주 불쌍한 여자아이가 있었습니다.

너무나 못생기고…,

비뚤어진 탓에…,

여자아이는, 가엾게도…,

외 톨 이

였습니다.

반짝, 반짝반짝… 여자아이는 눈물을 흘렸습니다.

반짝반짝, 반짝… 눈물은 언제까지고 멎지 않았습니다.

그렇게 울고 있노라니 모든 것이 다 상관없어졌습니다.

그래도 눈물은 반짝반짝, 반짝… 하염없이 흘러나왔습니다.

신기하죠, 신기해요.

다 상관없는데, 어째서 나, 울고 있는 거지?

어쩌면… 어쩌면… 상관없는 게 아니지 않아?

그러니까, 반짝, 반짝반짝, 반짝반짝… 여자아이는 울고 있는 것일까요?

어쩌면 그런지도 모르겠네요?

여자아이는 분명… 뭔가 찾고 있는 것이겠지요.

찾고 있는 것은, 뭔가요?

'—뭐야? 뭘 찾고 있어…?'

저기요, 나, 뭔가 있잖아, 뭔가, 그래, 뭔가, 부족한 느낌이 들었
어. 처음부터 그런 것 같은데, 아마도. 왜냐하면, 나는, 부족하니까,
결여되었으니까, 그래서 원래부터 뒤떨어져서, 나는 이렇잖아? 분
명 선천적인 거라고 생각해. 선천성 결함 부족 결락 증후군이라거
나 그런 것 아닐까 생각해. 이런 말을 하면, 뭐, 그런 거야, 누구나
부족하기도 하고 결여되어 있기도 하는 거야, 당연하지, 라는 말을
들을 거라 생각하지만, 그렇지, 나도 알아. 그렇게 마치 다 안다는
듯한 얼굴을 하는 거야, 남의 일을 이해할 리가 없는데도. 나는 불
안해. 부족한 채로 있는 게 무서워, 너무나 무서워. 완전체가 되고
싶어. 나는 구멍 같은 거야. 내 형태를 한, 뻥 뚫린 구멍. 만약 주변
에 구멍이 있다면, 막아버리지 않으면 위험하잖아. 누군가가 그 구
멍에 빠지면 큰일이고. 아아, 이 구멍을 막아버리고 싶다. 하지만
말이야, 아무도 이 구멍에 빠지지 않아서 다행이라고, 내 형태를 한
함정에 빠지지 않아서 다행이라고, 그렇게도 생각해. 빨리, 빨리,
빨리, 빨리 이 구멍을 막아야 해. 그러니까, 나는 말이야, 나, 그 구
멍에 말이지, 뛰어들기로 한 거야. 에헤, 바보 같은 짓을 한다고 생
각하지? 웃기지? 그래도, 바보가 아니야. 바보 같은 짓이 아니야.
웃지 마, 나를 비웃지 마. 진심이야, 진지해. 중요한 일이야. 이러는
것 말고, 달리 어떻게 하면 좋았다는 거야?

아니야.

그게 아니야.

사실은, 알고 있었어. 계속, 알고 있었다.

불쌍한 여자아이는, 사랑받지 못했던 것입니다. 여자아이가 뚱뚱하고 여기저기 비뚤어져서, 어떻게 할 수도 없이 못난 것도, 결국은 사랑받지 못했기 때문이었습니다. 박애, 이웃사랑, 인류애, 친구로서의 우정, 그런 사랑이 아니라, 좀 더 강하고, 깊고, 격렬할 정도의 사랑. 결국 여자아이는 자기만 사랑해주길 바랐던 것입니다. 잡아주고, 두 번 다시 놔주지 않을 거야, 라고 속삭이는 말을 듣고 싶어. 물론, 그 한순간이 영원히 지속되어주지 않으면 곤란합니다.

그러면 여자아이는 구멍 따위가 아니게 되겠지요. 이제 부족함은 없어. 사랑받음으로써 여자아이는 완전한 것이 되는 것입니다.

그래요.

알고 있었습니다.

그런 일, 있을 수 없다는 걸.

목에서 손이 만 개는 튀어나올 정도로, 수치심도 없이, 사랑을 원하는, 탐욕스럽고 징그러운, 추한 여자아이를, 누가 사랑할까요?

하지만, 사랑받고 싶어.

사랑해줘.

사랑해줘.

사랑해줘.

사랑해줘.

사랑해줘.

사랑해줘.

사랑해줘.

사랑해줘.

사랑해줘.

사랑해줘.

사랑해줘.

사랑해줘.

사랑해줘.

사랑해줘.

사랑해줘.

사랑해줘.

사랑해줘.

사랑해줘.

사랑해줘.

사랑해줘.

사랑해줘.

사랑해줘.

사랑해줘.

사랑해줘.

날 사랑해.

"…무리야!"

하루히로는 시호루에게서 휙 떨어졌다. 반사적으로 시호루를 밀쳐내지 않았던 것만큼은 스스로도 평가해줘도 될지도 모른다.

시호루는 다리를 M자처럼 한 자세로 바닥에 주저앉아 물방울 모양 하늘을 허망한 눈으로 보고 있다. 아직 눈물을 쏟아내지는 않았다. 하지만, 시간문제겠지. 그랬었구나.

동료 사이라도 모르는 건 모른다. 이래 봬도 일단 하루히로는 파티의 리더인데도, 전혀 몰랐었다.

사랑받고 싶어. 사랑해줘.

시호루에게는 그것이 그 무엇과도 바꿀 수 없을 정도로 중요하고 유일무이한 바람이었다.

시호루는 하루히로의 동료이고 친구이기도 하다. 아주 중요한 존재이기는 하시만, 무리다. 하루히로가 시호루에게 품고 있는 마음은 아무리 생각해도 이른바 사랑이라 부를 만한 것은 아니다. 시호루를 구하고 싶어서 사랑합니다… 라고 마음먹자마자 자동적으로 사랑이 발생하는 것도 아닐 것이다. 사랑하는 척도 할 수 없다. 그것은 속임수다. 들킬지도 모르고, 시호루가 원하는 것은 진짜겠지. 물론, 시호루에게도 상대를 선택할 권리가 있다. 하루히로 같은 건 사양하고 싶겠지. 만에 하나 그게 아니라도, 하루히로는 시호루를 사랑하지는 않는다.

게다가, 예를 들어 하루히로가 시호루를 사랑하고 시호루도 납득했다고 치자.

구원받은 시호루는 어떻게 되는 건가?

시호루가 어둠에 떨어진 트릭스터라면 역시 누이처럼 되어버리는 것 아닐까?

안 된다.

어느 쪽이든, 안 된다.

"…미안, 시호루. 나는…."

시호루가 얼굴을 이쪽으로 돌렸다.

아직 아무런 표정도 떠올라 있지 않다.

시호루의 눈이 하루히로에게 초점을 맞춘다.

눈가에 빛나는 것이, 정말로 반짝반짝 빛나는 눈물이, 맺힌다.

그 직후였다.

시호루의 시선이 움직였다. 하루히로의 비스듬히 뒤쪽에, 누군가가 있다.

"나한테도 시험하게 해줘."

돌아보고 확인할 필요도 없다.

세토라가 하루히로 옆으로 걸어왔다.

"밑져야 본전이다."

시험하다니, 뭘?

물어보기도 전에 세토라는 두 손으로 꽉 쥐고 있던 구체를 내밀며 외쳤다.

"—엠바!"

시호루가 엠바가 되어간다. 아니, 그 변화는 눈 깜짝할 사이에 완료했기 때문에, 마치 시호루와 엠바가 뒤바뀐 것 같았다.

엠바는 시호루보다 크지만, 앉아 있는 자세는 일치했다.

시호루가 엠바가 되어버렸다.

힘이 빠져 하루히로는 그 자리에 주저앉았다. 세토라를 올려다본다.

"…어떻… 어? 뭐…?"

세토라는 깊이 한숨을 내쉬고 하루히로의 눈앞에 구체를 내밀었다.

"뭐라고 생각해?"

"…위혼기, 였던가? 엠바 속에서 꺼낸…."

"맞아. 위혼기는 인조인간 속에 있어야만 제 기능을 하는 것이다. 그런데도, 나는 어째서인지 엠바를 꺼낼 수 있어. 그러나 위혼기는 내가 갖고 있다."

"잘 모르겠는데…."

"나도 가설을 세웠을 뿐, 확증은 없어. 단지, 이 엠바는 내가 만든 인조인간 엠바와는 비슷하면서도 다른 것이다."

"네 마법이야."

앨리스가 삽을 어깨에 걸치듯이 하고 걸어왔다. 키이치도 따라온다.

이오 팀은 아직 경계하고 있는 것 같다. 세 사람 다 톤베의 거울 뒤에 숨어 얼굴만 살짝 내밀어 이쪽을 보고 있다. 메리는 언덕 가장자리 근처에 있고 다가오지 않는다. 아히르도 마찬가지다.

쿠자크는 알몸인 채로 멍하니 있다. 아니, 완벽한 알몸은 아니지만.

"…입지그래?"

"아, 그러네. 응…."

"그 몸도… 그런가. 쿠자크의 마법인가. 자기강화. 나르시…."

"그런 모양이야. 뭔가, 창피하지만…."

"오히려, 부러워."

"어어, 어디가? 그보다, 하루히로의 마법은…?"

"내 건… 아니, 그런 일보다도…."

"일어서, 엠바."

세토라가 명하자 엠바는 느릿느릿, 이랄까, 약간 뻣뻣한 동작으로 일어섰다. 기분 탓일까?

뭔가 들린다. 엠바의 속에서, 목소리 같은 것이.

같은 것이라고나 할까, 목소리다.

하루히로는 조심스럽게 엠바에게 다가갔다. 약간 몸을 굽히고 그 가슴에 귀를 대본다.

"…로워… 도… 없… 로… 워어… 후후… 상관… 없….

"이건… 시호루 목소리? 그, 그렇다는 건….

속인가? 시호루가 엠바로 변한 것이 아니다. 시호루는 엠바 속에 있는 것이다.

"보기 드문 마법이네."

앨리스는 상반신을 좌우로 기울이기도 하고 눈을 가늘게 뜨기도 하며 엠바를 쳐다보았다. 흐음, 콧소리를 낸다.

"하지만 아마도 나나 아히르와 마찬가지로 필리아겠지. 뭐라 했지? 그 손에 들고 있는 것. 위혼기? 꽤나 소중하게 여기는 거지? 너, 세토라라고 했나?"

"그래. …뭐, 그렇다. 이것은 엠바의 본체다. 만약 위혼기까지 부서져버리면 엠바는 두 번 다시 돌아오지 못해. 나에게 엠바는 마음의 의지였다."

"그러니까 그 위혼기라는 것이 네 마법의 근원이 된 거로군. 그래서, 원래는 인조인간인지 뭔지 프랑켄슈타인 같은 그건가? 그 안에 위혼기를 넣어둔다거나 하는 건가? 인공 심장 같은 느낌?"

"위혼기는 심장과 뇌를 합친 것 같은 것이다. 그러나 그렇게 이해해도 된다."

"그런데, 위혼기는 네 손에 있어. 그럼, 엠바 속에는 뭐가 있는 거지?"

지금은 보아하니 시호루가 속에 들어 있다. 그전에는?

하루히로는 고개를 갸웃거렸다.

"…텅 비었었어?"

세토라는 엠바의 어깨에 손을 올렸다.

"나는 그렇게 가정했다. 뭔가 사람의 지혜가 미치지 않는 힘의 작용으로 엠바가 재현되었다고 해도 내가 위혼기를 갖고 있는 이상 그것은 허상이다. …잘 만들어지긴 했다. 그러나 인조인간의 기관과 그 기능을 성립시키는 것만으로도 기술적으로는 지극히 어렵고, 그것을 달성하면 또 달성했기 때문에 위혼기가 없으면 움직일 수 없어야 한다. 움직일 리 없는 것이 움직인다고 해서 당연히 안에 내용물이 있을 것이라는 생각은 버려도 돼."

"시호루를, 엠바 속에…."

"현재로서는 텅 빈 인조인간 안에서 얌전히 있어주는 것 같은데. 조만간 튀어나올지도 모르지만."

앨리스는 재수 없는 말을 한다. 하지만 그 말이 맞겠지.

"임시방편인지도 모른다는 건가…?"

"미안하다, 하루."

세토라는 하루히로를 다시 쳐다보며 고개를 숙였다. 그 옆에서 키이치도 고개를 숙인다.

"나는 이 정도밖에 생각나지 않았다. 승산이 있었다고는 말하기 힘들고, 계획성도 전혀 없다. 앞으로 어떻게 하면 좋을지 나는 짐작도 못하겠다."

"아니야, 충분해… 지나칠 정도로 충분해."

하루히로는, 휴… 하고 힘껏 숨을 내쉬었다. 일어서려고 하자 앨리스가 손을 내밀어준다. 하루히로는 고맙게 그 손을 잡았고 앨리스가 잡아당겨 일으켜준다.

"별말씀을."

"…고맙다는 말, 안 했는데?"

"말하려고 했잖아?"

"그야…."

하루히로는 머리를 긁적이면서 동료들을 쳐다보았다.

세토라와 키이치는 아직 고개를 숙이고 있다. 쿠자크는 갑옷을 다시 입느라 꽤 애를 먹는 것 같다. 지나치게 근육이 울퉁불퉁해진 탓에 힘들겠지. 메리는 어딘가 먼 곳을 보며, 무슨 생각이라도 하는 걸까? 별로 상관은 없지만, 왠지 너무 서먹한 것 같지 않아? 혹시나 날 피하는 건가? 미움받을 만한 짓은 딱히 하지 않았다고 생각하는데. 떨어져 있었으니까 뭘 할 수도 없었지만. 조용히 서 있는 엠바의 마음속에서 시호루는 어떻게 하고 있을까? 확인하고 싶지만, 섣불리 자극하고 싶지는 않다.

"시호루는, 괜찮아."

하루히로는 굳이 단언했다. 사실은 당장 어떻게 해볼 방법도 없고, 어쩌면 잘 해결될지도 모른다는 정도의 생각밖에는 떠오르지 않는다. 뭐가 괜찮다는 건지.

아히르나 이오 부대는 신용할 수 있는가… 라는 문제도 있다. 전력은 충분한가? 과제는 많고 전부 해결하는 건 아마도 불가능하다.

그래도, 전원 다 찾았다.

동료가 모인 이상, 해야 할 일은 명확하다.

하루히로는 하늘의 철탑을 찾았다. 지평선에서 똑바로 수직으로 뻗은 선의 위치를 기준으로 해서 선홍의 숲이 있는 방향을 대충 계산해낸다.

가는 길이 험하든 엉망진창이든 길든, 거기에 성은 있다. 왕은 있다. 문은 있는 것이다.

어떻게 해서 왕에게 접근할까가 문제다.

왕의 힘, 그 마법은 전모가 분명히 드러나지 않은 정도가 아니라 의문에 싸여 있다. 나르시인가? 도펠인가? 혹은 필리아인가? 레저넌스는 아닌 것 같지만, 종류조차 불명이다.

일단 왕에게 짓밟힌 자가 그림자가 된다는 것은 알고 있다. 이오 말에 따르면, 그녀의 동료인 전사 카타즈는 왕을 처음 만났던 날 그림자가 되어버렸다고 한다. 카타즈는 쿠자크보다도 키가 크고 건장한 체격이었으나, 왕은 그 거한을 마치 '벌레라도 밟아 죽이듯이' 밟아 뭉개버린 모양이다. 그렇다면 왕의 키는 카타즈의 두 배, 4미터쯤은 되어야 말이 되겠지. 하지만 앨리스나 아히르의 말을 들어보면 왕은 덩치가 크긴 해도 그렇게까지 인간과 동떨어진 체격의 소유자는 아니다. 그런데도 사람을 짓밟을 때의 왕은 4미터 정도가 아니라 10미터쯤은 되는 것처럼 느껴진다고. 그 문제는 확실히 마법의 작용이라고 생각된다.

그림자로 만드는 것 말고도 왕은 사람이든 몽마든 간단히 죽여버린다. 그 경우에는 때리거나 발로 차거나, 붙잡아서 비틀거나, 찢어발기거나 하는 모양이다. 황당할 정도로 힘이 세다는 것은 틀림없다. 그렇다는 것은, 쿠자크, 그리고 이오 부대의 암흑 기사 고미도 그런 모양인데, 자기강화 마법인 나르시인 건가? 아니, 그렇다면 밟아서 그림자로 만들어버리는 힘이 설명되지 않는다.

왕이 잠시도 떼놓지 않고 뭔가를 휴대하는 것 같은 기색은 없는 모양이다. 그렇다면 필리아도 아니다. 그럼 도펠인가?

하루히로 일행은 하늘의 철탑을 경유해서 선홍의 숲을 향해 나아
갔다.

그림자는 왕의 신하를 미행해서 성을 나갈 수는 있어도 멋대로
성 밖을 돌아다니는 일은 없다. 아히르도, 이오 팀도 이미 그림자를
따돌렸다. 입성할 때까지 그림자의 감시는 고려하지 않아도 되니까
다 같이 행동하고 있다. 강력한 마법의 소유자들이 모여 있기 때문
에 몽마는 나가오지 않는다.

"도펠이라고 하면, 스즈키 씨랑 그리고⋯."

"나는 이거."

메리는 헤드 스택을 들어 올려 보였다.

"이것으로 괴물을 박살 내는 것밖에 나는 보지 못했지만."

키이치의 등에 엠바와 둘이 타고 있는 세토라의 메리에 대한 태
도는 냉담하다. 원래 격의 없는 사이는 아니었겠지만 파라노에서
계속 함께 있었다고 하니 좀 더 가까워져 있어도 될 법한 느낌이 든
다. 반대로 관계가 악화될 만한 사건이라도 있었던 건가?

"세토라와 키이치, 엠바가 지켜주었으니까."

그러면서도 메리는 세토라에게 웃어준다거나 하니 잘 모르겠다.

"⋯이제 엠바에게 의지하면 곤란해."

"괜찮아. 모두가 있어."

메리는 갑자기 하루히로 쪽으로 얼굴을 향하고 "그렇지?"라며 미
소 지었다.

"아⋯ 응, 뭐, 그건⋯ 그렇지. 응⋯."

그만 당황해버렸다. 옆에서 히죽거리는 쿠자크를 가볍게 때려주
고 싶다. 때리지 않을 거지만. 아니, 역시 메리, 이상하다니까. 남처

럼 서먹하게 군다 싶으면 갑자기 이런 식으로 군다거나. 뭔가 다르
다고나 할까.

"그런데 멍텅구리."

하루히로 일행에게서 약간 떨어져서 고미와 톤베를 거느리고 걷
는 이오가 머리카락을 쓱 쓸어 올리면서 말했다. 멍텅구리… 라는
것은 쿠자크를 가리키는 모양이다. 마초가 되기 전의 쿠자크에게는
멍한 느낌이 아주 살짝 없지는 않았었다. 그렇기는 해도 멍텅구리
라니….

"왜 너는 주인님인 내 곁에 있지 않고 그 졸린 눈을 한 띨빵이 가
까이에 있는 것일까?"

"……아니, 그보다 말이야, 우리 리더를 그렇게 부르지 말아주겠
어?"

"내 눈에는 띨빵이로밖에 보이지 않으니까 띨빵이라고 부르는 거
야. 당연히 아무런 문제도 없지!"

"뭔가 문제 있나……? 도 아니고 문제없다고 갑자기 단언하는 거
야? 정말, 성격 대단하네…."

"어이이이, 멍텅구리! 이오 님께 말대답하는 겁니까? 용서 못할
놈이네요!"

"뭐라고라! 죽고 싶냐? 멍텅구리!"

톤베와 고미는 짖기만 하는 게 아니라 당장이라도 덤벼들 것 같
다. 머리가 아파졌다.

"…싸움은 참아주지 않겠어? 지금 그럴 때가 아니고…."

"시끄럽습니다! 하루마키인지 핼로미키인지 모르지만, 너까지 포
함해서 죄다 해치울 수도 있습니다, 우리는!"

"이오 님 부대를 얕보지 말그래이!"

"아니, 저기, 하루마키든 뭐든 좋지만…."

"좋지 않다니까, 하루히로! 하루히로는 하루히로잖아?!"

"…쿠자크, 너까지 흥분하지 마. 괜히 더 골치 아프게 되잖아…."

"앗, 난, 그러려던 게! 하루히로의 발목을 잡는 짓만큼은 하고 싶지 않고."

"너무나 한심해서 나도 모르게 불에 기름을 붓고 싶어지는 상황이네."

앨리스가 킥킥 웃고 있다. 기름 같은 걸 붓지 않아도 충분히 활활 타오르고 있으니까 절대 그러지 말아줬으면 한다. 자기는 상관없다는 분위기를 자아내며 묵묵히 걸음을 옮기는 아히르나 세토라가 지금은 옳다고 본다. 저 두 사람은 원래 그런 느낌이지만, 메리는 어떨까? 이쪽을 쳐다보지도 않고 세토라와 엠바를 태운 키이치 옆을 거침없이 걸어가고 있다. 왠지 냉정하다. 게다가 이 위화감은 뭐지? 뭔가 이상한데, 뭐가 이상한 건가? 하지만 뭐, 그건 그렇다 치고.

"…그렇지. 이오… 씨의 마법은 뭡니까?"

"보면 몰라?"

"모르… 겠는데. 알면, 안 물어볼 테고…."

"이 미모를 봐. 척하면 척이지."

"아, 역시 모르겠네…."

"당신 눈, 졸려 보이기만 하는 게 아니라 썩기까지 했나?"

"아니, 저기, 이오… 씨가 예쁘다는 것은 알지만요."

"아니지. 인류 역사상 보기 드물 정도로 예쁘다… 로 정정해."

"…인류 역사상 보기 드물 정도로 예쁘다는 건, 확실히 뭐… 그렇지만, 그게 마법? 마법인가…?"

"나르시로 외모가 바뀐다는 것은 있을 수 있는 일이잖아?"

때때로 상냥한 앨리스가 도움의 손길을 내밀어주었다.

"쿠자크… 가 아니라 멍텅구리 군이던가? 그도 몰라볼 정도로 변한 느낌이잖아. 그러고는, 그렇지. 가능성으로서는 도펠이네. 간단히 말하자면, 도펠은 분신을 만들어내는 마법이지만."

"스즈키 씨처럼 말이지?"

"맞아. 그 사람의 도펠은 잉꼬 같은 새. 대인공포증이라 직접 얼굴을 보면서 타인과 말할 수 없는 모양이야. 그래서 본체는 언제나 어딘가에 숨어 있어."

"…이오… 씨의 본체는…?"

하루히로는 주변을 둘러보았다. 이 일대는 얕은 소택지로 연보라색의 탁한 수면에서 은색 숟가락 같은 모양의 버섯인지 식물인지 잘 모를 것들이 불쑥불쑥 대량으로 튀어나와 있다. 아히르, 세토라와 엠바를 태운 키이치, 메리, 이오와 톤베, 고미, 하루히로, 쿠자크, 그리고 앨리스. 그밖에 사람의 모습은 없다.

"보이지 않는… 데."

"나 말고는 나만큼 유례없는 존재가 있을 리가 없지."

이오는 불쾌하다는 듯이 코웃음을 치더니 고개를 휙 돌려버렸다. 톤베와 고미가 옳소, 옳소, 옳고말고라… 라며 시끄럽다.

앨리스는 "저 아이의 마법"이라며 삽 끝으로 세토라 일행을 가리켰다.

"재미있네. 그래서 생각한 건데, 본체는 꼭 도펠 밖에 있지 않아도 되지 않을까? 안에 들어가버리면 돼. 마치 동물 인형 옷을 입는 것처럼."

"마, 말도 안 되는 소릴!"

그러자마자 이오의 걸음이 빨라졌다. 철벅철벅 연보라색 물을 튕기며 큰 걸음으로 걸어가는 이오를 톤베와 고미가 거품을 물고 이오 님, 이오 님… 외치며 쫓아간다.

"앗, 그리고 보니…."

쿠자크가 한 말에 따르면, 어째서인지 톤베로부터 이오와의 만남에 관해서 자세히 들은 적이 있다고 한다. 그 내용 중에 이오는 왜소하고 무척 작다는 표현이 있었다고.

"이오 씨는 키가 전혀 작지 않으니까, 그 순간에는 어라? 하고 의아했어. 하지만 톤베 씨는 쉴 새 없이 주절거렸고 그렇게 신경 쓰지 않고 흘려버렸는데."

"…그렇다면, 왕의 마법도 도펠이고 안에 본인이 들어 있는 건지도 모른다는 건가?"

"있을 수 없는 일이라고는 말할 수 없어."

앨리스는 왕에 관해서 마음에 걸리는 점이 한 가지 있었다고 한다.

"그 똥 덩어리, 보기에는 제법 나이 먹은 아저씨거든."

"응. 나는 한 번밖에 못 봤지만, 상당히 스타일이 좋은, 좀 나빠 보이는 아저씨라는 느낌이지요."

"그렇긴 해도 스스로 왕이라고 자처하며 제멋대로 구는 거잖아? 그런 놈이라면 보통은 하렘 한두 개쯤은 만들 법하지 않아?"

"맞아. 만들겠지. 아니, 나는 안 그러거든요? 아니, 그럴까나? 왕이 된다면. 어떨까? 억제할 수 없게 된다거나 할지도."

"솔직하네, 쿠자크. 너는….."

"하루히로한테 거짓말을 해봤자잖아? 하루히로 앞에서는 항상 솔직하고 싶고."

"너무 내 이름 연거푸 부르지 말아줘….."

"어, 왜? 하루히로는 하루히로잖아."

"왠지 창피해….."

"너, 의외로 인기 있구나."

앨리스가 놀란다. 아니, 비웃은 건가?

"아무튼 그 똥 덩어리, 여자한테 그런 쪽의 관심은 없는 것 같아. 죽이기는 해도 범하지는 않는다고 해. 그게 도펠이라면, 안에 든 사람은 전혀 다를지도."

"본래는 여성이라거나…… 실은 노인이거나, 반대로 어린애라거나?"

"어린애, 라."

앨리스는 그렇게 중얼거리더니 입을 다물었다. 그럴 가능성도 있다고 생각하는 것이겠지.

만약에 왕이 파라노에서 살아남은 어린애일 경우, 풀리지 않는 의문은 있다. 왕은 천국으로 가는 문을 지키고 있는 것이다. 늙어 살아갈 나날이 얼마 안 남았다면 몰라도, 앞길이 구만 리 같은 어린애가 파라노에 머물러 있으려고 할까? 어떻게 해서든 돌아가려고 문을 열고 나갈 것 같다.

그럼 노인이라면 어떤가? 예를 들어 하루히로가 70~80대의 노인이고, 파라노에 흘러들어와버렸고, 어쩌다 강한 마법을 손에 넣어 왕이 되었다고 치자. 어떻게든 돌아가고 싶다고 바랄까? 그야 파라노에 있으면 어쩌면 영원히 왕으로 있을 수 있을지도 모른다.

그림갈에는 그림갈의, 다룽갈에는 다룽갈의 법칙이 있다. 파라노도 마찬가지다. 그림갈에서 온 하루히로에게는 기묘하게 느껴지지만, 이 타계에서는 누구나 마법을 쓸 수 있다. 하지만 파라노의 법칙이 다른 세계에서는 통하지 않는다면? 천국이 다른 세계라면, 왕은 자기를 왕으로 존재하게 만들어주는 마법을 쓸 수 없게 될지도 모른다.

왕은 노인이나 어린애. 파라노에서 나가고 싶어하지 않는다. 절대적인 왕의 힘인 마법을 잃을지도 모르기 때문이다. 파라노에 있으면 지배자로서 계속 군림할 수 있다.

폐허 7호가 가까워졌다.

찌그러진 벌집 같은, 저 불쾌하다고밖에 표현할 수 없는 구멍투성이의 분지가 멀리 보인다. 폐허 7호의 전역에 구멍을 파헤쳐 주거지로 삼은 칠색두더지는 기본적으로 사람 앞에는 모습을 보이지 않는 모양인데, 고참이라고 표현해도 좋을 만한 왕의 신하다. 여기서부터는 다소 연기력이 요구된다.

"세토라. …엠바의 상태는?"

"문제없을 것 같아."

세토라는 즉답하고 나서 엠바의 가슴에 귀를 댔다. 그대로 잠시 동안 가만히 있었다.

"—오히려 너무 조용해서 기분 나쁠 정도지만."

아무 일도 일어나지 않기를 바라면서 하루히로 일행은 두 팀으로 나뉘기로 했다.

하루히로, 쿠자크, 메리, 세토라, 키이치, 시호루를 내장한 엠바는 이오가 여기저기서 모아온 신하 후보인 걸로 한다. 왕에게 충성을 맹세하기 위해 알현을 요청하러 가는 것은 쿠자크 때에도 같은 일을 했었으니 전혀 부자연스럽지 않다.

그리고, 아히르가 앨리스를 왕에게로 연행한다. …그러는 척하면서 실은 아히르는 앨리스에게 패해서 굴복할 수밖에 없었다. 협박당해서 엘리펀트 성까지 안내했다는 스토리에 따라 행동한다.

참고로 이오도 레슬리 캠프를 발견해서 문을 열고 파라노에 온 모양이다. 이오는 톤베, 고미 외에도 카타즈, 타스케테, 잼이라는 동료를 거느리고 있었다. 그러나 마법사인 잼은 몽마에게 끌려가 케지만처럼 반마가 되어버린 끝에 이오 일행의 손으로 처단했다고 한다. 전사 카타즈는 그림자가 되었고 도적 타스케테는 왕에게 붙잡혀 감옥에 갇혔다.

그림자가 된 카타즈는 무리일지도 모르지만, "살려줘"가 입버릇이라는 이유로 이오가 명명한 듯한 타스케테(주3)는 가급적 구해주고 싶다.

감옥은 원래 성 지하에 있었던 모양이다. 왕에게 피에로 취급을 당하던 앨리스는 죽음을 무릅쓴 각오로 힘껏 반항하다가 마침내 그 감옥에 갇혔다. 어떻게 탈옥할 수 있었는가?

이유 중 한 가지는, 왕이 앨리스를 지나치게 얕보았다는 것. 허세 부리는 것밖에 못하는 무력한 공주님인 척 앨리스가 연기해서 일부러 얕보게 만들었다는 면도 있다. 덕분에 왕은 앨리스에게서 삽을 압수하는 일조차 하지 않았다.

또 한 가지는, 지하층의 감옥에는 왕의 눈길이 닿지 않았다. 아무리 왕이 방심을 해도 눈앞에서 앨리스가 탈옥을 결행하면 못 볼 리

주3) 타스케테는 '사람 살려', '도와줘'라는 뜻.

는 없었을 것이다.

더욱이 성 자체가 지금보다 훨씬 작았고 선홍의 숲도 작았다. 그래서 앨리스는 간신히 도망칠 수가 있었다.

그 후에 감옥은 편전으로 옮겨졌다. 성도 앨리스가 있던 무렵과는 전혀 다르다. 선홍의 숲은 엄청나게 흉악한 몽마들의 소굴로 변했다. 폐허 7호. 칠색두더지의 소굴을 빠져나가지 못하면 사실상 성에 들어가는 일도 불가능하다.

이오를 비롯한 하루히로 일행이 앞서 칠색두더지의 소굴에 발을 들여놓았다. 소굴은 직경 3미터쯤 되는 터널이다. 여기저기 다 내리막이거나 오르막이거나, 왼쪽이나 오른쪽으로 구부러졌다. 똑바로 난 평평한 곳은 없다. 이오가 말하기를, 소굴이 어디로 이어질지는 칠색두더지가 결정한다고 한다. 칠색두더지가 그자를 통과시키겠다고 결정하면 언젠가는 성에 도달하게 되고, 그렇지 않으면 계속해서 헤매게 된다.

"이오… 씨네는 처음에 어떻게 해서 왕… 폐하를 만나러 갔었나요?"

"저 아히르라는 남자가 아닌 다른 신하가 안내했어. 카타즈와 타스케테가… 폐하 앞에서 건방진 말을 한 탓에 그런 꼴이. 그 신하도… 책임을 지게 된 거라고나 할까. 폐하의 노여움을 사서 그림자가 되어버렸어. 당신들도 조심해. 폐하의 마음에 드는 것이 여기에서 살아남는 비결이니까. 알겠어?"

칠색두더지가 어디에서 귀를 세우고 엿들을지 모르기 때문에 이오는 왕의 신하인 척 연기하고 있다. 하지만 정말로 그런 걸까? 이오는 배신해서 왕에게 하루히로를 바칠지도 모른다. 그런 일은 하지 않을 거라고 말할 수 있을 정도로 하루히로는 이오를 잘 알지 못한다.

아히르도 수상하다. 왕에게 계획을 낱낱이 자백하면 상으로 나이팅게일을 해방시켜주겠지. 그런 기대를 품고 앨리스와 하루히로를 속이는 것이 아닐까?

의심하기 시작하면 끝이 없고, 아무리 생각해도 하루히로가 해야 할 일은 한 가지다.

긴 터널을 빠져나가자 천장이 지나치게 높은 홀로 나왔다. 바닥은 대리석이나 그런 것인 모양이다. 잘 닦여 반짝반짝 빛나고 거울처럼 하루히로 일행의 모습이 비친다. 여기저기에 그림자들이 모여서 꿈틀거리고 있다.

그림자는 그저 어슬렁거리는 것인지, 아니면 어딘가를 향해서 이동하고 있는 것인지. 확실치는 않다. 단, 하루히로 일행을 따라오는 그림자가 딱 하나 있었다.

이오가 한 번 그 그림자에게로 시선을 보냈다. 분명 저것이 카타즈겠지. 그녀의 눈길을 보고 괜찮을 거라고 하루히로는 생각했다. 분명 배신하거나 하지 않아. 오히려 동료를 저런 꼴로 만든 왕을 쓰러뜨릴 찬스가 있다면 그녀는 그 기회를 놓치지 않겠지.

홀처럼 드넓지만 여기는 복도인 모양이다. 그 앞은 원형극장이었다. 아니, 동심원 상태의 계단으로 되어 있는 것뿐이지 객석이 비치된 것도 아니고 극장이 아니다. 제일 밑은 평평한 무대 같기도 한데, 한가운데에 원기둥이 서 있다.

원기둥 내부는 승강기로 되어 있다. 밖에서는 안이 보이지 않지만, 안에 들어가니 어째서인지 밖이 보인다. 세토라와 엠바는 키이치의 등에서 내렸다. 꽤 넓은, 커다란 승강기다. 세토라와 키이치, 시호루가 내장된 엠바에다 쿠자크와 메리, 이오, 톤베, 고미, 그리고 하루히로가 타도 아직 꽤 여유가 있다.

승강기가 움직이기 시작했다.

쑥쑥 상승한다.

"성에는 그림자밖에 없네…."

"대부분은 왕의 신하였어."

이오의 목소리는 묘하게 메말라 있었다. 왕은 파라노의 지배자겠지. 적어도 왕처럼 권세를 마음대로 누리는 자는 그 말고는 한 명도 없다. 그러나 도대체 왕은 무엇에 군림하고 있는 건가? 그림자들뿐인 나라에서 왕관을 쓰는 것이 무슨 의미가 있다는 것일까?

승강기는 승강기가 아니었다. 도중에 상하좌우로 격렬하게 움직이기 시작해서 매우 놀랐고, 넘어질 뻔했지만 쿠자크가 잡아주었다.

"…고마워."

"괜찮아! 경험자니까, 나는."

"그럼 미리 말해…."

"아니, 그건 왜 알잖아, 말 안 하는 게 포인트라는 거? 그렇지 않을까 해서."

"무슨 포인트…?"

하루히로는 왠지 메리의 상태를 살핀다. 메리는 투명한 벽에 몸을 편히 기대고 그녀 자신의 얼굴을 본뜬 가면이라도 쓰고 있는 것처럼 무표정이었다.

그녀는 진짜 메리가 아니다. 그런 생각이 뇌리를 스쳤다.

그럴 리가 없어. 하지만 여기는 파라노다. 아니, 파라노든 어디든 그런 일은 없다.

있어서는 안 될 일이니까 있을 수 없다는 논리는 성립하는가?

물론 성립하지 않겠지. 그것은 그저 바람일 뿐이다.

문을 열고 파라노에서 나가버리면 전부 해결될 것 같다. 하루히로 일행은 그림갈에서 문을 통해 파라노로 온 것이다. 파라노의 문을 나가면 그곳은 그림갈이겠지. 앨리스는 안개를 지나쳐 파라노로 왔다. 문이 아니었다. 그러니까 문 너머는 그림갈이다. 당연히 그럴 것이다.

앨리스가 했던 우라시마 타로 이야기가 떠올랐다. 파라노에서 시간에 관해 생각해봤자 소용없는지도 모른다. 그래도 상당히 오랫동안 파라노에 있는 것 같다. 그럼에도 불구하고 시간이 경과했다는 느낌은 별로 없다. 구체적으로는, 나이를 먹지 않아야, 한다. 그렇게 생각하고 있는 것뿐 아닐까? 우라시마 타로도 마찬가지로 사실은 용궁성에 머무는 동안에 늙어버렸는데도, 눈속임이나 마법이나 아무튼 뭔가의 탓으로 인식할 수 없었다. 고향으로 돌아가서 보물상자를 열자마자 갑자기 늙은 것이 아니다. 마법이 풀려 자기가 노화된 사실을 알아차린 것뿐이다.

그림갈로 돌아갈 수 있다고 해도, 하루히로 일행은 돌아가야 하는 걸까?

승강기 아닌 승강기가 갑자기 멈추고 동시에 문이 열렸다.

돌아가야 할까? 그보다도 승강기에서 나가야 하는 걸까? 그것이 최대의 문제다.

숨을 쉴 수가 없다. 도대체 뭐야? 이 공간. 맞은편 정면 벽만은 새하얗지만, 그것 이외에는 검다. 전부 새카만 것은 아닌지도 모르지만, 여기저기가 거무스름하다. 가시 같은, 튀어나온 못 같은, 창 같은, 검 같은, 칼날 같은 것이 사방에서 튀어나와 있다. 찔리면 위험할 것 같다. 찔리지 않도록 걸어가 옥좌로 다가가는 것만도 분명 너무나 큰일이겠지.

옥좌는 하얀 벽 앞에 몇 단이나 높은 장소에 있다.

문이다.

왕이, 사슬을 몇 겹으로 친친 감은 커다란 문을 등받이로 삼아 다리를 꼬고 앉아 있다.

수염 난 얼굴에, 가죽인지 뭔지 딱 달라붙는 검은 옷을 입었고, 쿠자크가 말한 것처럼 좀 못돼 보이는 아저씨라는 인상이다. 왕관을 쓰지 않았다면 그다지 왕답지 않았을 것이다. 단, 저 남자가 절대적인 존재라는 것은 일목요연했다. 옥좌까지 몇 미터나 있는 걸까? 아마도 적게 잡아도 30미터는 된다. 50미터 정도 되는지도 몰라. 좀 더 되나? 그런데도 마치 서로의 코가 맞닿을 정도로 가까이에 있는 것 같다. 저 남자의 존재감이 그런 착각을 불러일으킨다. 어쩌면 이것도 왕의 마법인가?

이오가, 톤베가, 고미가 편전에 들어서서 무릎을 꿇었다. 쿠자크도 따라서 했다. 세토라까지. 키이치는 세토라 옆에서 개처럼 엎드렸다. 승강기 아닌 승강기 안에 우두커니 서 있는 것은 하루히로와 메리, 그리고 엠바뿐이다.

"어이, 이오."

왕의 목소리가 울렸다.

무슨 목소리가 이렇담. 이런 목소리, 들어본 적이 없다. 깊고, 부드럽고, 듣는 자를 떨게 만들고 때려눕힌다. 하루히로는 비틀비틀 승강기 아닌 승강기에서 나가 무릎을 꿇었다. 어느 틈엔가 얼굴이 아래를 향하고 있다. 좀 더 숙일 수 없나 생각한다. 완전히 바로 아래를 향하고 있는데도 웃음을 띤 왕의 얼굴이 아른거린다. 보이지 않는데도. 메리는 어떻게 하고 있을까? 엠바는? 확인하고 싶다. 하지만 확인할 수 없다. 마법인가? 이것이 왕의 마법.

"…네. 폐하."

모깃소리 같은 목소리로 이오가 대답했다. 천하의 이오 님이 왕 앞에서는 이 꼴이다. 어쩔 수 없다. 왕인 것이다. 앨리스는 저 왕에게 반발했다고 한다. 거짓말이지? 가능할 리가. 정신력이 어떻게 된 거야? 아니면 왕의 힘이 그 당시보다도 강해진 건가?

"뭔가 데려왔군, 이오. 신참인가?"

"…네, 폐하. …폐하를 섬기고자… 그것이 폐하의 신하인 제, 역할이니까요… 폐하 곁으로 데려왔습니다."

"여전히 갸륵한 마음가짐이로군. 그러나 이오여."

"…네… 네… 어… 어이해서 그러십니까? 폐하."

"엎드리지 않은 자가 한 명 있다. 이것은 도대체 어떻게 된 일인가?"

심장이 폭발하는 줄 알았다. 하루히로는 뒤를 보았다. 메리는 무릎을 꿇고 있다.

엠바인가? 엠바만은 아직 승강기 아닌 승강기 안에 있다. 우두커니 서 있다.

"…에, 엠바! 왜, 왜 그래? 이리 와, 이쪽으로…."

세토라가 당황해서 명령했다. 말투를 보아하니 세토라는 엠바가 자기를 따라온 줄 알았던 모양이다.

혹시나 엠바는 오작동을 일으킨 건가? 온몸을 덜덜, 부들부들 떨면서 발을 움직이기 시작했는데, 명백하게 이상하다.

무릎이 구부러지지 않고, 두 팔은 어째서인지 좌우로 흔들리고 있다. 무엇 때문에 머리를 앞뒤로 격렬하게 흔들고 있는 건가? 당장이라도 쓰러질 것 같다.

…이렇게 생각했더니, 예상대로 엠바는 세토라와 키이치 뒤에 털썩 쓰러져버렸다. 앞으로 쓰러진 상태니까 엎드렸다고 말 못할 것도 없다. 단, 엠바는 여전히 부들부들 떨고 있다.

"희한하군."

왕이, 후후, 웃었다. 의심하는 것이 아니다. 의심하긴커녕 엠바에게 흥미가 생긴 모양이다. 예상외였지만, 하루히로는 동요하기보다 오히려 조금 냉정해졌다. 그보다, 이것은 어쩌면 왕의 압력이 내려갔다―는 것인가? 그런 거라면, 집어삼킬 듯한 이 위압감의 근원은 역시 왕의 마법인지도 모른다. 지금이다.

지금이라면 스텔스를 할 수 있다. 가라앉자. 의식을 바닥 속으로 떨어뜨리는 것 같은 이미지로….

들어갔다.

하루히로는 그 자리에서 움직이지 않는다. 그저 스텔스를 한 것뿐이다. 자세조차 바꾸지 않았다. 그런데도, 숨쉬기가 편해졌다. 완전히 평상심이다. 어떤 마법인지는 여전히 불명이지만, 왕은 의식적으로 압박하고 있는 것이겠지. 하루히로는 스텔스가 성공해서 왕의 주의 밖에 있기 때문에 그 힘이 미치지 않는다.

스텔스를 하면 정신이 진정된다고나 할까, 오히려 마음이 흔들리지 않는 상태가 아니면 스텔스가 안 된다.

덕분에, 스텔스를 하지 않았다면 아마도 놀랐을 것이다… 라고 차분히 받아들일 수가 있었다.

편전이 돌변했다.

바닥에도, 벽에도, 천장에도 짐승의 장기가 잔뜩 들러붙어 있는 것 같다. 그러면서도 빽빽하게 고목의 뿌리가 퍼져 있는 것 같기도 하다.

왕은 상자 같은 감옥을 계단 상태로 잔뜩 쌓고 그 위에 예의 그 문을 올려놓아 옥좌로 만든 모양이다. 옥좌 아래는 쇠창살이 줄지어 있고 계단이 딱 하나만 있다.

맞은편 정면 벽은 새하얀 것이 아니라 얼룩투성이였다.

천장에 매달린 거대한 새장 속에 여성이 한 명 갇혀 있다. 나이팅게일이겠지.

사방에 튀어나와 있는 것은 가시도, 못도, 창도, 검도 아니었다.

희멀건, 알몸의, 소년이다.

보기에 나이는 열 살 정도일까? 편전 여기저기에 소년들이 서 있기도 하고, 물구나무서기를 한 채 팔을 뻗기도 하고, 다리를 앞뒤로 벌리고 있기도 하고, 상체만 비스듬히 기울이기도 하고, 쪼그리고 앉아 있거나 한쪽 무릎을 세우고 앉아 있거나 했다. 모두 미형이라고 해야 할까? 시원스러운 눈매에 입은 약간 작다. 거의가 아니라 한 치도 다름없이 똑같은 얼굴이다. 체격도 일치했다. 저 소년들은 도대체 뭔가? 결론을 내리는 것은 일단 미루기로 했다.

하루히로는 가급적 목을 돌리지 않고 안구만 천천히 움직여 주변 시야를 구사해서 편전 전체를 보고 있다. 스텔스 상태에 들어 있지 않으면 이런 방식으로 보는 건 잘되지 않는다.

아직 왕은 눈치채지 못한 것 같다. 왕은 하루히로가 여기에 있다는 것을 이해하면서도 못 보고 있다.

왕인가? 저것이 왕인 것이다.

스타일 좋은, 수염 난 멋진 중년으로 보인 것은 왕이 그렇게 보이게 만든 것이겠지. 지금의 하루히로에게는 실오라기 한 올 걸치지 않은 소년으로 보일 뿐이다. 이것은 어떻게 된 일인가? 동일 인물이라고밖에 생각할 수 없는 열 살 정도의 소년이 편전에 수십 명, 아니, 어쩌면 수백 명이 있다.

그중 누군가가 왕이다.

어느 것이 왕이라고 해도 노인은 아니었다. 어린아이였던 것이다.

어느 것이 왕일까?

보통으로 생각하면 옥좌에 앉아 있는 소년이 본체다. 그렇다면 다른 것은 도펠인가? 도펠이 여러 개 있다. 그런 경우도 있는 건가?

승강기 아닌 승강기 문이 닫혔다. 움직이고 있다. 돌아간다. 그동안에 앨리스와 아히르도 편전으로 온 것이겠지.

"신하는 몇 명이 있어도 좋아."

왕이 말했다. 목소리도 다르다. 진짜 목소리는 높은데 억지로 낮게 내는 것 같은 소리다.

누가 목소리를 내고 있는 것인가? 옥좌의 소년은 아닌 것 같다.

입을 움직이는 소년은 없나? 모르겠다. 하루히로에게 등을 보이고 있는 소년도 꽤 있다. 알아낼 수 없다.

"쓸 만한 신하라면 말이야. 재미있는 신하라면 더욱 좋지."

"…앞으로도 노력하겠습니다."

이오는 한층 더 고개를 숙였다. 톤베와 고미는 안면을 바닥에 짓누르고서 등을 바들바들 떨고 있다.

"폐하를, 섬기고, 봉사하는 것이, 이오의… 제, 기쁨입니다. 이제부터도, 아무쪼록… 신하를 모아올 터이니, 제 동료를…."

"네 동료를 돌려달라고?"

"…아니요, 저기… 가능하면… 만약, 폐하가 허락하신다면… 저래 봬도, 도움이 되는 면도 있으니…."

"나에게 무례하게 굴었던 그 추남을 감옥에서 풀어달라는 건가?"

"…아, 아니요, 그게… 분수에 맞지 않는 바람이라는 것은 알고 있습니다… 언젠가 만약, 상을 주신다면… 상으로 그걸 원한다는… 어디까지나 만약에…."

"생각해보겠다."

"가, 감사합니다! 앞으로도 폐하를 위해 있는 힘껏 노력하겠사오니, 아무쪼록…."

"생각해보는 것뿐인데?"

"…무, 물론, 그걸로 좋습니다. 그것만으로도…."

이오가 왕과 이야기하는 동안에 하루히로의 위치에서 얼굴이 보이는 소년들은 입을 움직이지 않는다는 것을 확인할 수 있었다. 얼마간 범위는 좁혀졌지만, 그래도 후보는 아직 백 명도 넘게 있다. 좋지 않아. 왕의 본체를 찾지 못하면 손을 쓸 수가 없다. 하지만 계획은 진행 중이다. 이제 멈출 수 없다.

"지금부터 너희들도 내 신하다."

이 목소리의 주인은 과연 어느 소년인가?

"내가 만족할 때까지 몸이 부서져라 일하면 상을 내려주지. 너희가 거기 있는 이오처럼 쓸 만한 신하라면 좋으련만."

틀렸다.

역시 모르겠다. 목소리에 의존해 찾아내는 것은 불가능하다.

승강기 아닌 승강기가 소리를 냈다. 앨리스 일행이 온 것인가? 그 순간이었다.

아슬아슬했다.

그 방식으로 편전 전체를 둘러보고 있지 않았다면 못 보고 놓쳤을 것이다.

소년이 딱 한 명만, 승강기 아닌 승강기 쪽으로 얼굴을 향했다. 하루히로가 봤을 때 오른쪽 비스듬히 앞쪽, 10미터는 떨어져 있겠지. 자기 무릎을 안고 바닥에 앉아 있다. 몸의 각도로 봐서 지금 돌아볼 때까지는 하루히로에게는 얼굴이 보이지 않았다.

저 소년이 왕의 정체인가?

승강기 아닌 승강기 문이 열렸다. 손을 뒤로 묶이고 목에 벨트가 감긴 앨리스를 아히르가 잡아끌어 세운다. 얼핏 보기엔 그렇게 보이지만, 마스크를 벗은 앨리스의 표정이 불손하다. 아무리 봐도 붙잡힌 자의 표정이 아니다. 각본대로다.

그런데, 곧바로 앨리스의 얼굴이 긴장했다. 괴로운 것 같다. 왕의 힘이 앨리스를 굴복시키려고 한다.

"…걸으라니까."

아히르가 앨리스의 등을 밀었다. 앨리스는 비틀거리면서 걸었으나, 편전에 들어서도 무릎을 꿇으려고 하지 않는다.

"어서! 무릎을 꿇으시오, 공주님!"

아히르가 벨트를 잡아당기자 앨리스는 그제야 한쪽 무릎을 꿇었다.

"아이고, 나의 공주님 아니신가."

왕의 본체로 짐작되는 소년은 앨리스 쪽으로 눈을 향했다. 더욱이 입을 움직였다. 틀림없다. 저것이 왕이다.

"…누가 공주야? 네 것도 아니고. 말하게 만들지 마. 구역질난다."

"그 더러운 삽은 어떻게 했나?"

"시끄러워. 네 면상이 천억 배는 더 더럽잖아. 끔찍해."

"오랜만에 들으니 또 각별히 기분이 좋군. 그 지저귐은. 나이팅게일의 노래에도 질리기 시작한 참이다. 그림자로 만들어버리고 대신 공주의 지저귐으로 귀를 즐겁게 해볼까."

"폐, 폐하! 잠깐만 기다려주십시오!"

아히르는 바닥을 짚은 자세로 소리쳤다. 아히르는 오른손으로 벨트 끝을 꽉 쥔 채로 있었기 때문에 그 와중에 앨리스의 목이 졸리는 꼴이 되고 말았다.

"큭, 야! 아히르. 이게!"

"…미안."

"뭘 사과하는 거야…?"

"아…."

아히르는 왼손으로 자기 입을 막았다.

왕의 본체가 쓱 일어선 것은 그때였다.

"너희들… 뭔가 꾸미고 있군?"

"아니, 아닙니다. 폐, 폐하, 그게 아닙니다!"

"뭐가 그게 아니라는 거냐?"

고개를 절레절레 흔드는 아히르 앞에서 앨리스가 두 손의 구속을 풀고 목의 벨트도 풀어버렸다. 사전에 양쪽 다 간단히 풀리도록 해 두었던 것이다.

"…저, 저는 단지, 이 공주님한테 협박을 당해서."

"나를 여기까지 끌고 오게 했다. 이유는, 알지?"

"왕인 나를 만나고 싶어졌나? 결국 나에게 사육당하는 것이 행복하다는 걸 이제야 뼈저리게 깨우친 모양이로군."

"그럴 리 없잖아. 너를 날려버리려고 온 거다, 똥 덩어리."

"자랑거리인 더러운 삽도 없이 말인가?"

"있거든, 그게."

앨리스는 갑자기 몸을 굽혀 입속에 손을 쑤셔 넣었다. 이오 일행이 눈을 동그랗게 떴다. 알고 있어도 놀라지 않을 수는 없겠지. 그야, 앨리스는 목구멍에서 예의 그 고기 막대기를 끄집어내려고 하는 것이다.

"웃, 우웩, 우욱, 웨에엑….."

엄청나게 괴로운 것 같고. 꺼내는 것도 한일이지만, 용케도 들어 갔네. 크기를 봐서 위나 장에 들어갈 것 같은 느낌은 전혀 들지 않는데. 삽의 내용물은 그리 딱딱하지 않고 어느 정도는 신축성도 있다. 실제로 고기 막대기는 예상외로 쉽사리 나왔다. 그 뒤가 더 큰 일인 것 같았다. 고기 막대기에 이어 국수처럼 가늘게 갈라진 검은 표피가 줄줄 나온다. 엄청나게 길고 양도 또한 황당할 정도인데, 어떻게 해서 앨리스의 체내라고나 할까, 소화기 안에 들어가 있던 거지? 다 안 들어가지 않아?

이 모습에는 왕도 어이가 없어진 모양이다. 두 눈을 크게 뜨고서 앨리스를 응시하고 있다.

덕분에 하루히로는 스텔스를 유지한 채로 왕에게 접근할 수가 있었다.

하루히로는 왕의 비스듬히 뒤에 있다. 앞으로 한 걸음만 더 가면 손이 닿을 거다.

두 걸음 더, 나아가, 끌어안았다. 무의식이었다. 어떻게든 놓치고 싶지 않아, 놔주지 않겠어… 라는 마음이 그렇게 만든 것이겠지. 이걸로 끝낸다. 아니, 끝내고 싶다.

소년의 피부는 차가웠다. …나는, 이제….

"웃…?!"

정말로 이제 금방이었다. 앞으로 10분의 1초만 더 있었어도 왕과 동조할 수 있었다. 뭐가 잘못된 건가? 아무것도 잘못되지는 않았나? 불운이었을 뿐인가?

소년이 슉, 바닥 밑으로 빨려들어가버린 것처럼 보였다. 놓쳤다.

왕은 하루히로의 팔에서 도망친 것이다.

순식간에 편전이 변했다. 검다. 가시 같은, 못 같은, 창 같은, 검 같은, 칼날 같은 것이, 여기저기에 튀어나와 있다.

왕의 마법이다. 스텔스가 풀렸다.

실패했다. 왕이 눈치채버렸다.

"나를…."

왕의 목소리가 울려 퍼졌다. 나라고 말했으나 이미 소년의 목소리가 아니다.

수염 난 남자가 옥좌에서 몸을 일으켰다.

"이 왕을! 나를 만졌지! 뭐냐? 그 마법은!"

"…실패했나? 하루히로!"

앨리스는 삽의 표피를 완전히 다 토해낸 참이었다. 소매로 입가를 닦으면서, 표피를 펼치려고 했던 건가? 그러나 할 수 없었다.

"앗…."

앨리스는 갑자기 위에서 머리를 짓눌린 것처럼 엉덩방아를 찧었다. 삽의 표피는 시든 꽃처럼 되어버렸다. 앨리스는 자세를 바로잡고 일어서려고 했는지도 모르지만, 다리가 덜덜 떨려서, 저래서는 어떻게 해볼 수도 없겠지.

아히르도, 이오도, 톤베도, 고미도, 쿠자크도, 세토라도, 메리도, 키이치도 몸을 웅크리고서 떨고 있다. 그들의 모습이 번져서 잘 보이지 않았다. 아무래도 하루히로는 울고 있는 모양이다. 왜 울고 있는 건가? 슬픈 것이 아니다. 무서운 건가? 그렇다. 무서워서 견딜 수가 없다. 눈을 감으려고 했다. 아무것도 보고 싶지 않다. 듣고 싶지 않다. 이제 버틸 수 없다. 어째서 아직 눈을 뜨고 있는 건가? 소용없잖아. 여기에서 버티는 일에 어떤 의미가 있는 건가? 나라는 인간은 이렇게도 포기가 더뎠었나?

아마도, 끈질기다거나, 의지가 강하다거나, 그런 게 아니라, 눈을 감음으로써 모든 것을 끝내버리는 것이 무서웠겠지. 하루히로는 겁쟁이였던 탓에 엠바가 벌떡 일어나는 기적을 목격했다. 그냥 일어나기만 한 것이 아니다.

엠바가 폭발했다.

그야 하루히로는 펑펑 울고 있었기 때문에 뚜렷하게는 보이지 않았지만, 한순간에 엠바가 날아간 것만은 분명했다.

"…나, 어떻게 되든 상관없는데도."

시호루.

반짝반짝 빛나는 것을 몸 여기저기랄까, 요소요소랄까, 아무튼 여러 부분에 두르고, 눈이 아플 정도로 반짝거린다.

하루히로에게 지지 않으려고, 아니, 이기고 지는 문제가 아니겠지만, 시호루는 반짝반짝 눈물을 흘리며 반짝반짝 울고 있다.

"그런 마법인가?!"

왕이 고함치고, 왕의 도펠이 분명한 옥좌의 수염남이 시호루에게 손바닥을 향했다. 그러자마자 시호루는 왕에게 압도당해 비틀거렸으나, 놀랍게도, 버텼다. 대단해, 시호루. 눈물도 대단해. 반짝반짝 눈물의 대홍수다.

"…왜 괴롭히는 거야?"

시호루가 두 팔을 들어 올리자 그 눈물이 왕을 향해서 반짝반짝 반짝반짝 날아간다. 마치 은하수 같다. 제아무리 왕이라고 해도 시호루의 눈물은 방어할 수 없었던 건가? 옥좌의 수염남에게 반짝반짝 눈물이 닿자마자 우두둑, 뚜두둑, 빠지직, 그 부분이 찌그러진다. 효과가 있다. 제대로 먹히잖아. 반짝반짝 눈물이 점점 옥좌의 수염남을 압축시켰다.

눈 깜짝할 사이였다. 옥좌의 수염남은 반짝이는 눈물과 함께 눈에는 보이지 않을 정도로 작아져버렸다. 하지만 그게 도대체 어쨌다는 건가?

그때에는 이미 옥좌에서 꽤 떨어져 있던 시호루 바로 옆에 왕관을 쓴 키가 큰 수염남이 출현했다.

옥좌의 수염남은 왕의 도펠에 불과하다. 도펠은 그것 말고도 엄청 많다. 옥좌의 수염남이 당해도 다른 도펠이 왕인 척하면 된다.

"왕에게 대들었지! 너를 그림자로 만들어주마!"

수염남이 오른발을 들어 올리자 갑자기 커졌다. 엄청나게 크다. 인간의 사이즈가 아니다. 아니, 인간이 아니지만. 도펠이니까. 나는 아직 냉정한 건가? 하루히로는 뭐라 말할 수가 없다. 과연 이것은 합리적인 행동인 것인가? 시호루는 수염남을 올려다보며 몸을 움츠리고 있다. 눈물이 나오지 않는다. 울 수조차 없을 정도로 겁을 먹은 것이다. 그냥 내버려둘 수는 없잖아… 라고 생각한 것부터가 이미 감정에 휩쓸린 건지도 모른다.

"안 돼…!"

하루히로는 달렸다. 뭘 할 생각인가? 뭘 할 수 있다는 건가? 아마도 아무것도 할 수 없을 것이다. 그래도 시호루를 구하지 않으면. 트릭스터가 되었든 뭐가 되었든, 시호루는 동료이고, 친구이다. 하루히로에게 동료이자 친구라면 자기 자신보다도 소중하다.

"뭐야?"

수염남이 이쪽으로 얼굴을 돌렸다. 그가 내려다보자마자 가위에라도 눌린 것처럼 하루히로의 몸이 경직했다.

"너부터 먼저 그림자가 되고 싶은 건가? 그렇다면 바라는 대로 해주지!"

왕의 마법에 압도당해 손가락 하나 까딱할 수가 없다. 최악이다. 왕은 하루히로를 짓밟아서 그림자로 만든다. 그 뒤에 시호루도 그림자로 만들어버리겠지. 앨리스도 왕에게는 이길 수 없다. 만약 하루히로의 레저넌스로 마법을 증폭시켜 임했다면 한 방 먹여주는 정도는 가능했을까? 어쨌든 실패다. 끝났다.

"가라, 뚱보…!"

모든 것이 끝나기 전에, 온통 검은색이고 턱이 지나치게 긴 암흑기사가 뚱뚱한 남자를 내던졌다. 고미도, 톤베도 왕에게 압도당해 꼼짝도 못하고 있었을 텐데, 마법을 반사한 것인가? 과연 선배라고 칭찬해야 할까? 고미한테 투척당한 톤베는 수염남과 하루히로 사이로 굴러왔다. 거북이처럼 거대한 거울을 등에 짊어지고 있다.

"─이오 님을…!"

신기하다. 왜 고미와 톤베가 이런 일을? 너무나 의외여서 하루히로의 마음속에서 온갖 감정이 쏟아져 나오고 말았고 논리가 답을 이끌어냈다.

아아, 그런가. 톤베는 '이오 님을'이라고 말했다. 이 작전의 핵심은 하루히로의 마법이고, 하루히로 말고는 아무도 왕을 쓰러뜨릴 수 없다. 하루히로를 잃으면 이오의 명운도 끝난다. 그렇게 고미와 톤베는 판단했다. 이오를 위해서 그들은 그렇게 하는 수밖에 없었던 것이다.

"방해하지 마!"

수염남의 오른발이 톤베를 찍어 누른다. 그 바로 직전에 하루히로는 의식을 쓱 가라앉혀 스텔스를 했다. 스텔스를 해버리면 수염남 따위 어디에도 없다는 것을 알 수 있다. 저것은 눈속임일 뿐이다. 수염남을 연기하던 소년은 톤베 앞에 그저 서 있을 뿐이다.

그래도 수염남은 지금 바로 톤베를 짓밟으려고 한다. 톤베는 그렇게 느끼고 있을 것이다. 하루히로와 왕 이외의 모두에게 그렇게 보인다. 그리고 실제로 톤베는 그림자가 되겠지. 수염남은 실재하지 않고 톤베는 짓밟히지 않는다. 그럼에도 불구하고, 왕이 무슨 일을 함으로써 톤베는 그림자가 되는 것이다.

내가 생각해도 비정하다고는 생각하지만, 그 처음부터 끝까지를 하루히로는 지켜보지 않으면 안 된다.

톤베 앞에 있는 소년, 저 도펠이 뭘 하는지. 아니, 하는 것은 왕의 본체겠지. 소년은 편전에 여러 명 있다. 어느 것이 진짜인가?

그는 바닥 밑에서 쓱 올라왔다.

톤베 바로 옆이다.

그는 몸을 굽히고 톤베의 옆구리에 오른손을 찔러 넣었다.

짓밟는 것이 아니었다.

빨아들인다.

피나 수분인가? 아니면, 뭔가 생명력과 에너지 같은 것일까?

톤베는 순식간에 빈 껍질처럼 되고, 거무스름해지고, 그림자가 되어버렸다.

왕의 본체인 창백한 소년의 얼굴에 희미하게 웃음이 퍼진다.

하루히로는 당황하지 않았다. 같은 실수를 되풀이하지 않는다. 어디까지나 살며시 다가가서, 전혀 기를 쓰거나 하지 않고 소년의 손목을 잡았다.

나는, 너다.

옛날 옛적 어떤 곳에 무척 똑똑한 남자아이가 있었습니다.

남자아이는 태어날 때부터 머리가 좋았기 때문에 주위의 모든 사람들이 너무나 어리석은 자로 보일 뿐이었습니다.

똑똑하다는 건 어떤 일인가? 어른들은 모르고 있는 것입니다. 그저 기억력이 좋기만 한 퀴즈왕 같은 자를 천재라고 떠받드니 말이 안 됩니다. 그들은 오히려 어리석기 짝이 없는 것이지요. 아둔한 자에게 지성의 풍부함이나 깊이, 날카로움, 높이가 이해될 리도 없습니다. 그게 가능했다면 애초에 어리석지 않은 것입니다.

그렇기는 해도 자기와 같은 정도, 또는 자기를 웃돌 정도로 똑똑한 자도 어딘가에 있을 거라고 남자아이는 생각하고 있었습니다. 사람이 이토록 많이 살고 세상은 나날이 진보하니까 똑똑한 자도 많이 있을 것입니다. 오히려 똑똑한 자들이 수두룩하지 않으면 이상할 정도입니다.

그런데 이게 어찌 된 일일까요? 남자아이처럼 똑똑한 아이를 낳은 부모님조차도 구제할 길 없는 바보였고, 남자아이가 만나는 자들은 하나같이 남자아이보다 어리석었습니다. 똑똑한 남자아이에게는 아둔한 자의 생각이 빤히 들여다보입니다. 그러나 어리석은 자들은 남자아이를 이해 못합니다. 아무도 남자아이를 이해할 수 없는 것입니다.

남자아이는 불운한 건지도 모릅니다. 어리석은 자밖에 없는 환경에서 하필 태어나버렸기 때문입니다. 어딘가 다른 장소에서 태어났다면, 남자아이는 이해자를 만나고 무럭무럭 자라 똑바로 살아갈 수 있었겠죠. 남자아이는 주위의 어리석은 자들이 자기와 같은 인간이라고는 도저히 생각할 수 없었습니다. 그들이 싫은 것도, 그들이 잘못한 거라고 느끼는 것도 아닙니다. 그저 단지 슬픈 것입니다.

왜 그들은 나와 같지 않을까요? 아니면 반대로 내가 그들과 같았어도 괜찮았을 것입니다. 그들도 바라서 멍청해진 것은 아닐 테고, 남자아이도 자기가 원해서 똑똑하게 태어난 것은 아닙니다. 우리는 태어나기 전에는 아무것도 선택할 수 없습니다. 태어나버리면 그 뒤에는 자기 인생을 살아가는 수밖에 없습니다.

이러니저러니 하는 동안에 남자아이는 성장하고, 나이를 먹고, 언젠가 죽겠지요.

죽음이란 생명 활동이 소실되는 일입니다. 인간의 경우에는 의식이 없어지고 회복할 조짐이 완전히 사라진 순간, 죽었다고 말해도 되는 것이겠지요.

살고 죽는 일에는 의미 같은 것은 없습니다. 생물이 생식 활동을 해서 자손을 남기는 일에 의의는 없는 것입니다. 생물이란 본디 그런 것이니까 그렇게 하는 것뿐입니다.

그렇게 생각하면 어리석은 자들이 어리석다는 것은 합리적인지도 모릅니다. 어리석으면, 이 견디기 힘들 정도의 무의미함, 가만히 내버려둬도 뚝 끊어져버릴 생명의 나약함, 그 운명에 저항하는 일조차 허락되지 않는 허망함에 짓눌리는 일은 없습니다.

이것은 선택된 자의 불행일 것이라고 남자아이는 생각했습니다. 똑똑한 남자아이는 특별한 존재이기 때문에 특별한 비애를 짊어질 수밖에 없는 것입니다.

자기가 특별하다는 인식은 남자아이의 상처 입은 마음을 얼마간

위로해주었습니다. 태평하게 실실 웃기도 하고 꺅꺅 떠들어대는 바보들은 단순히 그런 생물인 것입니다. 그들과 자기는 동족이 아니다, 나는 너희와는 다르다, 다른 종의 생물인 거라고 생각하면 그나마 견딜 수 있습니다. 너희와 달리 나는 특별하니까, 장래에는 역사에 이름이 남을 만한 업적을 달성한다거나, 베스트셀러 작가가 되어 국제적인 상을 받는다거나, 세계 규모의 경기에서 신기록을 수립한나거나, 뭔가 그런 특별한 일을 해내겠지. 그때까지는 내가 그토록 특별했다고는 아무도 눈치채지 못할지도 몰라. 다들 바보이고 나는 특별하니까 어쩔 수 없어. 나는 원래 다른 사람과는 다르고, 앞으로도 계속 다를 거고, 언제까지고 맞닿는 일은 없는 평행선이다.

남자아이는 그렇게 생각했었지만, 지금 와서 생각해보면 글쎄요. 물론 유전적인 소질이라는 것은 있습니다. 누구나 다 훈련을 받는다고 100미터를 9초대에 뛸 수 있게 되는 것은 아닙니다. 그러나, 재능이란 것은 사실은 천부적인 것이라기보다 결과인 것입니다. 뭔가를 손에 넣거나 어딘가에 도달한 자가 평가받고, 재능이 있다고 인정받습니다. 그런 의미에서는 태어날 때부터 재능이 주어진 자, 이른바 천재라는 것은 존재하지 않습니다.

자기는 특별한 천재라고 남자아이는 생각했습니다만, 그것은 순전히 착각이었습니다. 왜냐하면, 남자아이가 세상에서 으뜸가는 위업 종류를 하나라도 이룩해냈냐 하면 그렇지는 않습니다. 그저 자기는 주위 사람들보다 똑똑하고 바보들은 자기를 이해할 수 없는, 슬프고 고독하고 특별한 존재라는 자의식이 있었을 뿐입니다.

남자아이는 독서가였습니다. 그리 배운 게 많지 않던 부모님이

책만큼은 많이 사주셨기 때문입니다. 또래 아이들이 얼토당토않은 공상 이야기며 만화책을 보는 동안에 남자아이는 고상한 문학이나 전문 서적을 주의 깊게 정독했습니다. 덕분에 열 살이 될 무렵에는 못 읽는 글자는 없었고, 새와 나무, 꽃 이름부터 별의 운행이며 2차 방정식 해법이며 음악의 기초적인 이론까지 온갖 지식이 머릿속에 입력되었습니다.

확실히 남자아이는 똑똑했던 것이겠지요. 그러나 요컨대 그것은 남들보다 많은 책을 읽고, 이해하려고 애쓰고, 여러 가지 것을 관찰하고, 분석했기 때문입니다. 남자아이는 태어날 때부터 똑똑했던 것은 아닙니다. 똑똑해질 만한 과정을 거쳐 그 결과물로서 똑똑해진 것입니다. 1퍼센트의 영감이 없으면 99퍼센트의 노력은 소용없다고도 합니다만, 여기서 놓쳐서는 안 될 게 있습니다. 그 1퍼센트의 영감을 만들어내는 것은 부단한 노력입니다. 성공을 거둔 자는 단 1퍼센트의 영감을 만들어내기 위해 낮이나 밤이나 생각을 합니다. 결국 재능이란, 부지런히 쌓아올린 것이 형태가 되어 다른 사람이 그것을 인식 가능해진 상태에 불과한 것입니다.

남자아이는 그 당시 열 살이었습니다. 무척 똑똑한 사내아이였습니다만, 불과 열 살 때 갑자기 태어나고 자란 세계와는 전혀 다른, 영문 모를, 그리고 너무나 무시무시한 장소에 내던져졌으니까, 그때에는 살아남는 것도 힘겨웠습니다. 남자아이가 똑똑하지 않았다면 금방 괴물에게 잡아먹혔겠지요. 이 세계의 법칙을 간파할 수 없고 뭔가 돌이킬 수 없는 실수를 저질렀을지도 모릅니다. 실은 남자아이는 불과 열 살짜리 어린아이였던 덕분에 몇 번이나 위험을 피하기도 했습니다.

이 세계에서 남자아이는 수많은 인간을 만났습니다. 대개는 일시적으로 함께 행동하다가 그 후에 헤어졌습니다. 사별하는 일도 적지는 않았습니다. 적지 않았다기보다 대부분의 경우는 죽었습니다.

위험이 닥치면, 남자아이는 열 살의 특권으로 다른 사람들의 보호를 받았습니다. 어린아이 같은 건 거치적거릴 뿐이라고 주장하는 자도 있었지만, 의외로 많지는 않았습니다.

남자아이의 눈앞에서 몇 명이나 괴물에게 붙잡혔습니다. 남자아이의 형을 자처하던 남자는 힘이 센 괴물에게 팔을 뜯기면서도 자기는 괜찮으니 빨리 도망가라고 남자아이에게 말했습니다. 눈물이 났지만, 남자아이는 그 남자를 버리고 도망쳤습니다. 남자아이를 자기 아들처럼 귀여워했던 중년 여성은 입이 커다란 괴물에게 머리부터 통째로 잡아먹혔습니다. 이건 이미 살아날 수 없다고 생각하고 남자아이는 도망쳤습니다. 동행자는 늘어나기도 했고 줄어들기도 했습니다. 사람이 죽을 때마다 남자아이는 학습했습니다. 똑똑한 남자아이는 더욱 똑똑해졌습니다.

그래도 남자아이는 열 살이었습니다. 동행자들 중 누구보다도 똑똑하고 경험이 풍부한데도 어린아이라서 무시당했습니다. 표면적으로는 굽실거리면서도 속으로는 불만이 가득했고, 남자아이의 험담만 하는 어른도 결코 드물지는 않았습니다. 저 녀석은 사실 쓸 만하긴 해. 그래봤자 결국은 어린애잖아. 왜 저렇게 거만한 거야? 편리한 마법을 쓸 수 있다고 해서 이용해주는 것뿐인데 착각하는 것 아닌가? 그렇게까지 말할 건 없잖아. 어린애니까. 다소 기세등등해져도 어쩔 수 없잖아. 너그럽게 봐주면 앞으로도 도움이 될 테고. 잘 이용하면 되는 거야. 어차피 어린애니까. 여차하면 어떻게든 되겠지.

언제부터인가 어른들의 보호를 받던 남자아이가 멍청한 어른들을 지켜줘야 할 입장에 서게 되었습니다.

괴물의 대군에게 습격당했을 때 앞을 다투어 도망치는 어른들의 뒷모습을 보면서 남자아이는 참기가 싫어졌습니다. 왜 저런 바보들을 위해 남자아이가 선두에 서서 애써야 하는 걸까요? 저런 놈들, 다 뒈지면 돼. 다들 괴물한테 잡아먹히면 되는 거야. 어린아이로 있는 건 이제 그만두자고 남자아이는 결심했습니다. 나는 어린애가 아니야. 열 살짜리 남자아이가 아니야. 나는 어른이 되자. 얕보일 쏘냐. 내가 왕이고 다른 자들은 신하다. 모두가 나를 섬기고 나를 위해 몸이 부서져라 일하는 거다. 여기는 내 세계다. 내가 룰을 정하고 지배해주겠다.

남자아이를 알고 있던 어른들은 죽어버렸습니다.

새롭게 만난 자들은 남자아이의 정체를 모릅니다. 이 세계에서는 누구나 마법을 쓸 수 있습니다. 남자아이는 마법을 구사해서 왕에 어울리는 자기 모습을 상대에게 보였습니다.

명령에 따르지 않는 분수를 모르는 놈이나 교활해서 방심할 틈도 없는 약삭빠른 놈들은 처치하거나 목숨을 빨아들여 그림자나 다름없는 빈 껍질로 만들었습니다. 빨아들인 생명은 왕의 힘이 됩니다.

왕은 마법의 종류를 정했습니다. 마법은 천차만별이지만, 그래서는 엄청난 마법을 지닌 자가 나타나 위협이 될지도 모릅니다. 인간의 사고란 재미있는 것으로, 예를 들어 빨강과 파랑과 노랑이라는 색 이름밖에 모르는 자는, 오렌지색은 밝은 빨강이고 검정은 어두운 파랑… 이런 식으로, 어떤 색도 그 세 종류로 구분하려고 합니다. 그자에게 색은 어디까지나 세 종류밖에 없습니다. 세계의 색은 세 종류밖에 없어지는 것입니다. 마법은 성질상 사용자의 정신에 강하게 영향을 받는 것이므로, 마법이 세 종류밖에 없다는 법칙이 널리 알려지면 저절로 세 종류밖에 없게 되겠지요.

왕에게 거역하면 곧바로 목숨을 빼앗깁니다. 그 사실을 모두가 알게 되었습니다. 굳이 왕에게 덤비려는 자는 많지 않습니다. 사실 모두가 진심으로 따르는 것이 아니라는 것을 똑똑한 왕은 알고 있었습니다. 그렇다고 해서 만만한 얼굴을 했다가는 그들은 왕을 얕잡아보겠지요. 왕을 죽여버리려고 쓸데없는 음모를 꾸미는 자도 있을 것이 틀림없습니다.

역시 많지는 않지만 왕에게 충실한 자도 있기는 있었습니다.

성실하고 어리석은 기사 바야드는 하나메의 포로가 되어버렸습니다. 왕은 자력으로 하나메를 무찌르려고도 생각했지만, 그녀 같은 트릭스터는 왕이 정한 마법 세 종류 원칙에 사로잡히지 않는 위험한 상대입니다. 이기지 못할 것은 없겠지만, 하나메와 싸우는 동안에 배신자가 뒤에서 등에 칼을 꽂을지도 모릅니다. 바야드는 진저리가 날 정도로 우둔한 사내였기 때문에 하나메에게 던져주기로 했습니다.

두 번째 신하는 누구보다도 온순하고 솔직하지만 무척 똑똑한 남자였습니다. 당의즉묘(주4)라는 것이지요. 왕은 그처럼 임기응변에 능통한 남자를 본 적이 없었습니다. 배신할 기색을 보이기는커녕 왕의 심기를 거스른 적조차 한 번도 없었고, 때로는 왕의 마음을 누그러뜨리고 편안하게 해주는 경우까지 있었습니다.

그러나 왕은 그를 의심했습니다. 그에게는 가까이서 왕을 모시도

주4) 당의즉묘: 當意即妙. 그 자리에 적합한 재치 있는 말과 행동을 함.

록 허락했지만, 아무래도 왕에 관해 지나치게 많이 알고 있었습니다. 게다가 그가 팔이나 다리를 주물러줄 때면 왕의 마법이 변질되는 것처럼 느껴졌습니다. 그런 마법은 왕이 정한 세 종류 안에는 없습니다. 왕은 그것을 레저넌스라고 명명했지만, 있어서는 안 될 네 번째의 마법을 갖고 있는 것이라면 그를 매장해야만 하겠지요.

그가 똑똑한 남자가 아니었다면 왕은 그를 직접 처단했을지도 모릅니다. 그는 왕에게 간청해서 하늘의 철탑으로 떠났습니다. 그가 두 번 다시 돌아오지 않을 것을 왕은 알고 있었습니다. 그리고 그도 왕의 속마음을 알고 있었습니다. 그가 완전히 녹이 슬어버릴 때까지 하늘의 철탑에 머무르는 길을 선택하지 않았다면 왕은 언젠가는 그의 목숨을 빨아들였겠지요.

칠색두더지나 잠자는 남자처럼 이 세계에서 오래 살아온 자들도 각각의 형태로 왕에게 충성을 바쳤습니다. 그러나 그들도 왕의 곁에 오래 머무는 일은 없었습니다.

그들은 왕에게 성심성의껏 헌신했습니다. 그러지 않으면 왕은 그들을 죽였겠지요.

그러나, 그들은 왕을 믿지는 않았습니다. 왕도 또한 그들을 완전히 신뢰하지는 않았습니다. 아니, 그게 아니라, 왕이 그들을 믿지 않았으니까 그들도 왕을 믿을 수가 없었던 걸까요?

어느 쪽이든 어차피 같은 것입니다.

나는, 오로지 혼자다.

이렇게, 언제나 나는 벌거벗고 있는데도, 왕은 벌거숭이라고 지적하는 자는 없다.

내가 벌거숭이라는 사실조차 아무도 깨닫지 못한다.

'─아무도, 가 아니야.'

…누구?

내가 보고 있는 것은, 도대체 누구지?

혹시나, 그 마법… 레저넌스?

너는 하늘의 철탑에서 녹이 슬어버린 것 아니었나?

'그가 아니다.'

본 건가? 나를. 나를 꿰뚫어 봤다. 그 마법으로, 나를 이해한 건가?

'나는,

…나고,

너다.

…니야마,

레온.'

니야마 레온.

내 이름.

그렇다면.

그럼 알고 있을 것이다.

내가 한 일을.

여기에서, 내가 지금껏 했던 일을.

괴물의, 몽마의 대군에게 습격당했을 때, 나는… 도망치는 어른들을, 못 본 척한 것이 아니었다. 나는….

몽마에 섞여서, 그 녀석들을.

한 명도 남기지 않고.

살아남으면, 곤란하다. 단 한 명이라도. 왜냐하면, 그 녀석들은 나를 알고 있다. 내 약점을 쥐고 있다.

나는 열 살짜리 어린애인 것이다.

사실상 나는 지도자였는데, 종종 웃긴 말을 하거나, 노래하거나, 춤을 추거나 해서 그 녀석들의 마음에 들려고 했었다.

나는 열 살이고, 약했다. 아무리 잘나도 혼자서는 무리라고 생각했다. 외로웠다. 호감을 받고 싶었다. 모두에게 도움이 되고 싶었다. 도와주고 싶었다. 하지만 그 녀석들은 나를 이용했다. 나는 언제나 필사적이었고 열심히 노력했다. 그런데 그 녀석들은 남의 뒷담화나 하거나 섹스에 빠져 뒹굴기나 하고. 다른 할 일은 없는 거야? 하지만 나는 어린애라서 보고도 못 본 척을 했다. 어린애니까. 어린애 주제에. 어쩔 수 없잖아. 열 살이니까. 말 그대로 어린애다.

나는 후회 같은 건 하지 않아. 나는 언제나 옳았다. 이걸로 잘된 거다. 나는 이것으로 좋아. 문을 열거나 하지 않아. 아무 데도 가지 않아. 여기에 있겠다. 돌아가고 싶지 않아.

'무서워.'

아아, 무서워.

내가 몇 명을 죽인 줄 알아? 몇 명의 목숨을 빨아들인 줄 알아?

물론 죄는 범하지 않았어. 여기는 내 나라다. 나는 왕이다. 파라노는 내 왕국이다. 정의도, 죄악도 내가 정한다. 나는 옳은 일을 했다. 내가 하는 일은 전부 옳은 것이다. 여기에서는 말이지. 파라노에 있는 한, 나는 잘못이 없다.

네가 누구인지 나는 모르지만, 네 동료의 목숨도, 나는 흡수했다.

내 것으로 만들었다.

이것은 죄가 아니야. 심판받을 일은 없어. 조금도 잘못 없어.

오히려 좋은 일이다. 잘했다고, 나는 나를 칭찬해줄 거다.

나는 영원히, 위대한 왕이다.

'—하지만, 외톨이야.'

문제없어. 계속 혼자였다. 어차피 왕은 혼자다. 통치자라는 것은 고독한 것이다. 어떻게든 될 거야. 그야 시간은 있으니까. 아마도 시간이 소진되는 일은 없다. 나는 계속 여기에 있다. 지금은 나소 불편하거나 상황이 안 좋거나 해도 차차 어떻게든 될 거야. 알고 있어. 너희는 신용할 수 없어. 타인을 믿으려는 것이 애초에 어리석은 것이다. 잠깐 데리고 놀고 나면 죽여도 되고 목숨을 빨아들여도 된다. 너희의 껍데기는 별것 없긴 하지만 내 마법으로 보초 정도는 시킬 수 있다. 그렇다. 그렇지. 세 종류 원칙 같은 것에 사로잡히지만 않으면 마법의 가능성은 무한하다. 내 마법도 처음부터 이랬던 것은 아니야. 조금씩 할 수 있는 일이 늘어나고, 강해졌다. 시간은 걸릴지도 모르지만, 뭐든지 마법으로 해결할 수 있다. 시간은 얼마든지 있다. 나 혼자로도 좋아. 다른 인간 따위 필요 없어. 마법사는, 나만으로 족해.

'혼자가 아니야.'

나는….

'너는 혼자가 아니야.'

혼자가… 아니야?

'그래.
혼자가 아니야.
내가 있어.'
안 된다.
거짓말을 하지 마.
네가 나를 용서할 리가 없어. 내가 용서받을 리가 없어.
열 살이었단 말이다.
나는 어린애였다.
고작 열 살의 어린애였다. 그런데도.
죽였다.
나를 위해서.
많은 사람을 희생시켰다.
'―알아.'
'나는, 너니까.'
'남이 아니야.'
'나는 너이기도 해.'
하지만,
나는,
이렇게도,
나 자신이,

끔찍하다.

무서운 거야.

무엇보다, 나는, 나 자신이.

이런 짓을 한다. 저런 짓도 해버린다. 어떤 짓이든 한다.

그러는 수밖에 없었다. 내가 우선이야. 인간은 누구나 자기가 제일 소중하니까, 그런 것이다.

하지만, 정말로? 그런 건가?

예를 들어, 자기를 희생해서 나를 보호해준 사람들은?

그들은 나보다 연상이었다. 나는 애교를 부려가며 *그*들의 호감을 얻으려고 했다. 그들은 그대로 속아 넘어가 내 덫에 걸렸다.

그들은 좋은 사람들이다. 자기보다 나를 우선시했다. 나를 도와주었다. 나는 그들에게서 구원받았다. 몇 번이나, 몇 번이나, 이 목숨을 그들이 구해줬다.

그토록 좋은 사람들을 발판으로 삼아, 나는 왕이 되었다.

벌거숭이인데도 벌거숭이라고 아무도 눈치채지 못하는, 외톨이 왕이.

나는, 이토록 내가, 무섭다.

그러니까, 나는 문을 열면 안 돼.

여기에 있어야 해.

나는 계속 왕으로 있겠다.

아무도 문을 열면 안 돼.

아무 데도 가지 마.

나를 혼자 두지 마.

혼자는 싫다.

외로워.

그래도, 나는 혼자 있어야 해.

'혼자가 아니야.'
'니야마 레온.'
'있어.'
'내가 있어.'
'이리 나와.'
'나는'
'여기 있으니까.'

―여기.

'네 곁에.'
'봐.'
'나는'
'네 손을 잡고 있어.'

이, 손….

따뜻하다.

20. 문 [knock_on_heaven's_door]

꼭 잡은 가느다란 손목에 피가 통하기 시작한 것 같았다.

니야마 레온은 두 발을 힘없이 뻗은 채 편전 바닥에 앉아 있고 하루히로는 한쪽 무릎을 꿇고서 그의 왼쪽 손목을 잡고 있다.

지금까지 피가 통하지 않았던 것은 아니다. 레온은 살아 있다. 하지만, 그런 것치고는 차갑고 생기가 느껴지지 않았었다. 서서히 체온이 돌아오고 있다.

레온이 천천히 고개를 들고 하루히로를 봤다. 흰자위가 파랄 정도로 하얗다. 갈색이 도는 눈동자에 하루히로가 비치고 있다.

"어이."

말을 걸자 레온은 고개를 숙여버렸다. 그래도 하루히로의 손을 뿌리치려고는 하지 않는다.

"입혀줘."

앨리스가 외투를 던져주었다. 원래는 하루히로가 입고 있던 것이다. 하루히로는 레온의 손목을 놓고 외투를 집었다. 무릎을 세우고 몸을 움츠리고 있는 레온의 등에 외투를 걸쳐준다.

"…나는, 지독한 짓을 했다."

"그렇지."

하루히로는 편전을 둘러보았다. 도펠이라 부르는 것은 부정확하겠지. 레온이 마법으로 만들어낸 분신은 하나도 남기지 않고 사라졌다. 고미는 감옥을 열어 동료를 구해내려고 하고 있나? 아히르는 새장에 벨트를 잡아당겨 내리고 있는 와중이다. 이오는 톤베였던 껍데기 옆에 주저앉아 있다. 껍데기는 미동도 하지 않는다. 두께도 없고 마치 그냥 그림자 같다. 방금 전까지 레온이었기 때문에 하루히로는 안다. 톤베는 원래대로 돌아오지 않는다. 레온은 마법으로 톤베를, 톤베였던 존재 요소 같은 것을 흡수해버렸다. 저 그림자는 남은 찌꺼기다. 톤베는 이제 어디에도 없다.

세토라와 키이치, 쿠자크는 시호루에게 다가가야 할지 말아야 할지 망설이는 것 같다.

시호루는 털썩 주저앉아 천장을 우러러보며 넋을 놓고 있는 건가? 아직까지는 울지는 않는다. 울면 끝이다. 그때까지 할 일을 해야 한다.

"—어라? 메리는…?"

금방 찾았다. 메리는 문에서 팔걸이며 이것저것을 빼내고 사슬을 걷어내려고 한다.

"쿠자크든 누구든 좋아! 거들어줘!"

"네, 넵!"

쿠자크가 엄청난 속도로 달려간다. 나르시로 신체 능력이 증대되었기 때문에 마치 지어낸 농담 같은 스피드다.

앨리스는 삽을 어깨에 걸쳐놓은 것처럼 둘러메고 쿠자크를 쫓아가려고 하다가 갑자기 발을 멈추고 돌아봤다. 빨간색에 가까운 홍차색 눈동자는 하루히로가 아니라 레온을 응시하고 있다.

"우리는 문을 열 거다. 너는 어떻게 할래?"

"…나는."

"가자."

하루히로는 억지로 레온을 일으켜 세워 앨리스 쪽으로 밀어주었다. 레온은 앞으로 고꾸라져 하마터면 넘어질 뻔했다. 그래도 곧바로 가냘픈 다리로 제대로 걷기 시작했다.

"세토라, 키이치도! 이오, 간다! 톤베는 나한테 너를 부탁했어! 같이 그림갈로 돌아가자! 어서!"

하루히로는 세토라와 키이치, 이오를 차례로 문 쪽으로 보냈다. 해야 할 일이 있는 것이다. 이것만큼은 하루히로가 한다. 다른 이에게는 맡길 수 없다.

가급적 자극하고 싶지는 않지만 천천히 시간을 들여야 할지, 서두르는 편이 좋을지 판단이 서지 않는다. 그보다 어느 쪽이라고도 말할 수 없고, 반반이겠지. 마음을 굳게 먹고 평소처럼 대하기로 했다.

"시호루도!"

대답을 기다리지 않고 손을 잡아당겨 일으키고 그대로 뛰기 시작했다. 이제 이판사판이다. 어떻게 되든 상관없다고나 할까, 이렇게 하는 수밖에 없다. 시호루를 두고 갈 수는 없고 될 대로 되라는 심정은 아니었다. 이것밖에 없다. 이것이 최선이라고 하루히로는 생각했다. 왕이 있는 곳까지 도달하기 전에 시호루가 폭발해버리면 어떻게 해볼 수도 없지만, 가능한 상황이라면 질질 끌고서라도 시호루를 데리고 간다. 하루히로는 그럴 마음으로 결심을 했었다.

제발, 앞으로 조금만, 부탁이니까, 울지 말아줘, 시호루.

그렇게 빌면서 문을 향해 간다. 시호루의 상태를 확인할 용기는 과연 없다. 일단 시호루는 다리가 꼬이면서도 따라와주고 있다. 그것만으로도 충분하다.

"으라차…!"

고미가 대검으로 호쾌하게 감옥을 부수자 안에서 얼굴이 덮일 정도로 앞머리가 긴 남자가 나왔다. 저것이 타스케테인가?

"이오 님! 이오 니임!"

아히르도 새장을 다 내렸다. 새장의 입구는 잠겨 있는 것 같았지만 벨트로 어려움 없이 비틀어 열 수 있었던 모양이다.

"유이코…!"

아히르가 손을 내밀자 새 같은 의상을 입은 여성이 그 품으로 뛰어들었다.

"요시하루! 믿고 있었어…!"

"우오오오오오오오오오오오오오오오오오오오오오오오!"

쿠자크가 문에 감겨 있던 사슬을 힘껏 잡아 뜯었다.

세토라를 등에 태운 키이치가 층층으로 되어 있는 감옥을 뛰어올라간다. 딱 한 군데만 폭이 2미터 정도인 계단으로 되어 있다. 이오와 앨리스, 레온은 그 계단을 올라간다. 하루히로도 그들 뒤를 따라갔다.

계단 도중에서 갑자기 시호루가 멈춰 서려고 했다.

"어이, 시호루…."

"어떻게 되든 상관없어."

쳐다보니 시호루의 두 눈이 반짝반짝 빛나고 있다. 젖어 있다고. 울어버릴 것 같다. 위험해. 틀린 건가? 여기까지 왔는데. 아니야.

"나는 상관없지 않아!"

하루히로는 시호루를 안아 들었다. 이른바 '공주님 안기'라고 불리는 자세다. 시호루는 거의 나체잖아. 엄청나게 부드럽고. 내가 생각해도 이건 좀 문제라고 생각해. 이상한 기분이 든다거나 하지는 않지만. 상황이 상황인 만큼. 그래도, 역시, 연애 감정 비슷한 것은 조금도 없다고 생각한다. 시호루는 좋아하지만. 여러 가지 일이 있었잖아. 어떤 식으로 좋아한다거나 그런 말로 표현할 수 없을 정도로 엄청 좋아해. 물론 어떻게 되든 상관없지도 않아. 어쩌면 시호루의 반짝반짝 눈물에 죽어버릴지도 모르는 거지만. 시호루를 포기할 바에는 그래도 좋아… 라고 생각할 정도로는 소중하다고.

계단을 올라간다. 세 계단을 펄쩍 뛰어 올라간다. 문은 이미 쿠자크의 손에 의해 열려 있다. 문 너머는 얼룩투성이의 하얀 벽인데도, 그곳으로 돌진했던 이오가, 고미가, 타스케테가, 사라져버렸다. 저 문은 다른 세계로 이어져 있다.

키이치 위에서 세토라가 힐끔 돌아보았다. 그대로 문 너머로 사라진다. 레온이 문 앞에서 꾸물거리고 있다. 앨리스가 그 엉덩이를 걷어찼다.

"빨리 해!"

"우왓!"

레온도 이미 문 너머로 사라졌다.

"아히르, 너는?!"

"나는."

아히르는 나이팅게일을 꼭 껴안은 채로 앨리스를 보며 웃었다.

"이 녀석과 같이 있겠어. 두 번 다시, 영원히 헤어지고 싶지 않아."

앨리스는 어깻짓을 해 보이더니 문 너머로 폴짝 뛰어들었다.

시호루는 울음을 터뜨리려는 건지. 이미 울고 있는 건지. 하루히로는 알 수 없다.

문은 바로 코앞이다.

여기에서 힘이 다한다고 해도 여한은 없지만, 조금만 더.
돌아가고 싶은, 그 장소로, 다 함께···.

…음… 여기… 어라…? 어디… 야? 여기…?

어둠, 네. 캄캄… 하지는 않은, 가? 흐릿하게, 녹색 같은… 빛이.

바닥. …지면. …딱딱해. 차갑고. 돌인지, 뭔지…?

잠들었던, 건가? 잠들었다…?

아니야… 그건 아닌가. 잠들었던 때와는, 다른… 것 같아. 어딘
지, 긴 길을… 걷고 있었던 건가 하면, 그것도… 자신은 없지만, 낙
하… 했던 것 같은. 빙글빙글 돌았던 것 같은, 느낌도. …뭔가, 그런
일, 있었지. …파라노. 그렇지. 파라노에서, 있었다. 그것과는… 아
마도, 다르다고 생각하지만. 예를 들면… 회오리바람 속에 있는, 것
같은. …회오리바람 속에, 들어가본 적… 없지만.

다들, 있는 건가? 있… 지? 있어주지 않으면… 곤란해.

"…웃…."

목소리가 나오지 않는다. 움직일 수도, 없다. 뭐지? 저리는… 건
가?

눈도 잘, 안 보이고. 이거, 어두운 탓… 인가? 글, 쎄.

뭔가, 빛나고 있다.

어렴풋이.

지면인지, 바닥에서.

빛나는 선이. …무늬?

누군가, 있는 건가?

그리 멀지 않은 장소에, 서 있는… 것 같은.

"히요."

낮은, 잠긴 목소리가 들렸다.

남자 목소리다.

"네에, 주인님."

다른 목소리가.

이번에는… 여자인가? …어라?

들어본 적… 있는… 것 같은?

"투약을 개시해. 쓸데없는 일은 잊어버리도록."

"에고고…. 사람 수 많고 히요무 혼자서는 힘든데. 물론 제대로 할 거지만요. 일, 일이니까요. 꺄잉…."

"그리고… 이자들은."

"뉀에? 아아. 어디, 이 아이랑 이 아이 말인가요?"

"그래. 다른 용도를 생각하자."

"오… 케이요. 그럼, 그럼, 주인님의 극비약, 투여 개시하겠습니 다요…. 이 약도 주인님이 렐릭을 사용해서 생성시킨 귀중품이니까 요. 낭비할 수는 없지요. 소중하게 쓰겠습니다욧."

"말이 많다…."

"우와왓. 죄송합니닷. 그치만, 그치만, 일은 확실하게 할 거니까 요. 그 점은 히요무, 빈틈없거든요…."

"그렇다면 어서 해."

"옛썰…."

뭐야…?

주인님…?

히요무… 라니, 어…?

그, 히요무…?

그러고 보니… 레슬리 캠프에서… 들었던 목소리도… 그렇다… 그것도.

히요무의 목소리다.

주인님… 이란 건, 누구야…?

어두워서… 보이지 않아. 어디… 야? 여기.

히요무가, 뭔가… 하고 있다.

가까이에서.

"…어라라라? 당신, 깨버렸어요?"

얼굴은, 잘 보이지 않는다.

"음… 뭐, 상관없나? 아직 움직이는 건 무리겠지? 결국 마찬가지니까."

옆으로 누워 있던 몸을 똑바로 눕힌다. 히요무는 머리 바로 위에 쪼그리고 앉아 있다. 트윈 테일이라고 하던가? 저 양갈래 머리. 틀림없다. 히요무다.

"자, 입, 아… 해주세요. 자, 자. 입 벌려요. 깨어 있지요?"

힘을 쥐어짜서 입을 꽉 다물었더니 억지로 벌린다. 지금 히요무의 손이 뺨과 턱에 닿아 있다. …마법. 그렇다. 마법을. 레저넌스.

아니.

틀렸다.

아무 일도 일어나지 않아.

그렇다. …그럴 거라고, 생각했다.

누구나 마법을 쓸 수 있다. 그것은 파라노의 법칙이다. 파라노에서만 통한다.

다른 세계로 가면 마법은 쓸 수 없게 되는 것 아닐까 하는 예상은 하고 있었다. 분명 시호루도 트릭스터가 아니게 된다. 파라노에서 나가버리면 시호루는 살아날 것이다. 그 말이 맞았다. …하지만, 이 것은….

　"자, 자…. 약을 먹읍시다…. 괜찮으니까요. 아프지 않으니까요. 맛있는 것은 아닐지도 모르지만, 어차피 잊어버릴 테니까요. 그렇지, 그럼, 그럼요. 그대로 꿀꺽 삼켜주세요. 어라? 아직 저항하는 거야? 성가시네. 그럼 이건 어때? 이렇게 입을 다물게 하고 코를 잡아버리면 삼킬 수밖에 없지?' 우후훗. 오케이… 이이, 착하다…."

"—어웨이크(눈을 뜨라)."

누군가의 목소리가 들린 것 같아서 눈을 떴다.

어둡다. 밤인가? 하지만 캄캄하지는 않다. 불빛이 있다. 불. 머리 위다. 불이 켜져 있다. 양초 같다. 작은 양초가 벽에 붙어 있다. 한 개가 아니다. 초는 간격을 두고 몇 개나, 아주 저 멀리까지 줄지어 있다. 어디야? 여기는.

왠지 답답하다. 벽을 만져보니 딱딱하고 울퉁불퉁하다. 이런 건 벽도 아무것도 아니다. 그지 바위잖아. 그래서 누워 있던 등이 아픈 거구나. 엉덩이도 아프다. 혹시나 동굴이나 그런 것? 동굴? 왜 동굴 같은 곳에…?

촛불은 상당히 위쪽에 있다. 일어서서 손을 뻗으면 닿을지도 모른다. 그 정도 높이다. 그래서 발밑도, 손끝조차도 거의 보이지 않는다.

하지만 기척이 있다. 귀를 기울여보니 숨결 같은 소리가 희미하게 들린다.

"혹시나, 누군가 있어…?"

"아… 응."

"…응."

"어디야? 여긴…."

"냐아…."

"…저기, 이… 있어요."

"뭐, 뭐, 뭔지, 뭐… 도대체 뭘까? 이거. 좀 도와줬으면 좋겠는데
…."

"숙취 같데이. 속이 안 좋구마…."

"당신, 너무 바싹 붙지 말아줄래? 냄새 나."

나 혼자가 아니다. 몇 명이나 있는 모양이다. 남자도, 여자도 있는 것 같다.

"…그보다, 여기… 어디? 누군가… 알아?"

"아니…."

가까이에 있는 덩치 큰 남자가 고개를 저었다. 촛불이 있기도 해서 점점 눈이 어둠에 익숙해졌다.

"글쎄… 요. 그보다… 저기, 나… 음…. …뭐랄까…."

"어… 뭐?"

"아마도, 나… 쿠자크라고 하는데."

"아아, 이름?"

"…그런데… 기억이 안 나거든. 생각나질 않아."

"뭐가? 앗…."

쥐어뜯는 것처럼 가슴을 눌렀다. 모르겠다. 나는 언제부터 여기에 있는 건가? 어째서 여기에? 생각해보니 머릿속에서 뭔가가 잡힐 것 같다. 하지만 그 뭔가가 갑자기 사라져버린다. 모르겠다. 전혀. 전혀 모르겠다.

"…나도 그래. 하루히로… 라는 이름밖에. 도대체 뭐지? 이거…."

— 다음 권에 계속 —

작가 후기

저지른 죄를 고백합니다.

벌써 한참 전의 일이지만, 어릴 때 집에서 걸어갈 수 있는 장소에 제재소가 있었습니다.

저는 자주 거기에 몰래 들어가 나무토막을 훔쳤습니다.

그야 제재소니까요, 잘라버린 재료들이 대량으로 생겨 그것이 산처럼 쌓여 있었고 아마 버리는 것이었을 테니 달라고 했으면 줬을지도 모르지만, 저는 그 당시에 아직 초등학생이었고 제재소에서 일하는 사람에게 부탁해보려는 결심은 서지 않았었습니다.

그런데 그 나무토막을 무엇에 썼냐 하면, 톱으로 적당한 크기로 자르고 망치로 못을 박아 검과 방패를 만들었습니다.

교우 관계가 좁았던 저에게도 함께 그런 장난을 치는 친구가 몇 명인가 있었답니다. 우리는 직접 만든 검과 방패로 본격적인 칼싸움에 몰두했습니다.

방패로 몸을 지킬 수가 있다고는 해도, 나무 검은 신문지를 말아 검테이프로 고정한 것과는 다르기 때문에 상당한 위력이 있습니다.

또한 싸우는 동안에 전술도 점점 세련되어집니다. 방패의 방어를 뚫고 몸에 나무 검을 명중시키는 것은 제법 어렵지만, 그렇다면 먼저 방패를 노리면 되지요. 나무 검으로 방패를 난타해서, 운이 좋으면 파괴하고, 부수지 못해도 방패를 마구 때리다 보면 상대방의 자세가 무너지게 됩니다. 그 틈을 타서 공격을 퍼붓습니다.

어린아이의 힘이라고는 해도 우리의 칼싸움에서는 피가 나는 경우도 드물지는 않았습니다. 나무 검으로는 부족해서 긴 창을 만드는 아이도 생겼고, 방패와 긴 창의 조합은 맹위를 떨쳤습니다. 창뿐만이라면 가까이 접근하면 되지만, 접근해도 방패로 튕겨내고 거리를 벌리고는 다시 창으로 공격할 수 있습니다. 창을 상대할 때에는 창 자체를 우선 어떻게 처리하지 않으면 승산이 없습니다.

이렇게 그 당시 일을 떠올리고 있노라니, 왠지 지금과 그리 다를 것이 없었구나… 라고 느껴집니다.

저는 계속 이런 식으로 살다가 이대로 죽어갈지도 모르겠습니다.

그럼, 담당 편집자이신 하라다 씨와 시라이 에이리 씨, KOME-WORKS의 디자이너님, 그 외에 이 작품의 제작과 판매에 관여하신 분들, 그리고 지금 이 작품을 들어주신 여러분께 진심으로 감사와 가슴 한가득 사랑을 담고 오늘은 이만 펜을 놓겠습니다. 또 만나 뵐 수 있다면 기쁘겠습니다.

주몬지 아오

역자 후기

작업을 하다 보면 때때로 작품에 등장하거나 내용과 관련된 어휘가 머릿속에 떠올라 그것에 관해서 잠시 생각해보게 되는 경우가 있습니다.

이번 권을 보면서 떠오른 워드는 '고향'입니다. 또는 '집'이라고 표현해도 될 것 같습니다. 사실 영어로는 둘 다 home이라고 표현하기도 하지요.

고향의 사전적인 의미는 다음과 같습니다.

태어나서 자란 곳, 조상 대대로 살아온 곳, 마음속에 깊이 간직한 그립고 정든 곳, 어떤 사물이나 현상이 처음 생기거나 시작된 곳.

제가 생각한 부분은 '마음속에 깊이 간직한 그립고 정든 곳, 어떤 사물이나 현상이 처음 생기거나 시작된 곳'입니다. 여기에 '언젠가 돌아갈 곳'이란 의미를 추가해봅니다.

'정들면 고향'이라는 말이 있죠.

또한 특별한 의미가 있거나 전환점을 맞은 곳을 '제2의 고향'이라고도 합니다. 저에게도 제2의 고향이라 부를 만한 곳이 있습니다.

하루히로 일행에게, 적어도 하루히로에게는 그림갈은 고향과 같은 곳이 아닌가 생각합니다. 태어나고 자란 곳에 대한 기억이 없는 그에게는 그들의 모험이 시작된 곳이자 소중한 동료들을 만난 곳이

고향처럼 느껴지지 않을까요? 사실 하루히로는 내내 동료들과 함께 그림갈로 돌아가기를 바라고 있었습니다. 지금까지는 그것이 당면의 목표가 되기도 했습니다.

길 위에 서 있는 자들은 고향에 대한 그리움이 늘 마음 한구석에 있는 것이라 생각합니다. 그것은 돌아가고픈 장소이기도 하고 그리운 사람의 곁일 수도 있습니다.

모험의 끝에서 하루히로가 돌아가게 될 곳은 과연 어디일까요?

앞으로도 함께 지켜봐주시면 기쁘겠습니다.

2019년 5월
이형진

재와 환상의 그림갈 level. 14
파라노마니아[parano_mania]

2019년 6월 8일 초판 인쇄
2019년 6월 15일 초판 발행

저자 · AO JYUMONJI
일러스트 · EIRI SHIRAI
역자 · 이형진
발행인 · 정욱
편집인 · 황민호
출판사업본부장 · 박종규
책임편집 · 박정훈 성명신
마케팅본부장 · 김구회
마케팅 · 이상훈 김학관 김종국 반재완 이수정 임도환
국제업무 · 이주은 김준혜 오선주 장희정 박경진 위지명 김부희
제작 · 심상운 최택순 성시원
한국판 디자인 · 디자인 우리
발행처 · 대원씨아이(주)

서울 특별시 용산구 한강대로 15길 9–12
편집부 : 02-2071-2093 FAX : 02-794-2105
영업부 : 02-2071-2061 FAX : 02-794-7771
1992년 5월 11일 등록 3-563호

http://www.dwci.co.kr/

원제 灰と幻想のグリムガル 14
ⓒ 2018 by AO JYUMONJI
First published in Japan in 2018 by OVERLAP, Inc.
Korean translation rights reserved by DAEWON C, I, INC.
Under the license from OVERLAP, Inc., Tokyo JAPAN

ISBN 979-11-362-0111-9 04830
ISBN 979-11-5625-426-3 (세트)